DEIXADA PARA TRÁS

CHARLIE DONLEA

DEIXADA PARA TRÁS

Tradução: Carlos Szlak

COPYRIGHT © 2017. THE GIRL WHO WAS TAKEN BY CHARLIE DONLEA.
PUBLISHED BY ARRANGEMENT WITH BOOKCASE LITERARY AGENCY AND
KENSINGTON PUBLISHING.
COPYRIGHT © FARO EDITORIAL, 2017

Todos os direitos reservados.
Nenhuma parte deste livro pode ser reproduzida sob quaisquer meios existentes sem autorização por escrito do editor.

Diretor editorial PEDRO ALMEIDA

Preparação TUCA FARIA

Revisão ANA UCHOA

Capa e diagramação OSMANE GARCIA FILHO

Imagem de capa © STEPHEN CARROLL | TREVILLION IMAGES

Dados Internacionais de Catalogação na Publicação (CIP)
(Câmara Brasileira do Livro, SP, Brasil)

Donlea, Charlie
    Deixada para trás / Charlie Donlea ; tradução Carlos Szlak. — 1ª ed. — Barueri, SP : Faro Editorial, 2017.

    Título original: The girl who was taken.
    ISBN 978-85-9581-008-2

    1. Ficção policial e de mistério (Literatura norte-americana) I. Título.

17-08242   CDD-813

Índice para catálogo sistemático:
1. Ficção : Literatura norte-americana 813

1ª edição brasileira: 2017
Direitos de edição em língua portuguesa, para o Brasil, adquiridos por FARO EDITORIAL

Avenida Andrômeda, 885 – Sala 310
Alphaville – Barueri – SP – Brasil
CEP: 06473-000 – Tel.: +55 11 4208-0868
www.faroeditorial.com.br

O sequestro

*Emerson Bay,
Carolina do Norte
20 de agosto de 2016
23h22*

A ESCURIDÃO SEMPRE FEZ PARTE DA VIDA DE NICOLE CUTTY.
Nicole a procurou e flertou com ela. Sua curiosidade a levou ao encantamento pela escuridão do jeito mais estranho. Ultimamente, de forma doentia, ela se sentia convencida das alegrias de sua companhia. Preferia o negrume da morte à luz da existência. Até esta noite. Até se colocar diante de um abismo que estava morto e vazio de uma maneira nunca vista, como um céu noturno sem estrelas. Ao se ver diante desse abismo entre a vida e a morte, Nicole escolheu a vida. E correu feito louca.

Ela saiu pela porta da frente, e a noite densa não permitiu a Nicole enxergar nada. Sabendo que ele estava a poucos metros de distância, a adrenalina a fez se mover na direção errada por alguns instantes. Então, sua visão se ajustou à fraca luminosidade da lua. Quando localizou seu carro, Nicole se reorientou e correu até ele. Tateando, achou a maçaneta e conseguiu abrir a porta. A chave estava no contato. Nicole deu a partida, acionou o câmbio automático e pisou no acelerador com tanta força que seu automóvel quase bateu na lateral do veículo parado na frente. Os faróis iluminaram a noite escura, e, com o canto do olho, ela vislumbrou um lampejo da cor da camisa dele quando ele apareceu perto do capô do outro carro. Instintivamente, Nicole jogou o carro em sua direção. Sentiu o baque do impacto e o tremendo balanço da suspensão do veículo quando as rodas absorveram as irregularidades do corpo. Finalmente, o carro recuperou a tração no trecho de cascalho. Contendo a respiração,

Nicole tornou a pisar fundo no acelerador, deu meia-volta e deixou tudo para trás, percorrendo a estrada estreita em alta velocidade.

Nicole entrou derrapando na estrada principal. Ao corrigir a derrapagem com movimentos precisos do volante, sentiu o corpo se inclinar no assento do motorista, ignorando o velocímetro, que indicava uma velocidade superior a cento e vinte e cinco quilômetros por hora. Ela flexionou o braço no lugar onde ele a agarrara, com um hematoma roxo já em formação, enquanto desviava os olhos do para-brisa para o espelho retrovisor. Percorreu cerca de três quilômetros antes de aliviar o motor de quatro cilindros e aquietar seu lamento. Estar livre não lhe trouxe nenhum alívio. Muita coisa acontecera para que pudesse acreditar que a fuga seria capaz de fazer os problemas dessa noite desaparecerem. Nicole precisava de ajuda.

Depois de pegar a estrada de acesso que levava de volta para a praia à beira do lago, Nicole enumerou as pessoas para quem não podia fazer perguntas. Seu cérebro funcionava daquele jeito, na negativa. Antes de decidir quem poderia ajudá-la, mentalmente excluiu aqueles que iriam lhe causar dissabores. Seus pais estavam no topo da lista. A polícia, num segundo lugar bastante próximo. Suas amigas eram possibilidades, mas eram frágeis e histéricas, e Nicole sabia que entrariam em pânico quando ela explicasse mesmo uma fração do que tinha ocorrido durante a noite. Sua mente se agitava, ignorando a única possibilidade real até que excluísse todas as outras.

Nicole freou na placa de "Pare". Em seguida, passou pelo cruzamento e pegou o celular. Ela precisava da irmã. Lívia era mais velha e mais inteligente. Racional de um jeito que Nicole não era. Se deixasse de lado o último período de suas vidas e a distância entre elas, Nicole sabia que podia confiar em Lívia. E, mesmo que não tivesse certeza disso, não havia outras opções.

Assim, grudou o celular na orelha e ouviu o toque, com lágrimas rolando pelo rosto. Era quase meia-noite. Nicole estava a um quarteirão da festa à beira do lago.

— Atenda, atenda, atenda... Por favor, Lívia!

A fuga

*Duas semanas depois
Floresta de Emerson Bay
3 de setembro de 2016
23h54*

ELA TIROU O SACO DE ALGODÃO DA CABEÇA E RESPIROU com dificuldade. Foi necessário um tempo para que sua visão se adaptasse, enquanto figuras sem forma dançavam diante de seus olhos e a escuridão desaparecia. Tentou captar a presença dele, mas tudo o que escutou foi o barulho da chuva do lado de fora.

Deixou cair no chão o saco e andou na ponta dos pés até a porta do bunker. Surpresa de vê-la entreaberta, pôs o rosto no espaço entre a porta e o batente, e olhou para a floresta escura enquanto a chuva caía torrencialmente sobre as árvores. Imaginou uma lente de câmera em seu globo ocular e, em seguida, o foco da câmera, num zoom reverso, capturando primeiro a porta, depois o bunker, depois as árvores e, por fim, uma visão de satélite de toda a floresta. Sentiu-se pequena e fraca com essa imagem mental de si mesma, sozinha num bunker escondido nas profundezas da floresta.

Seria aquilo um teste? Se saísse do bunker e adentrasse a floresta, havia a chance de encontrá-lo a sua espera. Mas se a porta aberta e o momento livre de seu grilhão fossem um descuido, seria o primeiro passo em falso dele e a única oportunidade existente nas últimas duas semanas. Era a primeira vez que não se via presa na parede.

Com as mãos trêmulas e ainda atadas na sua frente, abriu a porta. As dobradiças rangeram na noite antes que a chuva torrencial sufocasse seu lamento. Ela esperou um instante, contida pelo medo. Semicerrou os olhos e se forçou a raciocinar, procurando afastar o estupor provocado pelos sedativos. As infindáveis horas imersa na escuridão no cativeiro voltaram e cintilaram em sua mente como uma tempestade elétrica. Assim como a promessa que fez a si mesma de que, se uma oportunidade de fuga surgisse, ela a agarraria. Dias antes, decidiu que preferia morrer lutando por sua liberdade a seguir como um cordeiro rumo ao matadouro.

Deu um passo hesitante para fora do bunker, sob a chuva grossa e pesada que correu gelada por seu rosto. Reservou um momento para se banhar no aguaceiro, deixando a água limpar as brumas de sua mente. Em seguida, correu.

A floresta estava escura, e a tempestade prosseguia. Com a fita adesiva prendendo seus pulsos, ela tentava se desviar dos galhos que chicoteavam o rosto. Tropeçou num tronco e caiu nas folhas escorregadias. De imediato, forçou-se a ficar de pé de novo. Tinha contado o tempo, e achou que ficara desaparecida por doze dias. Talvez treze. Que estivera presa num porão escuro, onde seu sequestrador a escondera e alimentara, quem sabe tivesse deixado passar um dia quando a fadiga a remeteu para um longo período de sono... Essa noite, ele lhe permitiu ir para a floresta. O pavor a subjugara ao ser atirada no porta-malas, e uma sensação de náusea lhe dissera que seu fim estava próximo. Porém, agora, a liberdade se achava diante dela, e, em algum lugar além daquela floresta, daquela chuva e daquela noite, talvez encontrasse o caminho para casa.

Correu às cegas, dando voltas que tiraram dela todo o senso de direção. Por fim, escutou o ruído de um caminhão pesado deslizando pelo asfalto molhado. Tomando fôlego, correu na direção do barulho e subiu um aterro que dava numa estrada de duas pistas. A distância, as luzes traseiras vermelhas do caminhão desapareciam rapidamente.

Ela tropeçou no meio da estrada e, sobre pernas bambas, perseguiu as luzes como se pudesse pegá-las. A chuva caía torrencialmente sobre seu rosto, emaranhando-lhe o cabelo e encharcando a roupa amarrotada. Descalça, ela prosseguiu numa marcha trôpega, provocada pelo corte profundo no pé direito — sofrido durante a caminhada frenética pela floresta — que deixava uma linha sinuosa de sangue em seu rastro e que a água da tempestade cuidava de apagar. Movida pelo pavor de que ele aparecesse da mata, ela avançava com a sensação de que ele estava perto, pronto para pegá-la, enfiar o saco em sua cabeça e levá-la de volta para o cativeiro sem janelas.

Desidratada e alucinando, ela achou que sua visão lhe pregava peças quando viu uma fraca luz branca ao longe. Cambaleou em sua direção e, pouco depois, a luz se dividiu em duas e cresceu de tamanho. Ela permaneceu no meio da estrada e, então, ergueu as mãos atadas acima da cabeça e acenou.

Ao se aproximar, o carro desacelerou. O motorista acendeu o farol alto para iluminá-la ali de pé, com roupas molhadas e descalça, com arranhões cobrindo-lhe o rosto e sangue escorrendo pelo pescoço, tingindo de vermelho a camiseta.

O automóvel parou, com os limpadores de para-brisa jogando água para cada lado. A porta do motorista se abriu.

— Você está bem? — o homem gritou, para superar o barulho da tempestade.

— Preciso de ajuda. — Foram as primeiras palavras ditas por ela em dias, com a voz rouca e seca. A chuva tinha um gosto maravilhoso, ela finalmente reparou.

O homem se aproximou e a reconheceu.

— Meu Deus! Todo o estado está a sua procura! — ele exclamou, levando-a para o automóvel e acomodando-a com cuidado no assento dianteiro do passageiro.

— Vamos, por favor! — ela pediu. — Ele está vindo! Eu sei disso!

O homem correu para o outro lado do automóvel e o pôs em movimento antes mesmo de fechar a porta. Em seguida, ligou para a polícia indo em alta velocidade pela Rodovia 57.

— Onde está sua amiga? — o homem perguntou.

— Quem?! — Ela olhou para ele.

— Nicole Cutty. A outra garota que foi sequestrada.

A divulgação do livro

Doze meses depois
Nova York
Setembro de 2017
8h32

MEGAN MCDONALD PERMANECIA SENTADA ERETA NA cadeira, enquanto Dante Campbell lia as anotações da entrevista. Pelo tempo restante do intervalo comercial, um caos generalizado acontecia ao redor delas. Uma maquiadora retocava o nariz de Megan com pó facial, os produtores davam ordem aos gritos e os iluminadores mudavam a posição dos refletores. Apesar de descontrair os ombros e respirar fundo, Megan se sentia ainda muito tensa. Por isso se assustou quando outra maquiadora começou a passar um pincel em seu rosto.

— Desculpe, querida. Você está muito brilhante. Feche os olhos.

Megan obedeceu, e a mulher se dedicou a seu trabalho. Na escuridão, para além das câmeras de tevê, uma voz começou a contagem regressiva. Megan sentiu a boca secar, e um visível tremor se apoderou de suas mãos. As maquiadoras sumiram e, de repente, Megan se viu sentada diante de Dante Campbell, iluminada por refletores muito potentes.

Cinco, quatro, três, dois... Estamos ao vivo.

Megan pôs as mãos trêmulas sob as coxas. Dante Campbell olhou para a câmera e falou num tom experiente e numa cadência variada; habilidades adquiridas pelas apresentadoras de programas matutinos, dentre as quais, ela era a campeã de audiência.

— Todos nós conhecemos a terrível história de Megan McDonald, a garota tipicamente americana, filha do xerife de Emerson Bay, que foi sequestrada no verão de 2016. Agora, um ano depois, Megan lança seu livro, *Desaparecida*, onde conta a história verdadeira de seu sequestro e de sua corajosa fuga. — Dante Campbell afastou o olhar da câmera e sorriu para sua convidada. — Megan, bem-vinda ao programa.

Megan engoliu em seco e quase engasgou.

— Obrigada — ela murmurou.

— Por mais de um ano, o país e, claro, Emerson Bay quiseram ouvir sua história. O que finalmente a inspirou a compartilhá-la?

Desde o agendamento daquela entrevista, Megan vinha pensando nas respostas que daria. Não podia revelar a verdade para a notável Dante Campbell: que escrever o livro fora a maneira mais simples de aplacar a dor de sua mãe e conseguir algum espaço para respirar. Era um jeito de tirar sua mãe — neurótica de preocupação e angústia — do seu pé por alguns meses.

— O tempo, simplesmente. — Megan acabou por decidir pela resposta que melhor a tiraria dos holofotes. — Eu precisava processar tudo antes de me sentir pronta para contar sobre isso para as pessoas. Tive a chance de fazê-lo, e agora me sinto em condições de contar minha história.

— Tempo para processar e para *se curar*, tenho certeza — Dante Campbell acrescentou.

Claro, Megan pensou. Porque, afinal, um ano se passara, e, sem dúvida, esse espaço de tempo era suficiente para cicatrizar as feridas. Com certeza, um ano completo a tornaria perfeita de novo. Porque, se Megan não desse a impressão de curada, feliz e recuperada, Dante Campbell — a rainha da programação matutina da tevê — pareceria malvada ao inquiri-la sobre os detalhes. *Por favor*, Megan pensou, *conte novamente aos seus telespectadores como estou recuperada e restabelecida.*

— Sim, isso também — Megan afirmou.

— Imagino que algo assim demore muito tempo para ser superado, e, de certa forma, relatar os acontecimentos em seu livro foi terapêutico.

Megan parou de olhar em volta, exprimindo descrença. Tinha muitos adjetivos para descrever o processo que criou seu livro. *Terapêutico* não era um deles.

— Foi. — Megan sorriu, mantendo os lábios juntos.

Era seu novo sorriso, o melhor que conseguia dar e muito diferente da imagem radiante que viu outro dia ao folhear o anuário do último ano do ensino médio. Naquela época, seu sorriso era largo, com dentes alinhados e claros preenchendo o espaço entre seus lábios curvados. No início, ela tentou reproduzi-lo, mas era muito difícil fingir aquela leveza. Assim, inventou aquilo: lábios juntos, com os cantos virados para cima. Feliz. As pessoas estavam acreditando.

— O que os leitores podem esperar de seu livro?

Megan não tinha muita certeza, já que boa parte do livro não fora escrita por ela. Essa distinção coube ao seu psiquiatra, que obteve um crédito de coautoria na capa.

— Ah, ele trata da noite em que tudo aconteceu.

— A noite em que você foi sequestrada — Dante esclareceu.

— Isso. E das duas semanas que passei em cativeiro. Do que pensei enquanto estive presa ali. Falo sobre onde eu estava e todas as minhas tentativas fracassadas de fuga. E de quando consegui sair para a floresta.

— A noite em que você escapou.

Megan hesitou.

— Sim. O livro fala de minha fuga. — E ela voltou a esboçar aquele sorriso sem naturalidade. — E um capítulo inteiro é dedicado ao senhor Steinman.

Dante Campbell também sorriu e esclareceu com suavidade:

— O homem que a encontrou na Rodovia 57.

— Sim. Ele é o meu herói. O herói do meu pai também.

— Sem dúvida. O senhor Steinman veio ao programa, não muito tempo depois de sua provação.

— Eu vi, e fiquei feliz por ele ter tido o reconhecimento que merece. Ele salvou minha vida naquela noite.

— De fato. — Então, Dante baixou os olhos para ler suas anotações e tornou a sorrir. — Não é nenhum segredo que o país se apaixonou por você. Muita gente quer saber como você está e quais são seus planos para o futuro. Ao lerem o livro, ficarão sabendo algo a esse respeito?

Megan tirou a mão de debaixo da coxa e a girou no ar para ajudá-la a pensar.

— Sim, muita coisa aconteceu desde aquela ocasião.

— Com você e sua família?

— Sim.

— E com a investigação em curso?
— Tanto quanto sabemos, sim.
— O quão difícil é para você saber que seu sequestrador ainda está por aí?
— Não é nada fácil, mas sei que a polícia está fazendo tudo ao seu alcance para encontrá-lo. — Megan precisava se lembrar de agradecer ao pai por essa resposta, que ele lhe transmitira na véspera.
— Antes de isso tudo acontecer, você estava prestes a ingressar na Universidade Duke. Estamos todos curiosos de saber se essa ainda é uma opção para você.

Megan hesitou um instante antes de responder:
— Hum... eu tirei um ano de folga depois que voltei para casa. Tentei retomar meus planos para este outono, mas não deu certo. Simplesmente... não consegui organizar as coisas a tempo.
— Deve ser difícil, claro, voltar ao normal. Mas creio que a universidade manteve o convite aberto para quando você estiver pronta, não?

Fazia muito tempo que Megan parara de questionar tanto a fascinação do público por seu sequestro como a sede insaciável pelos detalhes mórbidos de seu cativeiro. E, naquele momento, a ânsia desse público de ela prosseguir como se nada tivesse acontecido. Megan parou de questionar tudo isso quando enfim entendeu o raciocínio por trás. Sabia que, uma vez que passasse a frequentar a Universidade Duke e a levar uma vida normal, estaria dando permissão a que todos que se banquetearam com os detalhes soturnos de sua provação se sentissem bem sobre si mesmos. Sua normalidade era a fuga deles do pecado. Caso contrário, por que os telespectadores ou Dante Campbell desejariam tanto ouvir os pormenores perturbadores de seu sequestro se ela ainda estivesse se sentindo atordoada por causa dele? Se ainda estivesse seriamente abalada, levando uma vida desastrosa e com poucas chances de recuperação, a energia delas em relação a sua história seria simplesmente inaceitável. Não se deixariam atrair por sua narrativa se não tivesse um final feliz. Porém, se Megan estivesse *curada*, se estivesse seguindo adiante com seu novo livro *terapêutico*, se passasse a frequentar as aulas do primeiro ano da Universidade Duke e se fosse um *sucesso*... Bem, então, todos poderiam escavar como larvas a carne substanciosa de sua perturbadora história e voar para longe, limpos e perolados, como se nenhuma metamorfose tivesse ocorrido.

Megan McDonald precisava ser uma história de sucesso. Simples assim.

— De fato — Megan disse, por fim. — Duke me deu muitas opções para o próximo semestre ou até para o próximo ano.

Dante Campbell voltou a sorrir, com um olhar carinhoso.

— Bem, sei que você passou por muitas coisas, o que a tornou uma inspiração para os sobreviventes de sequestros em todos os lugares. Também sei que este livro será certamente um farol de esperança para eles. Em algum momento você voltaria a conversar conosco, dando-nos uma atualização?

— Claro — Megan afirmou, brindando-a com mais um sorriso amarelo.

— Megan McDonald. Boa sorte para você.

— Obrigada.

Depois de repetir onde o livro *Desaparecida* podia ser comprado, Dante Campbell chamou o intervalo comercial, e o estúdio voltou a ficar barulhento com as vozes vindas da área escura atrás das câmeras.

— Você se saiu muito bem — Dante afirmou.

— Você não perguntou nada sobre Nicole.

— Foi apenas por falta de tempo, querida. O programa estava atrasado. Mas vamos colocar um link a respeito de Nicole no site.

E com isso, Dante Campbell ficou de pé e passou por Megan, dando-lhe um tapinha delicado no ombro. Megan assentiu, sozinha na cadeira do estúdio. Ela também entendeu isso. Essa entrevista só podia incluir os detalhes mais belos. As partes *inspiradoras*. A fuga heroica, o futuro brilhante e as garotas que, com certeza, seriam ajudadas pelo livro. A entrevista dessa manhã foi uma conclusão do drama de Megan McDonald e tinha de acabar com sucesso. Não podia incluir nenhum elemento desagradável que ainda perdurasse a respeito daquele verão. Sobretudo acerca de Nicole.

Nicole Cutty sumira. Essa não era uma história de sucesso.

PARTE I

Uma vida pode acabar, mas às vezes seu caso vive para sempre.
— Gerald Colt, médico

1

Setembro de 2017
Treze meses depois da fuga de Megan
Por que patologia forense?

ESSA ERA A PERGUNTA FEITA A LÍVIA CUTTY EM TODAS AS entrevistas para o curso de especialização. Entre as respostas genéricas, podiam-se incluir o desejo de ajudar as famílias a encontrar uma conclusão para seus casos, o amor pela ciência e a vontade de enfrentar o desafio de achar soluções onde os outros viam apenas dúvidas. Eram respostas excelentes, e provavelmente dadas por muitos colegas seus que agora estavam em cursos de especialização exatamente como o escolhido por ela. Porém, a afirmação de Lívia, ela tinha certeza, era diferente de qualquer uma oferecida por seus colegas. Havia uma razão para Lívia Cutty ser tão disputada. Uma explicação para ter sido aceita em todos os cursos para os quais se candidatara. Ela fora ótima aluna e residente na faculdade de medicina. Teve artigos publicados e veio com excelentes recomendações dos catedráticos de sua residência. Porém, esses elogios por si só não a diferenciavam, pois muitos colegas possuíam currículos semelhantes. Havia outra coisa a respeito de Lívia Cutty. Ela tinha uma história.

— Minha irmã desapareceu no ano passado — Lívia informava em toda entrevista. — Escolhi ciência forense porque algum dia meus pais e eu iremos receber uma ligação dizendo que o corpo dela foi encontrado. Vamos ter muitas dúvidas acerca do que aconteceu com ela, bem como de seu sequestrador e do que fizeram com minha irmã. Quero essas perguntas respondidas por alguém que se importa. Por alguém com compaixão. Por alguém com capacidade de analisar a história contada pelo corpo de minha irmã. Por meio de minha formação, eu quero ser uma profissional assim. Quando um corpo chegar para mim com perguntas, vou querer respondê-las para a família com o mesmo cuidado, compaixão e competência que espero receber alguma dia de quem me ligar falando de minha irmã.

À medida que as ofertas chegavam, Lívia considerava as opções. E quanto mais ela pensava, mais óbvia sua escolha se tornava. Raleigh, na Carolina do Norte, era perto de Emerson Bay, o lugar onde ela cresceu. O curso ali oferecido, prestigiado e com muitos recursos financeiros, era dirigido pelo doutor Gerald Colt, considerado um pioneiro no mundo da ciência forense. Lívia ficou feliz em fazer parte de sua equipe.

O outro chamariz, embora ela se torturasse ao considerá-lo, era que, com o potencial de realizar de 250 a 300 autópsias durante o ano do curso de especialização, a possibilidade de um praticante de corrida tropeçar numa cova rasa e encontrar os restos de sua irmã era grande. Toda vez que o corpo de uma desconhecida entrava no necrotério, Lívia se perguntava se seria Nicole. Abrir o zíper do saco de vinil preto e dar uma rápida passada de olhos no cadáver era tudo que ela em geral fazia para dissipar o medo. Em seus dois meses no Instituto Médico Legal, os corpos de muitas desconhecidas deram entrada no necrotério, mas nenhuma delas ficou sob condições de anonimato. Todas foram identificadas, e nenhuma como sua irmã. Lívia sabia que poderia passar toda a carreira esperando a chegada de Nicole ao necrotério, mas esse dia ficaria em algum lugar no éter do futuro. Um momento suspenso no tempo, que Lívia perseguiria, mas nunca flagraria.

Captar esse momento, porém, era menos importante do que a perseguição. Para Lívia, examinar um tempo fictício no futuro era o suficiente para atenuar seu sentimento de perda. Aparar as arestas para que ela pudesse viver consigo mesma. A caçada dava-lhe um propósito. Dava-lhe a sensação de que estava fazendo algo por sua irmã mais nova, porque só Deus sabia que ela não fizera o bastante por Nicole quando seus esforços poderiam ter sido notados. Sonhos vívidos de seu celular ocupavam as noites de Lívia, brilhante, luminoso e transmitindo o nome de Nicole enquanto vibrava e tocava.

Naquela noite, Lívia ficou segurando o celular enquanto ele tocava, mas decidiu não atender. A meia-noite de um sábado nunca era uma boa hora para conversar com Nicole, e Lívia decidiu naquele instante evitar o drama esperado no outro lado da linha. Agora, Lívia viveria sem saber se atender àquela ligação na noite em que Nicole desapareceu teria feito alguma diferença para sua irmã caçula.

Assim, imaginar um momento no futuro em que poderia encontrar a redenção, em que poderia ajudar sua irmã usando quaisquer dons que suas mãos e sua mente possuíssem, era o alimento necessário para atravessar a vida.

Após a reunião matutina com o doutor Colt e seus colegas do curso de especialização, Lívia fixou-se na autópsia individual que lhe foi atribuída para o dia: um viciado em drogas que morreu de *overdose*. O corpo estava deitado sobre a mesa de Lívia, com tubos saindo da boca escancarada, onde os paramédicos tentaram salvá-lo. Em casos de *overdose*, o doutor Colt precisava de 45 minutos para concluir uma autópsia de rotina. Com dois meses de curso de especialização, Lívia baixara seu tempo de mais de duas horas para uma hora e meia. Progresso era tudo que o doutor Colt pedia para seus alunos, e Lívia Cutty o estava conseguindo.

Nesse dia, Lívia precisou de uma hora e vinte e dois minutos para realizar o exame externo e interno relativo à *overdose*, e determinou a causa da morte como parada cardíaca devido à intoxicação aguda por opiáceos. Tipo de morte: acidental.

Lívia arrumava a papelada no escritório dos alunos quando o doutor Colt bateu à porta aberta.

— Como foi sua manhã?

— *Overdose* de heroína. Nada de especial — Lívia respondeu por trás de sua mesa.

— Tempo?

— Uma hora e vinte e dois minutos.

O doutor Colt fez um beicinho de admiração.

— Dois meses conosco. Muito bom. Melhor do que qualquer um de seus colegas.

— O senhor disse que não era uma competição.

— Não é — o doutor Colt afirmou. — Mas até agora, você está ganhando. Pode lidar com o dobro de autópsias hoje?

Como rotina, os médicos supervisores realizavam diversas autópsias por dia, e todos os alunos deviam aumentar o número de autópsias depois que baixassem o tempo dedicado a cada uma e aprendessem a fazer a grande quantidade de trabalho administrativo vinculado a cada corpo. Com a especialização durando doze meses — de julho a julho —, trabalhando cinco dias por semana, com alguns períodos longe da sala de autópsia para observar outras subespecialidades, duas semanas dedicadas a acompanhar os peritos médicos-legistas, mais alguns dias passados em tribunais ou participando de julgamentos simulados com estudantes de direito, Lívia sabia que, para alcançar o número mágico de duzentas e cinquenta autópsias prometidas pelo curso, teria que, com o tempo, cuidar de mais do que um único caso por dia.

— Claro — Lívia respondeu, sem hesitação.

— Ótimo. Temos um flutuador chegando. O corpo foi encontrado boiando por dois pescadores, esta manhã.

— Vou terminar de preencher os formulários e cuidar do cadáver assim que chegar.

— Você vai apresentar suas descobertas na reunião desta tarde. — O doutor Colt tirou um bloquinho de anotações do bolso interno do paletó e escreveu um lembrete ao sair do escritório dos alunos.

2

O CORPO CHEGOU ÀS 13H, O QUE DEU A LÍVIA DUAS HORAS para realizar a autópsia, arrumar-se e redigir suas anotações antes da reunião vespertina, que era o acontecimento mágico diário. Nela, os alunos apresentavam os casos do dia para toda a equipe do Instituto Médico Legal. Entre os participantes, incluíam-se o doutor Colt; outros médicos-legistas disponíveis, que supervisionavam o treinamento dos alunos; especialistas em patologia, que ajudavam em quase todos os casos; estudantes de medicina convidados; e os médicos residentes em patologia. Certa tarde, trinta pessoas participaram da apresentação de Lívia.

Se um aluno parecia confuso acerca dos detalhes do caso que apresentava, aquilo ficava penosamente óbvio e muito desagradável. Não havia disfarce. A dissimulação era impossível na gaiola, como era chamada a sala de apresentação onde ocorriam as reuniões vespertinas. Cercada por uma horrível corrente de metal, que pertenceu ao quintal de alguém na década de 1970, a gaiola era um lugar temido por todos os novos alunos. Manter-se na frente de uma grande plateia podia ser algo estressante e desafiador. Mas, ao longo do ano, era algo que também devia ficar mais fácil.

— Não se preocupe — um aluno que acabara de se formar dissera a Lívia quando ela ingressou no curso, em julho. — A gaiola é um lugar que você vai odiar no início, mas depois vai amar.

Após dois meses de curso, o caso de amor ainda não tinha florescido.

Lívia terminou de preencher os formulários do caso de *overdose* de heroína e foi para a sala de autópsia. Vestiu o descartável avental azul sobre a vestimenta cirúrgica, calçou três luvas de látex em cada mão e pôs o protetor facial. Ao mesmo tempo, os peritos criminais entraram pela porta dos fundos do necrotério, trazendo a maca e a estacionando ao lado da mesa de autópsia de Lívia. O flutuador chegara. Numa sala de cirurgia esterilizada, as vestimentas cirúrgicas destinam-se a proteger o paciente do médico. No necrotério, era o oposto. Algodão, látex e plástico eram tudo que separava Lívia de qualquer doença e decomposição no interior dos corpos dissecados por ela.

Os dois peritos criminais erguerem o saco de vinil preto com o cadáver dentro dele e o colocaram sobre a mesa de autópsia. Lívia aproximou-se da mesa enquanto os peritos passavam-lhe detalhes da cena: homem descoberto por pescador pouco depois das sete da manhã, em estado avançado de decomposição e com uma evidente perna quebrada por causa da altura do lugar de onde pulou.

— Qual é a distância entre a ponte mais próxima e o local onde o corpo foi encontrado? — Lívia perguntou.

— Dez quilômetros — Kent Chapple, um dos peritos criminais, respondeu.

— É uma longa distância para boiar.

— Ele está maduro o suficiente, o que sugere um longo percurso na água — Kent afirmou. — Colt está te dando isso, hein?

A água vazava do saco mortuário, gotejava através dos buracos da mesa de Lívia e era coletada na bacia abaixo. Um corpo tirado da água salgada nunca tinha um aspecto agradável. Em geral, os suicidas que saltavam morriam no impacto e, por fim, afundavam. Eram chamados de "flutuadores" só depois que o corpo começava o processo de decomposição, em que as bactérias intestinais apodrecem e lesionam as entranhas, liberando gases nocivos aprisionados dentro da cavidade abdominal, que, literalmente, fazem o morto flutuar. O processo pode levar horas ou dias. Quanto mais tempo o corpo ficava debaixo d'água antes de boiar na superfície, pior era a condição em que chegava ao necrotério.

Lívia sorriu por trás de seu protetor facial de plástico transparente.

— Não é ótimo?

Ela abriu o zíper e observou Kent e seu parceiro retirarem o saco com cuidado. De imediato, Lívia constatou que o corpo estava em estágio bastante avançado de decomposição, pior do que qualquer flutuador que vira antes. Faltava grande parte da epiderme e, em certas áreas, toda a espessura do sistema tegumentário havia desaparecido, só restando visíveis os músculos, os tendões e os ossos.

Os peritos pegaram o saco mortuário que pingava e o colocaram sobre a maca.

— Boa sorte — Kent desejou.

Lívia acenou com a mão, mas não tirou os olhos do cadáver.

— Vejo isso todos os anos, doutora — Kent disse, à soleira. — Por volta de setembro, começa. Primeiro, casos de bebedeira e *overdose*. Depois, situações mais desagradáveis: corpos em decomposição e crianças. Não dão trégua até janeiro, mais ou menos. Colt faz isso com todos os alunos para descobrir do que são feitos. Finalmente, você cuidará de alguns casos interessantes de homicídio. Sei que é o que você procura. Um belo ferimento por arma de fogo ou um estrangulamento. Mas terá de esperar até o inverno. Cuide primeiro dos casos bagunçados. Prove que pode lidar com eles.

— É assim que funciona aqui? — Lívia quis saber.

— Todo ano.

— Obrigada, Kent. Vou informá-lo do andamento deste caso.

— Não se preocupe.

Os peritos empurraram a maca vazia para fora do necrotério, com sorrisos contidos e olhares de relance para a bagunça que deixaram sobre a mesa de autópsia, o que, sem dúvida, faria a maioria das pessoas vomitar e seria um desafio até mesmo para o mais experiente dos médicos-legistas. Eles sabiam que a doutora Cutty cuidaria do caso por um tempo. Muito trabalho e muitos problemas, e, provavelmente, algumas ânsias de vômito, tudo para relatar no atestado de óbito que a causa da morte fora lesão em órgão interno ou dissecção da aorta; e a maneira, suicídio.

Com a porta dos fundos do necrotério fechada e sem os peritos, Lívia era a única profissional na sala de autópsia, acompanhada apenas pelo suicida saltador, ainda pingando sobre a mesa. Durante as manhãs, a maioria das mesas de autópsia, se não todas, ficava rodeada por patologistas em diversos estágios de exame. Outros especialistas também circulavam pela sala para oferecer ajuda. O necrotério não era um ambiente esterilizado e, para entrar nele, bastava um crachá do Instituto Médico Legal ou um distintivo policial. Os detetives costumavam abordar os patologistas, esperando uma informação crucial que lhes permitisse deflagrar uma investigação. Técnicos transportavam corpos para a sala de raios X ou colhiam amostras para exames de neuropatologia, dermatopatologia e odontopatologia. Outros técnicos completavam o processo de autópsia suturando as incisões feitas pelos médicos. Os peritos criminais chegavam e partiam, deixando às vezes novos corpos sobre as mesas vazias. O doutor Colt supervisionava tudo, circulado pela sala de autópsia com as mãos entrelaçadas nas costas e os óculos pendurados na ponta do nariz. As manhãs eram um caos organizado.

Porém, essa era a primeira vez que Lívia fazia duas autópsias num único dia e ficava na sala de autópsia no horário vespertino. Em geral, esse era o período do dia dedicado ao trabalho administrativo, no qual ela se dedicava a fazer anotações e se preparar para a reunião das três da tarde na gaiola. Com apenas ela e o corpo no necrotério silencioso, Lívia sentia a intimidação do lugar. Todos os sons se amplificavam, como os dos instrumentos retinindo na mesa de metal e reverberando nos cantos, e os do cadáver pingando como uma torneira mal fechada na bacia abaixo. Em geral, as serras para ossos das mesas adjacentes ou as conversas de seus colegas abafavam aqueles ruídos. Porém, hoje, os movimentos de Lívia ficavam ampliados e óbvios, resultando numa experiência muito desagradável, enquanto ela manipulava o corpo a sua frente. Demorou algum tempo para ela se adaptar à solidão, mas quando se aprofundou no exame externo, o vazio do necrotério sumiu e tudo que restou foi o ceticismo.

Em geral, as pessoas que se suicidam saltando apresentam hemorragia interna dos órgãos. O impacto da queda, dependendo da altura do salto, causa a morte de diversas maneiras. Muitas vezes, uma costela quebrada espetava um pulmão ou perfurava o coração, e a exsanguinação — sangramento até a morte — era a *causa mortis*. O impacto podia desalojar a aorta do coração ou romper outro vaso vital e causar a hemorragia. Nesses casos, Lívia abriria a cavidade abdominal para encontrar sangue acumulado e aprisionado em um compartimento circundante ao órgão que sofreu a lesão. Outras vezes, o corpo se mostrava em forma satisfatória, e isso se devia ao fato de o esqueleto ter conseguido proteger os órgãos internos. Quando Lívia viu essa apresentação, soube que tinha de olhar para o crânio e o cérebro, que provavelmente mostrariam fraturas e hemorragia subaracnóidea.

Ao olhar para o cadáver a sua frente, que fora apresentado como pertencente a um homem encontrado flutuando em Emerson Bay, Lívia entendeu que não era esse o caso. Em primeiro lugar, para que esse corpo alcançasse tal nível de decomposição — quase não havia pele presente nele, e a existente estava estragada e preta — precisaria ter estado na água por meses ou mais tempo. Se assim tivesse sido, o corpo não teria boiado — e Lívia tinha certeza de que não boiara. Os gases intestinais que fazem um corpo flutuar precisam estar contidos na cavidade abdominal, e aquele corpo não tinha essa cavidade. Tudo o que restava do intestino era uma parede de músculo e tendão, que mantinha os órgãos no lugar, mas que, sem dúvida, não tinha ar estanque para reter os gases.

Em segundo lugar, a perna quebrada que os peritos tinham documentado não era típica de um saltador que aterrissava com os pés. Esses corpos apresentavam lesões de impacto e compressão ascendente dos ossos, às vezes com a tíbia subindo acima do joelho e alcançando a coxa, e também com o fêmur deslocado na bacia. O corpo diante de Lívia tinha um fêmur fraturado horizontalmente, indicando trauma localizado, e não trauma de impacto total referente a um corpo pousando de lado na água, e de jeito nenhum pousando primeiro com os pés.

Lívia fez anotações na prancheta e, em seguida, começou o exame interno, que mostrou falta de qualquer lesão nos órgãos. A caixa torácica estava em perfeito estado. O coração era saudável, com a aorta e a veia cava inferior bem justapostas. O fígado, o baço e os rins não apresentavam lesões. Os pulmões estavam vazios de água. Lívia era meticulosa com sua documentação e cuidadosa ao pesar cada órgão. Depois de uma hora de autópsia, sentia o suor cobrir seu rosto e a vestimenta cirúrgica grudar em seus braços e nas costas. Consultou o relógio da parede e viu que passava um pouco das duas da tarde.

Movendo-se para a cabeça do cadáver, ela buscou fraturas faciais e examinou a boca e os dentes. Se uma identificação fosse feita nesse corpo, viria por meio da análise da arcada dentária, pois esse desconhecido não possuía nenhuma pele referente a impressões digitais. E sem a presença de derme, não havia tatuagens distintivas que pudessem ajudar na identificação.

Durante o exame da cabeça, Lívia notou orifícios circulares no lado esquerdo do crânio. Contou doze orifícios aleatoriamente espalhados através do osso. Considerou uma possível etiologia, mas nenhuma resposta óbvia lhe veio à mente, exceto uma infecção bacteriana atípica que atingira o osso. No entanto, se esse fosse o caso, existiriam lesões periféricas no crânio circundante e alguma perda ou erosão de massa. O crânio parecia perfeitamente saudável, com exceção dos orifícios, que, em pouco tempo, Lívia determinou que não podiam ser consequência de balas ou estilhaços, mas talvez fossem resultado de chumbinhos de uma espingarda.

Lívia voltou para a prancheta e fez novas anotações. Então, com a ajuda da serra para ossos, realizou a craniotomia e removeu a parte superior do crânio, da mesma forma que faria com uma abóbora no Halloween. O cérebro estava macio e viscoso, e não se mostrava vibrante fazia algum tempo. Grande parte do trabalho num corpo em decomposição era mais difícil do que numa autópsia tradicional. A remoção do cérebro era a exceção. Se ainda se encontrava intacto, em geral saía do crânio sem muito esforço, com a dura-máter não mais o encerrando. Após cortar a medula espinhal, Lívia pôs o cérebro sobre um carrinho de metal ao lado da mesa de autópsia. O cérebro, normalmente entrelaçado com uma complexa rede de vasos sanguíneos, era, em geral, uma confusão vermelha que acumulava sangue debaixo dele quando colocado na balança. Esse era diferente. Os vasos que o atravessavam tinham sangrado havia muito tempo e estavam secos, e agora o tecido se achava mole apenas por causa da água em que ficara submerso.

Ao examinar o cérebro de perto, na área debaixo das perfurações do crânio, Lívia localizou os orifícios correspondentes no tecido. Vasculhando em detalhes o lobo parietal esquerdo, convenceu-se, após dez minutos de investigação, da ausência de qualquer chumbinho de espingarda. Enxugou a testa com o dorso do antebraço e olhou para o relógio. Era aguardada na gaiola em dez minutos e não tinha chance de terminar a autópsia até então, e muito menos de estar preparada para se opor ao ataque do doutor Colt e de seus supervisores.

Diante dela estava um corpo tirado das águas da baía que não apresentava lesões internas, mas sim perfurações espalhadas pelo crânio e uma fratura femoral não característica de um suicida saltador. Apesar do pânico de Lívia, ela sentiu vontade de telefonar para Kent Chapple, o perito criminal, e dizer-lhe que ele estava equivocado. Não só a respeito do corpo, que, com certeza, não era de um saltador, mas também sobre o *timing* do doutor Colt. Ele desovara um homicídio na frente dela e, tecnicamente, ainda era verão.

3

LÍVIA SÓ CONCLUIU A AUTÓPSIA PERTO DAS QUATRO DA tarde. Na gaiola, a reunião se desenrolava havia uma hora. No momento, ela estava atrasada e mal preparada, e já tinha visto as consequências de se apresentar assim na gaiola. Uma ausência não justificada geraria menos problemas do que um desempenho insatisfatório. Então, em vez de ir à reunião, Lívia entregou as amostras para análise adicional nos laboratórios de odontopatologia e dermatopatologia, depois apanhou os raios-X que pedira e se dirigiu para o andar superior. Passou discretamente pela gaiola, onde Jen Tilly fazia sua apresentação, com as luzes baixadas. Por estarem sentados de costas para a entrada e com a atenção dirigida para a tela, o doutor Colt e os demais participantes não puderam ver Lívia passando atrás deles. Em seguida, ela pegou a escada para o segundo andar, onde ficava o laboratório de neuropatologia, e encontrou Maggie Larson atrás de sua mesa ocupada com a papelada.

A doutora Larson, que administrava tudo no Instituto Médico Legal referente a cérebros, tinha um único aluno do curso de especialização em neuropatologia que lhe foi designado naquele ano, que provavelmente estava na gaiola ouvindo Jen Tilly.

— Doutora Larson? — Lívia disse da porta.

— Lívia! — a doutora Larson exclamou, com os olhos semicerrados. — Não há reunião esta tarde?

— Está acontecendo agora, mas fui designada para um caso vespertino e preciso de ajuda antes de ser fuzilada lá embaixo.

Ao erguer a cabeça, a doutora Larson notou o recipiente que Lívia carregava ao seu lado como um balde de água.

— O que você tem aí?

A doutora tinha um sexto sentido para tecidos cerebrais, e os demais alunos sabiam que era impossível manter uma conversa com ela se um cérebro não examinado estivesse por perto. Era como tentar conversar com um cão segurando um biscoito em forma de osso.

— Estou confusa com algo que encontrei no exame, e gostaria de ouvir sua opinião.

A doutora Larson ficou de pé e apontou para a mesa de exame. Mulher de baixa estatura, cujo cabelo se tornara grisalho muito tempo atrás e agora mostrava faixas marmóreas e algumas mechas escuras que se recusavam a ceder, Margaret Larson era doutorada em medicina, o que informava a Lívia que ela passara anos em atividades administrativas e laboratórios de pesquisa.

Lívia colocou o recipiente no lugar indicado, e a doutora ligou a lâmpada superior.

— O que temos?

Ao redor da mesa, as duas vestiram luvas de látex. A doutora Larson subiu num banquinho para ganhar altura sobre a amostra.

— Esta manhã, os peritos trouxeram um suposto flutuador encontrado por pescadores. Pelo exame externo, sei que o corpo não estava flutuando. — Então, Lívia tirou o cérebro do recipiente e o pôs sobre a mesa, com a acre solução de formol gotejando. — Ao examinar o crânio, encontrei isto. — E ela entregou as fotos da autópsia referentes às perfurações.

Sem hesitação, a doutora Larson colocou a foto perto do cérebro e meteu o dedo mínimo enluvado em um dos orifícios do tecido cerebral.

— Pensei em lesões provocadas por chumbinho de um tiro de espingarda, mas não consegui encontrar corpos estranhos — Lívia afirmou.

Em silêncio, a doutora Larson pegou sua faca de retalhação — que se parecia bastante com uma faca de pão longa e serrilhada — e começou a cortar o cérebro em seções sagitais de dois centímetros e meio. Ela fez o trabalho como uma *chef* de cozinha experiente num *reality show* de culinária. Lívia observou as fatias caírem para o lado, pastosas, úmidas e velhas.

A doutora Larson inspecionou cada uma das seções.

— Não há nenhum chumbinho. E o padrão não corresponde muito a um tiro de espingarda. Você veria mais aleatoriedade, e o ângulo dos chumbinhos só poderia vir de uma única direção. — A doutora Larson apontou para a foto da autópsia. — Está vendo isto? Este conjunto de orifícios está situado sobre o ouvido, e este outro se situa mais posteriormente. Os chumbinhos de uma espingarda só podem seguir em linha reta, não conseguem fazer curva.

A doutora olhou para Lívia para ter certeza de que ela entendera. Lívia assentiu com um gesto de cabeça.

— Raios-X? — a doutora Larson perguntou.

Lívia tirou chapas em preto e branco de um envelope, que a doutora Larson segurou contra a luz.

— Não há corpos estranhos no cérebro. Sendo assim, deixemos de lado a teoria da espingarda de chumbinho. O que mais?

— Meu outro palpite foi infecção. — Lívia sabia que a suposição era incorreta, mas queria uma confirmação da doutora Larson, pois tinha certeza de que o doutor Colt pediria.

— Não há fusão periférica ou colateral, ou perda óssea. — A doutora Larson tornou a olhar para os raios-X e para a foto da autópsia do crânio. — O que mais?

— Algo congênito? — Lívia arriscou.

A doutora negou com um gesto de cabeça.

— Não explica as perfurações no cérebro.

— Não tenho outras teorias.

— O que você tem não é munição suficiente para a gaiola.

— Concordo — Lívia disse. — Alguma sugestão?

— Não a partir disso. Vou precisar dar uma olhada no crânio. Pôr minhas mãos nele. Mas uma coisa posso lhe dizer: ele não morreu recentemente. O cérebro está macio, e a decomposição envolve mais do que penetração de água.

— A derme está noventa por cento erodida — Lívia revelou.
— Quanto tempo a senhora acha?

— Massa muscular?

— Completa, sem muita erosão. Ligamentos e cartilagens presentes por toda parte.

A doutora Larson ergueu uma seção sagital do cérebro e a colocou sobre a palma de sua mão enluvada.

— Eu diria um ano. Talvez mais.

Lívia inclinou a cabeça para baixo.

— Sério? O corpo duraria tanto tempo debaixo d'água?

— Na condição que você está descrevendo? De jeito nenhum.

A doutora esperou que Lívia juntasse as informações. Finalmente, Lívia ergueu o olhar e encarou a doutora Larson.

— Alguém o afundou algum tempo depois que ele morreu.

— Possivelmente. Alguma roupa no corpo?

— Blusa de moletom e jeans. Coloquei as peças no armário como prova.

— Garota inteligente. Vou examinar o crânio e ver o que descubro. Você poderia pensar em envolver o doutor Colt.

Lívia concordou com um gesto de cabeça.

— Vou descer e informá-lo.

VINTE MINUTOS DEPOIS, QUANDO LÍVIA ENTROU NA SALA de autópsia com o doutor Colt, a doutora Larson já tinha tirado o corpo do refrigerador e examinava as perfurações no crânio.

— Maggie, eu soube que temos um caso complicado. — O doutor Colt arqueou uma sobrancelha.

— Intrigante, com certeza — Maggie Larson disse por trás da máscara cirúrgica, curvada sobre o cadáver. Ela usava lupas cirúrgicas que ampliavam a área do crânio do seu interesse.

O doutor Colt vestiu as luvas de látex, amarrou a máscara e foi direto até a perna quebrada.

— Não é o tipo de fratura de uma pessoa que salta de uma ponte.

— Não, senhor — Lívia confirmou.

— Você mediu o comprimento?

— Fratura do eixo femoral. Sessenta e oito centímetros a partir do calcanhar.

— Inclua esse número em seu laudo da autópsia. O pessoal do Departamento de Homicídios vai querer comparar esse número com a altura de diversos para-choques de carros, pois tenho certeza de que essa fratura é resultado de um impacto entre veículo e homem.

Lívia arquivou diversas coisas em sua mente. Em primeiro lugar, incluir a altura da fratura da perna nesse laudo, e em todos os subsequentes. Em segundo lugar, fraturas femorais horizontais podem ser causadas quando um carro atinge um pedestre parado; uma conclusão esplêndida se ela mesma tivesse proposto. E, finalmente, pesquisar outros meios relativos a traumatismos produzidos por veículos, de modo que ela nunca mais fizesse a mesma omissão gritante num laudo de autópsia.

— Entendi. — Lívia balançou a cabeça.

O doutor Colt dirigiu a atenção para o abdome.

— Costelas quebradas?

— Nenhuma. E o corpo estava tão decomposto que não havia como flutuar. A cavidade abdominal não era capaz de reter gases.

— O que diz o laudo da perícia?

— Flutuador, mas acredito que se baseou no relato do pescador que encontrou o corpo. Acho que ele enganchou o corpo no fundo da água, puxou-o para a superfície e chamou a polícia quando viu sua presa. Os inspetores acreditaram na afirmação dos policiais e dos pescadores de que o corpo estava flutuando. Além disso, notaram a perna quebrada e chegaram à conclusão de que ele era um saltador.

— Então, você acha que ele se afogou?

— Não havia água nos pulmões — Lívia disse.

— Muito peculiar! — Maggie Larson apoiava o crânio numa mão enquanto, averiguando com suas lupas, sondava os orifícios com um instrumento que Lívia nunca vira na sala de autópsia.

O doutor Colt deslocou-se para a frente da mesa e se posicionou ao lado da doutora Larson.

— O que temos?

— Doze orifícios aleatórios no crânio. – A doutora Larson extraiu a sonda que introduzira no crânio e a pôs de lado.

Lívia observou com mais atenção a estranha ferramenta e poderia jurar que era um espeto que fazia parte dos utensílios da cozinha. Em seus dois meses no curso de especialização, descobriu que os médicos-legistas traziam regularmente ferramentas pessoais para o necrotério, o que quer que fosse mais confortável e fizesse o trabalho.

— Muito aleatório para que sejam chumbinhos de espingarda, e em distintos planos. Além disso, não há nenhum corpo estranho.

— Orifícios de furadeira? — o doutor Colt sugeriu.

— Mórbido, mas possível. — Maggie Larson fez um bico.

A doutora Larson se afastou do crânio e permitiu que o doutor Colt assumisse seu lugar. Ele também tirou lupas cirúrgicas de seu abarrotado bolso interno do paletó e as pôs sobre o rosto. Ficou em silêncio por alguns instantes e, então, deixou escapar seu característico *Hum*. Finalmente, o doutor Colt removeu suas lupas e as recolocou no bolso do paletó. Desvestiu as luvas e as atirou numa lata de lixo no outro lado da sala.

— Ferimentos penetrantes de etiologia desconhecida no crânio, na dura-máter e no cérebro. Olhando para o resto do corpo e com as descobertas da autópsia de Lívia, podemos afirmar que ele sangrou até morrer por causa desses ferimentos. A membrana interna do crânio é singular em função da mancha de sangue do lado esquerdo, o que indica que a vítima nunca se moveu de uma posição em decúbito dorsal após sofrer esses ferimentos. Também coloque essas conclusões em seu laudo, doutora Cutty. Certifique-se de que esteja detalhado. Mantenha a causa da morte como exsanguinação. Maneira: indeterminada.

— Indeterminada?! — Lívia exclamou. — Achei que estivéssemos de acordo sobre ser um homicídio — prosseguiu, sentindo seus direitos de se gabar escapulindo.

Todas as manhãs, os alunos batalhavam pelos casos mais interessantes. Um homicídio era, de longe, o melhor que qualquer um deles vira em seus dois primeiros meses.

— Alguém atingiu esse sujeito com seu carro, e então... — Ela olhou para a doutora Larson e completou: — ...perfurou a cabeça dele, ou algo assim. Em seguida, jogou o corpo nas águas da baía.

— Nós fornecemos os fatos, doutora Cutty. Os detetives os esmiúçam. "Ou algo assim" não faz parte de nosso exame nem de nosso vocabulário. Entregue as roupas dele ao laboratório de balística para análise.

Lívia assentiu com um gesto de cabeça.

— Você fez um bom trabalho, Lívia — o doutor Colt afirmou. — Algumas vezes, as descobertas indicam o que aconteceu exatamente. Outras vezes, apenas nos contam o que não houve. Esse homem não saltou de nenhuma ponte. Isso é o que sabemos com certeza. O resto está fora do nosso alcance.

4

NOS DIAS QUE SE SEGUIRAM, COM A AJUDA DO DEPARTA- mento de antropologia, Lívia descobriu que o seu não saltador tinha cerca de vinte e cinco anos ao morrer, pelo menos um ano atrás, e provavelmente ficou na água por apenas três dias antes de os pescadores o engancharem no fundo das águas. A polícia dragou o leito de Emerson Bay — um grande banco de areia conhecido pelos pescadores de robalo riscado e corvina pela súbita mudança de profundidade —, e descobriu perto do local onde o desconhecido de Lívia foi achado uma lona encerada verde, que foi amarrada em quatro blocos de cimento. As fibras das cordas correspondiam às amostras que Lívia coletara nas roupas do homem. O doutor Colt também apontara para os ferimentos pós-morte, que esfolaram os músculos ao redor dos tornozelos e das panturrilhas, que Lívia não havia percebido originalmente. Esses ferimentos, ele explicou, eram os prováveis pontos de amarração usados por quem tentou afundar o corpo.

Com a ajuda do laboratório de balística, que analisou as roupas, determinou-se que o corpo fora primeiro enterrado, segundo a análise do solo, em um lugar rico em argila e cascalho. Adicionando peso à teoria do enterro, Lívia descreveu em seu laudo duas "contusões por pá" — termo cunhado pelo doutor Colt, que sugeriu patenteá-lo — no braço esquerdo. De acordo com a análise do doutor Colt, o escavador se comportou com muita agressividade durante a escavação e acertou a extremidade pontiaguda da pá no corpo em vez de na terra.

Sem impressões digitais disponíveis devido ao estado de decomposição, Lívia contava com a odontopatologia para realizar uma identificação formal. Só em meados de outubro, três semanas após a chegada do corpo ao necrotério, Lívia teve notícias a respeito. Ela estava em seu escritório terminando de preencher formulários sobre seu caso matutino e se preparando para a reunião vespertina quando Dennis Steers, do laboratório de odontopatologia, apareceu.

— Identifiquei seu fulano do mês passado — ele informou.

Lívia desviou os olhos de sua papelada.

— Sim?

— O pessoal da Homicídios trabalhou com o pessoal da Delegacia de Pessoas Desaparecidas, e eles fizeram uma retrospectiva mês a mês. Seu sujeito desapareceu no ano passado. O sumiço foi relatado pelo seu senhorio.

— Senhorio? Ninguém da família?

— Acho que ele era um sem-teto. Os investigadores de Pessoas Desaparecidas disseram que a mãe do cara mora na Geórgia e não falava com ele havia anos. Não soube que ele estava desaparecido até receber a ligação.

— Que triste.

Denis pôs uma pasta não muito grossa sobre a mesa de Lívia.

— Aqui está o que temos sobre ele. O cara foi preso apenas uma vez. Há um tempo, fez um serviço odontológico completo, o que permitiu uma identificação positiva.

— Obrigada, Dennis. Ficarei feliz em tirar isso da minha mesa.

Após a saída dele, Lívia abriu a pasta. No canto superior esquerdo, viu uma pequena foto quadrada. Era de um homem jovem e bonito. Em seguida, descobriu que seu desaparecimento fora comunicado em novembro de 2016.

Lívia pegou o atestado de óbito para finalizar suas anotações, para que pudessem ser impressas e enviadas para a mãe do jovem na Geórgia. Seu primeiro homicídio era um estudo interessante e desafiador, um caso que exigiu muita orientação e lhe ensinou bastante. No mês anterior, o doutor Colt pedira desculpas meia dúzia de vezes, ao ouvir que Lívia vinha dedicando seu tempo ao caso, conversando com os detetives do Departamento de Homicídios, elaborando relatórios para Pessoas Desaparecidas ou trabalhando com o laboratório de balística na análise de solo e nas descobertas a respeito de roupas e fibras. Foi o primeiro caso de que, independentemente de quanto tentasse, ela não conseguia se livrar.

Uma vida pode acabar, o doutor Colt lhe dissera, mas às vezes seu caso vive para sempre.

DOIS DIAS DEPOIS, LÍVIA FECHOU A PASTA E ENTREGOU O relatório final para os detetives do Departamento de Homicídios. O nome do homem "flutuando" na baía era divulgado para a audiência por todos os âncoras de telejornais em Emerson Bay e na Carolina do Norte. Os detalhes exatos de sua morte eram mantidos vagos na fase preliminar da investigação. O rapaz ainda era considerado como um "flutuador" que os pescadores encontraram por acaso. Os repórteres devoravam qualquer migalha de informação que conseguiam encontrar sobre aquele rapaz de vinte e cinco anos chamado Casey Delevan. Apresentavam a notícia de modo dramático nos telejornais noturnos, mas a triste verdade era que ninguém sentira falta do jovem Delevan e ninguém estava a sua procura. A história não tinha capacidade de resistência. Depois de um dia, a identificação do corpo tirado da água em Emerson Bay era uma notícia velha, ofuscada pela Oktoberfest, pelas folhas mudando de cor e pelas festas de Halloween.

ÀS DEZ DA MANHÃ, LÍVIA COMEÇOU A SE EXERCITAR NA academia. Descalça, de regata e calção, dirigiu-se ao saco de pancadas e o chutou. Um pontapé suave, mas firme. Ao baixar a perna, dançou na ponta dos pés antes de descarregar uma combinação de três socos: dois *jab*s de esquerda e um poderoso gancho de direita. Em seguida, desferiu outro chute.

O suor escorreu pelo seu corpo longo e esbelto. Praticante de exercícios físicos desde sempre, Lívia correra na esteira e fizera musculação antigamente de modo regular. Corrida e treinamento de força leve foram suficientes para que permanecesse em forma e relaxasse a mente durante a faculdade de medicina e a residência. Porém, desde que começou o curso de especialização, foram necessárias mais do que longas corridas para contrabalançar o impressionante volume de informações que seu cérebro absorvia a cada dia. Ela também precisava de uma fuga do lúgubre necrotério, onde os corpos jaziam sobre mesas de autópsia, com o guincho agudo das serras para ossos ecoando nas paredes e o cheiro do formol suspenso no ar. Lívia necessitava de uma libertação da proximidade que compartilhava com a morte. E tendo em vista o corpo esculpido que testemunhava no espelho nos últimos meses, encontrara seu refúgio.

O exercício no saco de pancadas era como Lívia passava os últimos quinze minutos de sua malhação. Fazia muito tempo que ela desistira da característica de relaxamento relacionada à esteira. Agora, o relaxamento era salvo pelo chuveiro.

— Bom! — Randy disse, também pingando de suor. A camiseta grudava no corpo rijo, e os braços estavam flexionados, como se ele quisesse se envolver em ação. — Varie os golpes. Você usa a mesma combinação repetidas vezes; assim o adversário conseguirá prever o que você fará.

Prestes a soltar outro chute lateral com sua dominante perna direita, Lívia, em vez disso, deu um chute machado com a perna esquerda, seguido por um *backhand* giratório para a direita.

— Isso mesmo — Randy incentivou. — A variedade a livra dos problemas. Você fica rotineira com esse chute lateral, e seu adversário vai vê-lo chegar. — Em seguida, ele consultou o cronômetro. — Acabou o tempo!

Ofegante, Lívia se inclinou, apoiando nos joelhos as mãos com as luvas de boxe.

Randy deu um tapinha nas costas dela e começou a se afastar.

— Boa malhação. Eu a levaria de volta para casa comigo como minha segurança. As ruas de Baltimore nunca mais seriam as mesmas.

— Tenho certeza.

— Vejo você na próxima semana, doutora.

Lívia tomou banho na academia, foi para casa e se deitou às 23h30. Pegou o livro na mesa de cabeceira, sentindo-se enojada por lê-lo. Gastara vinte e sete dólares nele, e sabia que parte de seu dinheiro chegaria a Megan McDonald. Na véspera, alcançou a metade do livro, que abrangia a vida fora de série de Megan e todos os seus feitos. Tratava em detalhes do retiro de verão que ela promoveu e de todas as garotas que ajudou em sua juventude. Página após página, Lívia leu sobre a pessoa determinada que Megan McDonald era. Toda a narrativa insinuava, sem afirmar abertamente, a perda que teria sido se ela não tivesse escapado daquele bunker. Lívia odiou a escrita, o vocabulário e o presságio. Odiou o fato de o livro transformar aquela tragédia num romance policial repleto de suspense sobre um crime verdadeiro. Odiou o fato de Nicole, que desaparecera na mesma festa na praia à beira do lago, na mesma noite, quase não ter sido mencionada. Não podia digerir a implicação de que sua irmã era a outra garota, de perfil inferior, menos especial, que não tinha o xerife da cidade como pai ou um currículo que se comparasse ao de Megan McDonald. Detestou a sugestão de que o mundo seria um lugar menor se Megan McDonald não tivesse escapado, mas continuaria exatamente o mesmo sem Nicole. Acima de tudo, Lívia se sentia triste por ninguém mais se lembrar de sua irmã. O país estava atônito não por causa da garota que tinha desaparecido, mas daquela que voltara para casa.

No ano anterior, Lívia assistira a todas as entrevistas concedidas por Megan McDonald. Sentiu-se dividida entre acreditar na dor de Megan por Nicole e achar que ela estava cheia de si. Ler aquele livro caça-níqueis não ajudava em nada a mudar sua opinião negativa sobre a garota. Por que, Lívia se perguntava, alguém exibiria seus pensamentos e horrores mais íntimos para o público leitor devorar se não fosse por atenção e notoriedade?

Apesar de tudo isso, Lívia não conseguia parar de ler. A história era a coisa mais próxima que ela conseguira dos pormenores reais da noite em que Megan e Nicole foram sequestradas.

No instante em que Lívia virou a página para começar um novo capítulo, o telefone tocou. Ela atendeu ao segundo toque:

— Alô?

— Lívia?

— Sim.

— Jéssica Tanner. – Uma amiga de Nicole.

Lívia e Nicole tinham uma diferença de idade de dez anos, e por isso um relacionamento estranho acabou se desenvolvendo entre as duas irmãs. Fora muito próximo, como entre mãe e filha, e durou até Lívia ir para a faculdade. Naquela ocasião, Nicole tinha oito anos, e a relação delas florescia sempre quando Lívia vinha para casa para passar os feriados e as férias de verão. Algumas das melhores lembranças que elas compartilhavam eram aquelas de quando Lívia vinha da faculdade para casa. A mente de Lívia se deslocava para aquelas noites em que Nicole se esgueirava para seu quarto tarde da noite, carregando um enorme volume de Harry Potter, e ficava ao lado de sua cama.

— Você tem de ir dormir. Vai jogar futebol de manhã, lembra?
— Só um pouquinho. Só um capítulo — Nicole pedia.
Lívia sorria.
— Tudo bem, mas rápido.

Ela movia as cobertas para o lado, e Nicole subia na cama de sua irmã mais velha, encostando a cabeça no ombro de Lívia, com ambas deitadas de costas. Lívia encontrava onde elas tinham parado a leitura, marcado com um canhoto do ingresso de um show da Taylor Swift do verão anterior.

Lívia abria o livro e lia. Um capítulo se convertia em três e, em pouco tempo, ela escutava a respiração de Nicole ficar profunda e rítmica. Não custava nada carregar sua irmã pequena para o quarto ao lado, mas Lívia nunca se importava em dividir seu espaço com Nicole. Ela recolocava o canhoto do ingresso no livro – um novo lugar mais à frente –, e não conseguia deixar de sentir que o mesmo acontecia com elas. Toda vez elas seguiam mais à frente em sua história juntas, Lívia se perguntava o que viria a seguir quando o livro terminasse. Outro se seguiria, ou o último simplesmente acabaria? Irmãs não dividem camas para sempre.

Anos depois, quando Nicole começou o ensino médio na Emerson Bay High, Lívia estava terminando a faculdade de medicina. A residência em patologia de Lívia ocupou grande parte de sua vida durante os anos do ensino médio de Nicole. Naquele período, nos anos de formação da adolescência de Nicole, o relacionamento das irmãs ficou à deriva. As realidades do cotidiano e o trabalho enviaram as duas para direções distintas. A leitura dos romances de Harry Potter era uma lembrança distante maculada pelo tempo.

No entanto, Lívia conhecia a maioria das amigas de Nicole daquela época, e sabia que Jéssica Tanner fora uma das mais próximas de sua irmã. As últimas vezes em que as duas se falaram foi numa vigília por Nicole, mais de um ano antes, e, em outra ocasião, quando a cidade se reuniu para procurar em vão nas áreas cobertas de matas de Emerson Bay logo após os desaparecimentos.

— Oi, Jéssica. Tudo bem?
— Sim. Desculpe por estar ligando tão tarde.
— Não tem problema. Como você vai?
— Estou na universidade. Na Estadual da Carolina do Norte. Minha mãe acabou de me contar sobre esse rapaz que encontraram em Emerson Bay flutuando na baía.
— Sei... — Lívia murmurou, perguntando-se como Jéssica tomara conhecimento de que ela estava envolvida com o caso.
— Você sabe algo a respeito, Lívia?
— Eu... sim... Tomei conhecimento, sim.
— Parece que alguns pescadores encontraram o sujeito boiando, ou algo do gênero. Mas todos estão dizendo que talvez ele não tenha saltado. Talvez tenha sido assassinado.
— Ok.
— Eu vi uma foto do cara. Do rapaz morto.
— Que tipo de foto?
— Que sai no jornal. Minha mãe me enviou o artigo. Ela ainda não sacou que todas essas coisas estão na internet.
Lívia ficou em silêncio, esperando.
— Então, seja como for, só quis conversar com você porque... achei que você gostaria de saber.
— Saber o que, Jéssica?
— O cara morto... Casey... que tiraram da baía... Ele era o garoto que Nicole estava namorando naquele verão. Antes de ela sumir.

VERÃO DE 2016 (MÊS DE JULHO)

Deixe que eles babem.
— Nicole Cutty

5

Julho de 2016
Um mês antes do sequestro

AS TRÊS AMIGAS SE SENTARAM À BEIRA DA PISCINA, COM os pés na água fria e o sol do alto verão nos ombros. A baía de Emerson Bay estava a distância, abaixo da escadaria escavada na encosta e que se estendia da piscina até a beira da água. Duas lanchas flutuavam perto da doca, e na baía, o irmão de Rachel e um amigo se moviam rapidamente nos *jet skis*, saltando as ondas produzidas pela lancha, com os motores bastante audíveis na área ao lado da piscina onde as garotas estavam sentadas. Era sexta-feira à tarde, e Emerson Bay se achava movimentada. Já havia barcos que rebocavam praticantes de esqui aquático, veleiros inclinados pelo vento e música ressoando das barcos ancoradas perto do Steamboat Eddie's.

Jéssica Tanner, Rachel Ryan e Nicole Cutty eram amigas desde o primeiro ano do colégio. Embora relutante de início, sua amizade se consolidou quando amigas anteriores do ensino fundamental se dividiram em diversas facções criadas pelos esportes, pelas vizinhanças ou centenas de outras categorias que separavam as garotas do ensino médio. Jéssica, Rachel e Nicole — juntamente com algumas outras meninas — foram deixadas para se defender por si mesmas no início do primeiro colegial. Uma lição aprendida no ensino médio, da mesma forma que na natureza: havia força no coletivo. As três se conheceram e se uniram. E à medida que outras panelinhas se desenvolviam, incluindo as formadas por animadoras de torcida, cê-dê-efes, nerds e rainhas da beleza, Nicole e suas amigas formaram seu próprio e inseparável laço. Só recentemente, quando o verão terminou e os anos de faculdade já se apresentavam no horizonte, as coisas começaram a mudar.

A casa de Rachel ficava à beira da baía, junto com outras 987 casas, cujos donos eram sortudos e ricos o suficiente para ter imóveis em localização tão privilegiada. Embora as residências tivessem diversas formas e tamanhos, a maior parte possuía estruturas cuidadosamente planejadas, com grandes gramados e vegetação ondulante, que se estendiam da encosta até as margens da baía. A maioria tinha piscinas, acesso à praia e algum tipo de brinquedo aquático motorizado, incluindo lanchas, *jet skis* e barcos de pesca.

Era na casa de Rachel que as três passavam o verão desde o primeiro ano do colégio, tomando sol ao lado da piscina ou cruzando o lago na lancha ArrowCat dos pais da garota. Foi onde elas se tornaram amigas. A casa de Rachel, a piscina, a baía e os verões guardavam seus segredos. A casa da piscina foi onde Jéssica transou com Dave Schneider. A garagem do barco foi onde Rachel vomitou quando ficou bêbada pela primeira vez. E a lancha de Ryan foi onde Nicole disse que perdeu a virgindade numa festa do verão anterior, embora a história tenha mudado tantas vezes que ninguém mais sabia a verdade.

— O que há com você ultimamente, Nicole? — Jéssica quis saber.

— Como assim?

— Você anda sumida. Não posta nada. Mal responde às mensagens. O que foi? Sei que não está transando com ninguém.

Nicole sorriu e bateu os pés na água da piscina. Deu de ombros.

— Como você sabe? Estou sim.

— Ah, é?! — Rachel exclamou, com a testa enrugada de curiosidade. — Com quem?

— Vocês não conhecem.

— O cara de Chapel Hill?

— Pirou? Ele não vai à escola.

— Não vai à escola? Quanto anos ele tem?

— Não sei. Acho que vinte e cinco.

— Como assim, Nicole? — Jéssica a encarou.

— Como assim o quê? Tenho dezessete anos. Não é ilegal. Seria se eu tivesse quinze ou menos.

— Não me importa se é legal ou não. O que um homem de vinte e cinco anos está fazendo conosco?
— Ele não está fazendo nada conosco. Só comigo.
— Tanto faz. Ele tem um emprego? — Jéssica perguntou.
Nicole torceu os lábios.
— Sei lá. Acho que trabalha com construção, ou algo assim.
— Ele segura a placa de "pare" nos locais de construção?
— Não sei o que ele faz.
— Parece sério — Rachel afirmou.
— Vão se ferrar! Estou farta dos caras de Emerson Bay. E dos meninos do colégio em geral. Totalmente previsíveis. Totalmente chatos.
— Quando vamos conhecê-lo?
Nicole fez uma careta.
— Grande ideia: sufocá-lo com uma tonelada de carência. "Por favor, conheça minhas amigas para que elas possam amá-lo, amá-lo, amá-lo!"
— Diga para ele aparecer na festa de Matt no próximo sábado — Jéssica a desafiou.
— Certo. Como se ele quisesse ir a uma festa de garotada.
— Você vai, não é?
Nicole ergueu as sobrancelhas.
— Acho que sim. As vadias vão estar lá. Então, talvez eu não fique muito tempo.
— Por favor, elas não são vadias, são apenas... — Jéssica foi interrompida por Nicole:
— Certo. Vadiazinhas. E tão falsas que me causam ânsia de vômito.
— Megan McDonald é sempre muito legal com você.
— Sim, de um jeito superfalso. Tipo "sou mais inteligente do que você, mais bonita do que você e mais popular do que você. Então, acho que vou ser muito legal com você, para que não se sinta tão triste. E se eu conseguisse encontrar um jeito de documentar em meu currículo o quanto sou caridosa com você, faria isso, porque poderia ser admitida numa faculdade melhor".
Jéssica e Rachel acharam graça.
— Não tem nada a ver com Megan — Jéssica afirmou.

— Na verdade, ela me parece muito legal. — Rachel prendeu uma mecha atrás da orelha. — Porém, eu entendo por que você acha que ela é falsa. Mas não é. É só o jeito dela. E Megan criou o retiro de verão. Então, ninguém pode dizer que seja burra. A garota é inteligente. Muito inteligente. Ela tirou uma nota bem alta no exame de admissão para a universidade.

— Exatamente. Ela criou um retiro para ajudar os calouros do colégio, mas, em nosso primeiro ano, era arrogante e elitista, e fazia as pessoas se sentirem uma merda. — Nicole ficou de pé e se dirigiu a uma espreguiçadeira. — Megan McDonald me incomoda.

— Ela te incomoda porque está saindo com Matt. Achei que você tivesse "acabado" com ele. — Jéssica desenhou aspas no ar com os dedos.

— Acabei. Mas Megan McDonald? Sério? Quero dizer, depois de mim, ele fica com ela? Matt vai precisar de um pé de cabra para conseguir fazer aquela garota abrir as pernas. Então, qual o objetivo?

— Você é nojenta — Jéssica afirmou.

Na espreguiçadeira, Nicole tirou a parte de cima do biquíni e ficou com os seios desnudos, fechando os olhos e absorvendo o sol.

— Me avise quando seu irmão voltar com seu amigo pervertido. Não preciso dos dois babando enquanto me veem fazendo *topless*.

Jéssica e Rachel trocaram olhares estranhos e reprimiram os sorrisos quando viram sua amiga ficar metade nua perto da piscina. Ambas discutiram a transformação de Nicole nesse verão. Elas a definiram como uma rebelião pré-faculdade. Um corte de laços, talvez, para facilitar o processo de deixar sua família e suas amigas.

— Megan vai para a Duke no próximo ano — Jéssica comentou. — E tenho certeza de que, no próximo verão, irá para a Etiópia ou algum outro lugar para cuidar de crianças doentes. Assim, você não terá de se preocupar com a garota por muito tempo.

Com os olhos fechados, Nicole ergueu a mão, fazendo um sinal de positivo com o polegar.

— Sabe de uma coisa? Vou à festa de Matt este fim de semana. Acho que começarei um casinho de verão com ele. Vejamos o que a hipocritazinha fará quando vir seu namorado dando em cima de mim.

O barulho dos *jet skis* encheu o ar do verão, e Rachel olhou para a baía.

— Meu irmão e seu amigo estão de volta.

Mantendo os olhos fechados, Nicole continuou com seus seios expostos, brilhando por causa do óleo bronzeador e do suor, sem se mover.

— Deixe que eles babem.

6

Julho de 2016
Três semanas antes do sequestro

JÉSSICA SE SENTOU PERTO DA PISCINA COM RACHEL. NA noite seguinte seria a festa de Matt Wellington. Nicole não pôde encontrar as amigas, e portanto essa era a primeira sexta-feira, em todo o verão, que as três não passavam juntas. A desculpa de Nicole foi a visita de uma tia e o jantar subsequente ao qual seus pais exigiam que ela comparecesse. Se tivesse feito birra, do jeito que costumava fazer quando forçada a algo tão estúpido quanto jantar com sua tia na sexta-feira à noite, ela poderia ter se livrado. Porém, a verdade era que a casa e a piscina de Rachel, a baía e os namoricos com rapazes do ensino médio pelos quais ela não tinha o menor interesse simplesmente não mais a seduziam. Aqueles momentos pareciam ter se apagado para Nicole. Os verões na baía eram coisa do passado, e os momentos mágicos que pareciam acontecer todos os dias quando elas eram mais jovens foram ficando menos frequentes, até que toda a cena se tornou sem sentido e desinteressante.

Após o jantar, Nicole chegou em casa por volta das 22h. De imediato, trancou a porta do quarto e ligou o computador. Ela devia conversar com ele essa noite, e a expectativa lhe despertou desejo.

Minutos depois, Nicole ouviu uma batida na porta, que interrompeu sua solidão.

— O que foi?

— Você não vai dar boa noite para tia Paxie? — a mãe de Nicole perguntou.

— Boa noite, tia Paxie! — ela gritou de sua mesa.

— Boa noite, querida.

Nicole ouviu sua mãe e sua tia se afastarem da porta fechada do quarto. No início da noite, no restaurante, ela vira a mãe fazer um gesto negativo com a cabeça quando tia Paxie perguntou sobre o cabelo preto, o delineador preto e o batom preto de Nicole.

— Simplesmente ignore — sua mãe disse, baixinho.

Ignorar as coisas foi tudo que sua mãe e sua tia sempre fizeram. O que mais poderia explicar a presença de tia Paxie na Carolina do Norte nos últimos três dias sem se lembrar de Julie? Ignore algo por tempo suficiente e o problema desaparecerá. Esse era o lema não verbalizado de sua mãe.

Quando não ouviu mais os murmúrios do outro lado da porta, Nicole acessou o computador e achou a sala de bate-papo onde eles normalmente conversavam. Às vezes, eles se deslocavam para outros sites, por insistência dele, como se alguém os estivesse perseguindo e espionando suas conversas.

Ela digitou:

Oi. Você está por aí?

Em instantes, a resposta chegou:

Nikki C! Onde você estava?
Tentando encontrá-lo. Você se escondeu de mim.
Ah! Lol. Você é muito misteriosa. Então, o que está rolando, doçura?

Nicole nunca ouviu a voz dele, mas ainda assim adorava quando ele a chamava desse jeito. Nenhum garoto da Emerson Bay High teria coragem de falar com ela dessa maneira. A maioria mal conseguia manter contato visual, que dirá se envolver numa conversa plena. Lisonjeá-la com um apelido carinhoso era algo fora do âmbito das brincadeiras do colégio, motivo pelo qual Nicole não se importava em ficar por fora do que estava acontecendo essa noite em Emerson Bay. Aquele era o único lugar onde queria estar, e ele era a única pessoa com quem ela queria falar.

Nicole tornou a digitar:

Eu estava ocupada com minhas amigas, mas elas andam muito chatas ultimamente. Pareço uma vadia?
Uma vadia gostosa. Vi a foto que você postou. Você tem um corpo incrível, e seu rosto é uma beleza.
Obrigada. Quando vou poder ver você?
Sou muito tímido para postar uma foto.
Que tal nos encontrarmos, então?
Ideia muito melhor. Sua tia ainda está por aí?
Sim. Vai embora amanhã. Tive toda essa história do jantar. Tô de saco cheio.
A garota que foi raptada era filha dela?

Suas conversas sempre desembocavam aí. Era o grande assunto, e eles falavam — ou digitavam — durante horas a respeito. Ele era a única pessoa na vida de Nicole disposta a tratar do assunto com ela. Tia Paxie chegara na terça-feira, e não mencionara nenhuma vez a filha. Tudo bem, Nicole pensou, foi há oito anos. Paxie não queria transformar sua visita — a primeira desde que Julie desapareceu, tantos anos atrás — num festival de lamúrias e soluços. Bastante compreensível. Mas tia Paxie nem sequer mencionou o nome dela. Nem uma vez. Ignore, ignore, ignore, e o problema desaparecerá.

Finalmente, Nicole digitou:

Sim.
Qual era o nome dela?
Julie.
Sua prima?
Sim.
Vocês eram próximas?
Nós nos adorávamos. Nossas mães costumavam se visitar, mas Julie e eu considerávamos as viagens como nossas. Lembro-me de estar no avião ao lado de minha mãe me sentindo feliz à beça porque ia ver Julie. Então, com nossas mães ocupadas pondo a conversa em dia, como irmãs que só se viam duas vezes por ano, Julie e eu ficávamos acordadas até meia-noite, caçando vagalumes ou sentadas ao redor

da fogueira, enquanto nossas mães se embebedavam com vinho e relembravam a infância.

Nicole observou a tela depois de digitar muito de seu coração. Finalmente, a resposta chegou:

Parece divertido.
Era.
Quantos anos sua prima tinha?
Quando desapareceu? Nove.
Como foi?

Deus, parecia bom finalmente conversar com alguém a esse respeito.

Na realidade, não sei muita coisa, porque minha mãe nunca me deu detalhes. Imagino que ela me considerasse muito nova. Procurei histórias sobre Julie na internet, mas não há muita coisa. Nunca acharam nenhuma pista. Julie simplesmente desapareceu um dia, voltando da escola para casa.
Uma rota comum.

Nicole ficou olhando para a tela antes de perguntar:

O que é isso?
Os bandidos usam rotas comuns para raptar crianças porque elas são previsíveis. Quem quer que tenha levado Julie sabia que ela usaria aquela rota naquela dia. Provavelmente, enquanto planejava a ação, o sujeito a observou por um longo tempo.
Isso é bizarro.
Totalmente. Ele deve ter esperado, observado com quem Julie andava e calculado em que pontos durante a caminhada da escola para casa ela estaria sozinha. Planejou sua janela de oportunidade perfeitamente, então...

Houve uma pequena pausa na digitação.

Encontraram o cara?
Não.
E Julie?

Outra breve pausa antes de Nicole voltar a digitar:

Ninguém voltou a vê-la.
Triste.

Nicole olhou para a tela e para a palavra "triste" enquanto ela aparecia na caixa de diálogo.

Ainda sinto falta de minha prima.
Já pensou no que Julie passou? Procurou se colocar nessa situação?

Nicole ficou observando a questão diante de si. Por esse motivo ela era incontrolavelmente viciada nas conversas entre os dois.
Pensara naquilo durante anos. Queria saber como Julie fora levada e como se sentira ao se dar conta de que não ia voltar para casa. Perguntava-se se Julie embarcara no carro por vontade própria, ou se ele a forçara. Perguntava-se para onde ele a levara e o que fizera com ela. De forma doentia, pensava muito sobre tudo isso. Durante os dias e, às vezes, até enquanto dormia. Em muitas ocasiões, em seus sonhos, ela e Julie caçavam vagalumes, mas, dentro das fantasias mais sombrias, havia imagens nebulosas de Julie chorando num armário escuro, assustada demais para abrir a porta e buscar ajuda.
Finalmente, os dedos de Nicole se moveram pelo teclado.

O tempo todo.

Pausa longa.

Eu também. Penso em meu irmão, Joshua. Imagino-o em algum lugar escuro, assustado e sozinho. Sinto vontade de chorar, mas não consigo parar de pensar nisso. Esse lance nos torna estranhos? Esses pensamentos?

Não sei. Acho que não. É melhor do que fingir que Julie nunca existiu, como minha mãe e minha tia fazem.

Nicole ficou imóvel e esperou uma resposta. Que enfim chegou:

Quero te contar um segredo. Mas só se você prometer guardá-lo.
Prometo.

Nicole fixou o olhar na tela.

Eu conheço um clube...
Ah, sim? Que tipo de clube?
Do tipo de que eu acho que você gostaria muito.

7

Julho de 2016
Três semanas antes do sequestro

NUMA SEQUÊNCIA DE QUATRO LAGOS LIGADOS UNS AOS outros por canais, Emerson Bay era o maior e de área mais povoada, e desaguava através do rio Chowan no oceano Atlântico. Os moradores locais ocuparam as margens e se agruparam bem longe da baía.

A casa de Matt Wellington ficava às margens de Emerson Bay e, como a propriedade de Rachel Ryan, se estendia pela encosta, com seu quintal chegando até a beira d'água. Às dez da noite, a festa de sábado estava no auge.

A piscina dos Wellington foi escavada na encosta da colina, com pedras e granito criando um cenário onde a escavadeira havia removido a terra. Refletores destacavam o granito, e lâmpadas submersas tornavam visíveis as pernas dos rapazes andando no fundo, sob a água. As garotas gritavam sentadas sobre os ombros deles e lutavam de brincadeira umas com as outras. Os pais de Matt apareciam de vez em quando ali, para verificar a situação. Os rapazes recorriam a cervejas que deixaram escondidas perto da baía. Escadarias cortavam a colina e levavam à água. Fora do alcance da visão da residência, um *cooler* cheio de cervejas geladas ia sendo esvaziado rapidamente.

Megan McDonald estava sentada com suas amigas animadoras de torcida a uma mesa do terraço. Algumas garotas passavam por elas usando a parte de cima dos biquínis e shorts cortados de calças jeans. As mais ousadas se exibiam só de biquíni.

— Ela é uma putinha — Megan disse. — Deem só uma olhada.

Megan e suas dez amigas viram Matt mergulhar de cabeça na água, nadar até o meio das pernas de Nicole Cutty, segurar firmemente as coxas dela, colocá-la sobre os ombros e ficar de pé. Nicole gritava enquanto lutava contra Jéssica Tanner, que se equilibrava nos ombros de Tyler Elliot.

Durante a luta, em algum momento, Nicole estendeu o braço e puxou a parte de cima do biquíni de Jéssica, expondo seu seio. Os rapazes assobiaram diante do espetáculo antes que Jéssica gritasse. Então, ela caiu para trás na água, com um braço cruzado sobre o peito desnudo e o outro estendido direto para Nicole, com o dedo do meio erguido. Em seguida, ela afundou.

— Quem faz uma coisa dessas? — Megan chacoalhou a cabeça.

— Elas querem chamar atenção. Estão desesperadas — Stacey Morgan afirmou.

— E estão conseguindo. Nicole vai acabar grávida antes de fazer vinte anos.

— Não é à toa que a chamam de Slutty Cutty.* Para se descobrir de quem seria a criança, metade dos caras de Emerson Bay teria de fazer um teste de paternidade. — Stacey fez uma careta de desprezo.

A turma de animadoras de torcida riu.

Megan e Stacey desceram até a baía. Cada uma pegou uma cerveja, e beberam observando os rapazes atirarem latinhas esmagadas na água. Então, Matt veio por trás de Megan, agarrou-a pela cintura e a abraçou com força. Ensopado com a água da piscina, ele molhou todo o corpo de Megan.

— Você ainda não me cumprimentou — ele falou no ouvido dela.

— É porque você estava muito ocupado com as garotas de topless em sua piscina.

Matt a ergueu, com as costas de Megan pressionadas firmemente contra seu peito.

— Vou te jogar na baía só por você ter dito isso. — E ele se pôs a andar como um pinguim, carregando-a pela doca.

— Faça isso e você morre — Megan garantiu, serenamente.

Matt continuou se dirigindo para mais perto da água. Na beira da doca, ele a balançou para a frente e para trás.

---

* *Slutty*: puta, vadia, piranha, vagabunda. (N. do T.)

— Um. Dois. Três! — Então, Matt ergueu Megan e fingiu jogá-la na água.

Ela gritou. Quando ele a soltou, Megan se virou com um sorriso e deu um tapa no ombro dele.

— Eu teria te matado — Megan disse.

— Sei... — Nicole descia a escada, também ensopada da água da piscina.

Com os seios transbordando da parte de cima do biquíni, a parte de baixo alinhada com o abdome sarado e a série de luzes da doca refletindo em sua pele, era impossível não admitir que Nicole era linda. Do lado de fora. Por dentro, Nicole Cutty era horrível. Ela gostava de intimidar. Era o tipo de gente que os pais de Megan sempre a ensinaram a não ser e também a manter distância. Fora para lutar contra pessoas como Nicole Cutty que Megan decidira criar o retiro.

— Como Megan explicaria para o pai dela, o xerife, que acabou na água de roupa e tudo?

— Eu não ia jogá-la. — Matt ainda sorria, ignorando a rivalidade.

— Onde está seu maiô, Megan? — Nicole quis saber. — Te contaram que é uma festa na piscina?

— É, eu percebi.

— Então, onde está seu maiô?

— Em meu corpo. Apenas não sinto necessidade de me exibir por aí.

— Entendo. — Nicole deu risada. — Não precisa tirar a parte de cima do biquíni para todos verem que você não tem peito. — Ela pegou uma cerveja do *cooler*. — Supere isso ou peça para seu pai pagar um implante.

— Cala a boca, Nicole — Stacey interveio.

Nicole abriu a lata.

— Ou, já que os maiôs assustam tanto vocês, talvez queiram vir conosco, mais tarde, para nadar sem roupa na baía. — Ela tornou a rir.

— Até parece! As princesas animadoras de torcida nadando peladas... — Nicole começou a subir os degraus. — Matt, diga aos seus amigos que vamos nadar sem roupa à meia-noite.

Stacey fez cara feia, vendo Nicole subir a escada.

— Deve ser difícil quando tudo que você tem a seu favor são suas tetas.

Ignorando o comentário, Nicole olhou por sobre o ombro, sem parar de andar, rebolou o traseiro e se dirigiu a Matt:

— É melhor você entrar na água com a gente.

Megan encarou Matt assim que Nicole sumiu de sua vista.

— Nicole é uma piranha. Não acredito que você saía com ela.

— Nicole?! — Matt deu risada. — Ela é legal, mas se sente inferiorizada, de algum modo. Quer se enturmar como todo o mundo. Não dê bola para ela.

Jéssica Tanner desceu a escada, sorriu quando Nicole passou por ela e pegou uma cerveja.

— Não deixe que ela te aborreça — disse para Megan. — Nicole não vai com a sua cara.

— Por quê?! — Megan exclamou.

— Porque te acha elitista. — Jéssica abriu os braços e encolheu os ombros. — Tipo boa demais para passar o tempo com alguém, exceto, você sabe, seu pequeno grupo. É como Matt disse: não dê bola para ela. Nicole é inofensiva.

— Ela não é sua amiga? — Stacey perguntou.

— Sim. Melhor amiga. — Jéssica esboçou um sorriso forçado. — Mas não sou fanática. Posso reconhecer quando minha amiga está sendo um pé no saco. — Abriu a lata de cerveja e tomou um gole. — Acho que é isso o que Nicole detesta na sua turminha. Vocês defendem umas às outras a qualquer preço. Isso a irrita. Também a mim, às vezes — Jéssica se dirigiu de volta à escada. — Quer que ela cale a boca? Fale do blefe dela sobre nadar pelada.

ÀS 23H, O PRIMEIRO GRUPO NADOU ATÉ A PLATAFORMA, que flutuava a cerca de vinte e cinco metros da doca de Matt. Iluminada por uma lâmpada halógena localizada no topo do mastro situado em seu centro, a plataforma era um farol de luz na baía mergulhada na escuridão. Feita de pinho grosso, era um pequeno convés flutuando em Emerson Bay, ancorado no leito por uma longa corrente.

Dois rapazes levaram o *cooler* e o içaram para o convés. Pouco depois, uma discussão irrompeu entre os garotos, que se empurraram uns aos outros para dentro da água, alguns caindo de costas e outros de barriga. Agachadas em um lado da plataforma, as garotas se puseram a gritar, permitindo que os rapazes jogassem King of the Hill, que Matt — o capitão da equipe de luta — ganhou sem contestação. Em seguida, foi a vez das meninas, que os rapazes empurraram alegremente para a água. Algumas resistiram, mas a resistência chamou a atenção de dois ou três garotos, que carregaram uma garota pelas axilas e pelos tornozelos e a arremessaram por cima da lateral da plataforma.

Depois que as coisas se acalmaram, todos se sentaram ao redor da borda da plataforma, balançado os pés na água. A cerveja rolava solta, e tudo serenou. A mesma cena representada toda vez que aquele grupo se reunia em uma festa na baía, com alguém que sempre falava sobre nadarem pelados.

Na plataforma, os rapazes, em superioridade numérica — doze garotos contra oito garotas —, esperavam que as meninas se desnudassem magicamente e pulassem na água. "Nós faremos o mesmo", eles prometiam. Em geral, provocações, desafios e compromissos eram formulados antes de o grupo finalmente se entediar e nadar de volta para a doca, com a jornada relativa à plataforma resultando em nada mais que um bom mergulho e algumas risadas.

Por insistência de Matt, Megan, Stacey e mais outras três animadoras de torcida tinham nadado até a plataforma. Jéssica, Nicole e Rachel também decidiram nadar até lá, e juntas constituíram o grupo de oito garotas. Agora, com os vinte jovens sentados sem fazer nada, com as pernas penduradas na água e a plataforma balançando ao sabor das sutis ondas da baía, eles se dividiram em conversas distintas. Megan, ao lado de Matt, falava sobre a Universidade Duke. Ele também iria para lá no outono, e os dois ficaram felizes por saber que um rosto familiar estaria próximo. Eles nunca namoraram formalmente, mas, no verão anterior, saíram algumas vezes em companhia de amigos comuns. Em uma dessas ocasiões, foram ver *Perdidos em Marte*, e esse foi chamado de encontro romântico só depois que eles se beijaram no carro de Matt. No entanto, por mais populares que fossem, nenhum dos dois nunca conseguiu se sentir à vontade um com o outro. Assim, o último ano do ensino médio passou com Matt e Megan como amigos, ambos esperando que algo mais acontecesse, mas em vão.

— Então, quem começa? — Nicole perguntou ao grupo depois de vinte minutos na plataforma. — Todos nós nadamos até aqui por um motivo, não?

— Você vai primeiro — um dos rapazes desafiou.

— Querido... — Nicole esboçou um sorriso desdenhoso. — Não estou preocupada comigo. Só não quero ser a única pessoa nua no lago. Quero rapazes nus comigo. Mas todos vocês estão com muito medo de tirar a roupa. — Ela piscou para Jéssica e Rachel. — Medo do encolhimento? Está muito escuro, garotos. Não vamos conseguir ver seus pintos.

Jason Miller ficou de pé e caminhou até Nicole.

— Você vai, e depois eu vou.

Nicole fez cara feia.

— Certo, vou ficar pelada para que você possa me ver mergulhar. Depois, você se senta com seus amigos, muito assustado com o pau duro dentro do calção, e não pula na água.

— Você é só papo, Cutty. Vamos fazer isso ao mesmo tempo.

A discussão sobre quem tiraria os trajes de banho primeiro, e em que ordem, prosseguiu. Em seguida, vieram as regras referentes a onde colocar as roupas descartadas e a decisão de que ninguém poderia tocar nelas, ou haveria consequências.

Durante as idas e vindas, Megan se virou para Stacey.

— Vamos nessa e ponto.

— Sério?! — Stacey exclamou com um sorriso.

Matt apoiou:

— Sim, vamos nessa, vamos calar a boca de todo o mundo.

— Sim! — Tyler Elliot encarava Stacey.

— Legal! — Stacey concordou.

E, num movimento unificado de braços e pernas, cada um deles jogou seus trajes de banho no convés da plataforma antes que alguém sequer tomasse conhecimento de sua atitude.

— Até mais, babacas! — Matt gritou, e os quatro pularam no lago.

Quando o grupo restante se deu conta, teve um breve vislumbre de bundas nuas, obscurecidas pela noite, até que os respingos provocados pelo mergulho tudo ocultassem. Rindo, os quatro começaram a nadar para longe da plataforma, protegidos pela água escura.

Os demais, agora de pé, se esforçavam para encontrar uma melhor visão dos quatro que tinham finalmente agido. Então, um desnudamento em massa teve início, com os rapazes despindo os calções e pulando no lago.

Alguns instantes depois, Nicole ficou nua, mas sem pressa de procurar proteção na água. Ela cobriu os seios com um braço e cutucou Jéssica e Rachel para se juntarem a ela. Os outros rapazes que permaneceram na plataforma assobiaram para o espetáculo. Logo, Jéssica e Rachel se despiram e mergulharam. Lentamente, Nicole se virou para os garotos, que não tiravam os olhos dela, descobriu os seios e os encarou por alguns instantes, erguendo as sobrancelhas para chocá-los. Isso os emudeceu de imediato. Eles piscaram, sem conseguir pensar em nada para dizer.

— Os únicos que restam... — Nicole começava a cair de costas para fora da plataforma. — ...devem ter os menores pintos do grupo.

Na sequência, a água respingou, e ela se foi.

NO FIM, OS DOIS RAPAZES QUE NÃO TIRARAM OS CALÇÕES alegaram que a cerveja estava acabando e queriam manter o barato rolando. Megan e Matt, após darem algumas braçadas e ficarem imóveis com as cabeças acima do nível da água, se cansaram e nadaram para a segurança da plataforma, segurando-se na lateral dela e apoiando os pés na barra submersa que circundava o flutuador. Megan teve o cuidado de se manter debaixo d'água, deixando apenas a cabeça visível.

— Que loucura... — Matt disse.

— É nosso último ano. Tínhamos de fazer isso.

— Que legal que começamos.

A água respingou entre eles enquanto os outros nadavam e batiam as pernas ao redor da plataforma.

— Fico muito contente de saber que, no próximo ano, vamos estar juntos na faculdade.

— Eu também.

Matt inclinou o rosto na direção do dela, tomando cuidado para não se aproximar demais — para não haver muito contato de pele com pele — e a beijou. Megan, equilibrando-se com uma das mãos na plataforma e o pé na barra, correspondeu ao beijo, passando a outra mão pelo cabelo de Matt. De repente, Megan sentiu alguém apalpando a parte de trás de sua coxa e agarrando seu traseiro com força. Ela se afastou rápido.

— Vão com calma vocês dois — Nicole disse. — Agarrar o traseiro no lago? Arrumem um quarto, já.

Megan afastou a mão de Nicole. Matt deu risada, porque não sabia mais o que fazer. Nadando, Nicole sumiu tão rápido quanto apareceu.

— Não fui eu — Matt garantiu assim que Nicole se foi.

— Fala sério...

Exaustos por terem de se manter imóveis com a cabeça acima do nível da água, todos se reuniram de novo aos poucos ao redor da plataforma. Embaraçadas e acanhadas, agora que nadar para longe não era uma opção, quase todas as garotas se reuniram de um lado. Os rapazes, do outro. Matt ergueu a mão e pegou o biquíni de Megan na plataforma.

— Aqui está — ele disse, desapontado. — Parece que a festa acabou.

Megan apanhou seu biquíni e amarrou a parte de cima ao redor do pescoço, observando, pelo canto do olho, Matt sair da água até a cintura para recuperar seu calção. Ela vestiu correndo a parte de baixo, subiu de volta para a plataforma e entregou os trajes de banho para suas amigas na água. Todas fizeram o mesmo, exceto Nicole Cutty, que subiu a escada de mão e ficou de pé na plataforma, espremendo a água do cabelo, sem pressa. Só depois debruçou-se para pegar seu biquíni. Ainda no lago, os rapazes fixaram nela os olhares, suspirando de queixo caído.

Megan reparou que Matt, como qualquer outro garoto, só conseguiu desviar o olhar depois que Nicole enfim vestiu a parte de baixo do biquíni.

PARTE II

Estou de volta, meu amor. Estou de volta.
— O Monstro

8

Outubro de 2017
Treze meses após a fuga de Megan

O ALOJAMENTO DA UNIVERSIDADE FICAVA NUM PRÉDIO DE três andares. Tinha tijolos vermelhos e porta de segurança com acesso por meio de cartão magnético. Lívia esperou do lado de fora e, então, viu Jéssica Tanner atravessar o saguão. Lívia abriu a porta depois que Jéssica a destrancou, e elas se dirigiram a uma sala de estudo vazia. Perto da meia-noite, cerca de uma hora depois de Lívia ter recebido o telefonema de Jéssica, o saguão do prédio estava escuro e silencioso.

— Que tal a faculdade de medicina? — Jéssica perguntou.
— Boa. Formei-me alguns anos atrás.
— Ah, sim. Você é pediatra?
— Patologista.
— Foi o que eu quis dizer — Jéssica afirmou. — Lembro-me de Nicole me falar disso. Você examina corpos e tal?
— Algo parecido. Posso ver a foto?

Jéssica tirou uma fotografia do bolso. Lívia a pegou e sentiu uma pontada no coração ao ver Nicole, cabelo preto escorrido e pálpebras pintadas de forma densa e pesada com delineador escuro, o que transformava seus olhos em ovais de carvão com safira escondida no interior. Ao lado dela no retrato havia um rapaz que apoiava o braço sobre seu ombro. Lívia precisou de segundos para correlacionar o rosto daquele homem com a foto de Casey Delevan de seu prontuário, e um pouco mais de tempo para imaginar que o corpo em decomposição de um mês antes era do mesmo homem que posava com Nicole.

O doutor Colt encorajava todos os alunos a reagir ao mau hábito de enxergar seus casos só pelo lado da morte. Orientar a família do morto era parte importante da profissão deles, assim como visualizar almas vibrantes, em vez de cadáveres inanimados, ajudaria os alunos a dar notícias com compaixão. Apesar de seus esforços, tudo que Lívia enxergou quando levou Casey Delevan em consideração foi o cadáver em putrefação com fratura na perna e perfurações estranhas no crânio.

— Achei que Nicole não tinha namorado — Lívia comentou, enfim.

— Ela era muito discreta. Nunca cheguei a conhecer o rapaz. Nicole era muito reservada no que se referia a ele. Acho que ela me mostrou a foto para provar que tinha um namorado, já que ninguém estava dando a mínima para isso, pois ninguém chegou a vê-lo. Não sei por que guardei a fotografia. Nic nunca a pediu de volta. Então, quando minha mãe me falou de um cara flutuando na baía e eu o vi no noticiário... É o mesmo cara.

— Quando a foto foi tirada?

— No último verão, acho. Quer dizer, depois do último ano do colégio. Foi quando ela começou a namorá-lo. Costumávamos contar tudo uma para a outra, mas nossa amizade oscilou naquele verão. Sempre achei que fosse por causa desse cara, mas acredito que tenha sido mais que isso.

— Como o quê?

— Não sei. Rachel e eu tivemos dificuldade em entendê-la. Nic era muito rebelde e começou a fazer coisas que nunca tinha feito antes.

— De que tipo?

— Sei lá... Nic era muito malvada com algumas garotas da escola. Principalmente com... Megan.

— Megan McDonald?

Jéssica concordou com um gesto de cabeça.

— Como assim?

— Ela odiava toda a atenção que Megan recebia por causa do programa de retiro de verão e de sua bolsa de estudos para a Duke. Nicole tentou ficar com o namorado de Megan, e isso causou um grande problema.

— Achei que ela estivesse namorando este cara... o tal Casey. — Lívia exibiu a foto.

— Estava. A coisa com Matt era apenas para encher o saco de Megan e, não sei, provar que ela poderia conseguir tudo o que quisesse. Sei que ela ficou com ele naquele verão.

— Com o namorado de Megan?

— Sim. Um drama só.

— Qual o nome dele?

— Matt Wellington.

— Quando você diz "ficou", o que quer dizer?

— O que você acha? — Jéssica respirou fundo. — Escute, Nic foi minha melhor amiga. Mas ela mudou depois do último ano do colégio. Ficou bastante promíscua. Nadou pelada. Quero dizer, todas nós fizemos isso, mas Nicole escancarou. Fez questão de que todos a vissem nua. Algo estava errado, sabe? Com toda aquela maquiagem e as roupas pretas...

Lívia se lembrou de uma viagem que fez para casa no verão de 2016 e do espantoso cabelo preto forte e lustroso, do delineador preto e das roupas pretas de Nicole. Lívia ignorou aquilo. Fez questão de não dizer nada a respeito, e foi quase ofensiva com sua dissimulada ignorância em relação à mudança física da irmã. Aquela não era a primeira vez que Lívia desejava poder voltar no tempo e oferecer a ajuda pela qual Nicole implorava de forma tão evidente.

Lívia voltou a exibir a foto de Casey Delevan.

— Alguma vez Nicole disse que este cara poderia machucá-la ou algo assim?

— Não. Ela quase não falava dele — Jéssica respondeu.

— Você já falou de Casey para a polícia?

— Falei. Quando me interrogaram, eu disse que Nicole estava namorando um cara, mas que nunca soube seu nome. Esqueci-me da foto até vasculhar algumas coisas no verão passado, quando a encontrei. Por quê? Você acha que ele teve algo a ver com o desaparecimento de Nic?

— Não sei. — Lívia contemplava a fotografia. — Posso ficar com isto?

— Sim. Você sabe o que aconteceu com ele?

— Com Casey? Sei. Ele pulou da ponte Points, e o corpo foi encontrado boiando nas águas da baía.

9

APESAR DE NÃO TER CONSEGUIDO DORMIR DIREITO NA noite anterior, pensando obsessivamente em Nicole e Casey Delevan, Lívia chegou cedo ao trabalho na manhã de sexta-feira. No escritório dos alunos, ela terminou o trabalho administrativo às nove horas e se dirigiu à sala de autópsia para a reunião matutina. Diante de seu armário, tirou o avental azul e o colocou sobre a vestimenta cirúrgica. Em seguida, prendeu o cabelo sob a touca e, ao entrar na sala de autópsia, deixou as luvas cirúrgicas e o protetor facial sobre a mesa e caminhou até o quadro de avisos, onde os casos do dia eram intitulados e designados.

Lívia viu seu nome escrito em pincel atômico azul:

Doutora Cutty — Jean Marie Miller: 89 anos, sexo feminino, vítima de queda.

Da mesma forma, os outros alunos tinham casos designados para si, assim como quatro dos presentes. Lívia leu a lista para ver se alguém tinha uma tarefa mais interessante. Todos os casos daquela manhã pareciam rotineiros, exceto o de Tim Schultz, cujo caso era de ferimento por arma de fogo, e Lívia não gostou nada disso. Sabia, porém, que, com a noite maldormida e a mente tão preocupada com Nicole, aquele não era o momento certo para enfrentar um caso desafiador. Ou mesmo um caso interessante. O cadáver de uma idosa vítima de queda parecia apropriado para sua condição mental atual.

— Você está com uma péssima aparência, Lívia. — Jen Tilly se dirigiu ao quadro de avisos.

— Obrigada.

— Esteve chorando?
— Não. Só não consegui dormir a noite toda.
— O que houve?
Lívia projetou o queixo quando o doutor Colt entrou no necrotério.
— É uma longa história.
Tim Schultz entrou logo depois do doutor Colt e, apressado, ultrapassou-o em direção ao quadro de avisos. Com as mãos às costas, o doutor Colt se aproximou do quadro e o examinou, como se não tivesse escrito cada palavra uma hora antes.
— Atrasado para a reunião matutina, doutor Schultz. Portanto, você fica sem um caso para hoje.
— Sim, senhor. — Tim suspirou.
— Por um triz, não?
— Tive uma emergência no banheiro.
— Ahã. — O doutor Colt continuava lendo o quadro. — Há certas coisas que não preciso saber sobre meus alunos, doutor Schultz. Você acabou de mencionar uma delas.
O doutor Colt pegou o apagador e limpou a tarefa ao lado do nome de Tom Schultz.
— É um caso de ferimento por arma de fogo, que poderia ser interessante, mas acho que vou passá-lo ao doutor Baylor. Recebemos a informação de um caso de *overdose* durante a noite e, com seu estômago já irritado, doutor Schultz, acho que essa será uma tarefa melhor para você. – O doutor Colt começou a escrever no quadro de avisos.
Lívia e Jen sorriram quando Tim virou as palmas das mãos para cima.
— Doutor Colt, meu estômago está ótimo — ele disse.
— Não por muito tempo. O caso de *overdose* envolve um corpo em decomposição encontrado num cortiço. Estava ali fazia uma semana ou mais. Os peritos devem trazê-lo em breve.
Tim olhou para Lívia e Jen, que faziam o possível para não rir, e moveu os lábios sem emitir som: "Eu não estava atrasado!".

DEPOIS DE UMA HORA DE AUTÓPSIA DA IDOSA QUE FOI vítima de queda, Lívia se esforçava para chegar ao final da manhã. Ela completou o exame externo e descobriu equimoses no lado esquerdo da mulher de 89 anos, desde a caixa torácica até o crânio, passando pelo ombro. Percebeu e fotografou a ulna e o rádio provavelmente quebrados no lado esquerdo. O exame interno foi totalmente desinteressante, como Lívia suspeitou que seria. Então, ela começou o processo de pesagem dos órgãos. Essa foi a primeira vez em seu curso de especialização — desde os primeiros dias de residência em patologia — que os cheiros e ruídos do necrotério a incomodaram.

O corpo em decomposição para autópsia de Tim Schultz chegou no exato instante em que Lívia separava o intestino delgado do reto. Assim que os peritos abriram o zíper do saco mortuário, o cheiro a atingiu como se flutuasse através da sala.

— Deus do céu, Tim, ligue seu exaustor! — Lívia suplicou.

Tim acatou o pedido de Lívia. Os peritos, por sua vez, após posicionarem o cadáver sobre a mesa de Tim, escaparam às pressas dali.

Alguns minutos depois, ele cortou o abdome, liberando os gases nocivos da podridão intestinal. O odor atingiu todas as pessoas do recinto, e um gemido coletivo escapou de cada um dos médicos.

— Sério, Tim, aumente a velocidade de seu exaustor.

— Está no máximo, Cutty. Desde quanto você ficou tão intolerante ao cheiro?

Lívia tentou abstrair o miasma e voltou ao trabalho. A mulher a sua frente foi encontrada pelo filho, na tarde anterior. Ao fazer sua vista semanal, ele encontrou a mãe caída no chão do banheiro. O que Lívia precisava dessa parte do exame era a hora da morte, que ela calculou a partir do conteúdo estomacal. Notou a instabilidade no lado esquerdo, o que sugeriu que a queda provavelmente deixara a vítima inconsciente, pois ela não aparentava ter se movido após o acidente. Era interessante que a mulher não tivesse se deitado de costas, como muitas vítimas de queda tendem a fazer. Lívia confirmou os ossos fraturados do pulso e, em seguida, se deslocou para o crânio, onde sabia que a história completa seria contada.

Com a serra para ossos em mãos, Lívia trabalhou duro para ignorar a bagunça que se desenrolava na mesa de Tim Schultz, que a fazia lembrar-se de seu corpo em decomposição do último mês. E isso a levou a pensar em Nicole sorrindo alegremente naquela foto. Lívia tentou não pensar no braço de Casey Delevan apoiado no ombro da irmã — o mesmo braço que ela e o doutor Colt descobriram ter sofrido "contusões por pá" quando alguém desenterrou o cadáver dele. Ela também procurou não pensar nas lesões nos pulsos e nos tornozelos de Casey, por causa dos blocos de cimento que o puxaram para o fundo do lago.

Com tudo isso percorrendo sua mente, Lívia sentia dificuldade em realizar seus movimentos. E, ao apoiar a serra para ossos na cabeça da senhora Miller, ela procedeu à pior craniotomia de sua curta carreira, pois esqueceu-se de projetar o corte assimetricamente, para que a calota craniana se encaixasse no lugar sem escorregar. Os familiares nunca gostavam de ver seu ente querido com um crânio deformado no funeral. Era uma lição que todo residente de patologia do primeiro ano aprendia.

— Droga! — Lívia repreendeu a si mesma, desligando a serra e observando a calota craniana deslizar para fora do topo da cabeça de sua paciente.

O doutor Colt — parado junto à mesa de Tim Schultz, com as mãos entrelaçadas às costas e os óculos pendurados na ponta do nariz, observando com atenção o exame interno — levantou os olhos.

— Doutora Cutty? Algum problema?

Lívia empurrou a calota craniana de volta para o lugar. Agora, ela teria de realizar suturas grossas através do couro cabeludo e, se possível, colocar alguns grampos no crânio quando terminasse a autópsia.

— Não, senhor — Lívia afirmou.

Então, o doutor Colt retornou a atenção para o caso do corpo em decomposição de Tim.

Depois que deixou de lado a calota craniana, Lívia voltou para a mesa de autópsia e removeu a dura-máter. Examinou o cérebro e documentou rapidamente as descobertas que sabia que estariam presentes. Uma hemorragia subaracnóidea com deslocamento da linha média do cérebro; um traumatismo craniano muito comum quando uma pessoa idosa cai e não é rápida ou forte o suficiente para interromper a queda.

Preocupada com o tempo extra de que precisava para suturar o crânio, Lívia realizou o exame neurológico às pressas. Removeu e pesou o cérebro, e, em seguida, tirou fotos adequadas para a reunião vespertina. Com tudo concluído, ocupou-se de recompor o corpo. Foi desafiador e demorado tornar a cabeça apresentável. Quando terminou — uma hora e cinquenta e dois minutos depois —, sentiu-se constrangida com o resultado. Um técnico medíocre teria feito um trabalho melhor com a incisão em Y, pois o crânio era simplesmente uma bagunça de suturas e grampos que o agente funerário teria de tornar apresentável. Felizmente, o caso de *overdose* que foi designado a Tim Schultz distraiu o doutor Colt durante toda a manhã.

DEPOIS DE PREENCHER TODOS OS FORMULÁRIOS, LÍVIA salvou num *pen drive* os dados referentes ao caso da vítima de queda para a reunião vespertina. Assim que terminou, sentou-se a sua mesa e navegou pela internet, buscando qualquer coisa que pudesse descobrir acerca de Casey Delevan. A colheita foi pobre, pois ele tinha pouca ou nenhuma presença on-line, à parte o fato de que havia sido identificado recentemente como o homem pescado na baía no final do verão.

— Bem, essa foi a última vez que usei o banheiro antes da reunião matutina — Tim disse ao entrar na sala dos alunos.

Lívia desistiu de sua busca na internet depois que Tim e Jen entraram.

— Já fazia um tempo que Colt não distribuía reprimendas — Jen afirmou. — Acho que ele estava esperando a primeira chance para advertir um de nós. No lugar errado, na hora errada.

— Sem brincadeira, foi o pior caso que já vi. — Tim chacoalhou a cabeça.

— Cheirava como tal — Lívia lembrou.

— É melhor você entender corretamente os fatos para a reunião — Jen advertiu. — Tenho certeza de que seu caso do corpo em decomposição vai merecer toda a atenção. E Colt está furioso.

Eles trabalharam até a hora do almoço e, depois, revezaram-se nos laboratórios de dermatologia e neuropatologia. Em seguida, reuniram-se na gaiola para a reunião vespertina. De fato, o caso de Tim recebeu muita atenção do doutor Colt. Tim passou uma hora na frente da gaiola e se saiu muito bem em relação à enxurrada de perguntas que recebeu. Ele fizera evidente progresso desde o início do curso de especialização, em julho, e, sem dúvida, foi ajudado nesse dia pelo doutor Colt, que passou toda a manhã a sua mesa.

Jen Tilly se apresentou a seguir. Seu caso envolvia uma mulher de cinquenta anos que morrera de cirrose devido a alcoolismo crônico. A apresentação foi rápida e habilmente preparada por Jen. Lívia trocou de lugar com ela. De repente, sentiu-se estranha pelo fato de estar na frente da gaiola. Embora ultimamente tivesse se esforçado para ficar ali, diante do doutor Colt e dos demais professores, nesse dia havia uma anomalia. Pela manhã, ao longo da autópsia, e em seguida, durante a tarde, nos preparativos para a apresentação, Lívia não parou de pensar em Nicole. Como um aplicativo em processamento em segundo plano e comendo a carga da bateria do celular, a parte analítica do lado esquerdo de seu cérebro dedicou o dia todo a Casey Delevan e sua ligação com a irmã. Mas agora, com trinta olhos fixos nela, iluminada pela luz do projetor, finalmente Lívia se forçou a concentrar a mente na vítima da queda que tinha autopsiado. Ficou surpresa de encontrar uma quantidade tão escassa de informações para trabalhar, como se, de repente, estivesse fazendo esse exame final a partir de seus sonhos, em relação a uma aula a que nunca assistira.

Lívia se atrapalhou com as descobertas de seu exame externo, ao abordar a instabilidade no lado esquerdo, as contusões e o pulso quebrado. Passou para as revelações mais desinteressantes do exame interno, assinalando o horário estimado da morte com base no conteúdo estomacal e o horário presumido da última refeição. Moveu-se para as descobertas neurológicas, tratando com alguma confusão o deslocamento da linha média, que apresentou como causa da morte.

— O que o QuickTox lhe disse? — o doutor Colt, na arquibancada escurecida da gaiola, perguntou.

Droga!

Um QuickTox era um laudo de toxicologia abreviado, que identificava rapidamente substâncias químicas na corrente sanguínea, antecipando o laudo de toxicologia completo, que, em geral, levava dias para retornar. Lívia enviara amostras para o laboratório, mas não fizera um QuickTox.

— Não pensei em fazer um. Tinha quase certeza de que, neste caso, a causa da morte foi deslocamento de linha média.

O instante de silêncio após sua afirmação foi o momento mais incômodo que Lívia enfrentara na gaiola. Ela sabia o que estava por vir.

— É assim que praticamos medicina, doutora Cutty? Tendo "quase certeza" das coisas?

— Não, senhor.

— Por que não há nenhum QuickTox em sua apresentação?

— Foi um descuido — Lívia admitiu.

— Um descuido espantoso, doutora Cutty. Você pode nos dizer que medicamentos sua paciente vinha tomando?

Lívia tropeçou nas palavras ao consultar suas anotações:

— Não tenho essa informação comigo.

— Não tem essa informação com você? — E o doutor Colt consultou as próprias anotações. — Essa paciente estava tomando oito medicamentos diferentes. Um deles era à base de oxicodona, em virtude do início recente de dor no pescoço e dor de cabeça. Então, temos uma mulher de 89 anos com sintomas de dor de cabeça, medicada provavelmente com uma dosagem muito alta de analgésico opioide, que sofreu uma queda como resultado de interação medicamentosa. E está me dizendo que não tem essa informação com você? — Ele voltou aos seus apontamentos. — Ela também estava tomando cimetidina, fármaco inibidor de secreção ácida estomacal que não devia ser usado junto com a oxicodona. A cimetidina aumenta os níveis sanguíneos da oxicodona, podendo causar vertigem, pressão baixa e desmaio. Tudo bastante pertinente a uma vítima de queda.

Após um instante, o doutor Colt continuou, elevando a voz:

— Ou temos uma vítima de acidente vascular cerebral que vinha tendo dores de cabeça na semana passada e sofreu um colapso como resultado do referido AVC. No entanto, o próprio exame realizado para determinar se alguns desses mecanismos desempenhou um papel em sua morte não incluiu nenhuma dessas possibilidades. Então, pergunto-lhe, doutora Cutty: esta manhã, você viu a mãe de alguém em sua mesa? Viu a esposa de alguém? Ou tudo o que viu foi uma velha que caiu no banheiro e bateu a cabeça?

Ele voltou a olhar para suas anotações.

— Você viu simplesmente uma hora e cinquenta e dois minutos de seu dia deitados naquela mesa? Porque, de acordo com a maneira negligente como lidou com esse caso, eu aposto que foi assim.

A gaiola foi tomada por um silêncio pesado quando o doutor Colt terminou seu discurso. Ele ficou de pé e caminhou até a frente da sala, colocando-se ao lado de Lívia.

— Que o caso da doutora Cutty sirva de exemplo para todos os alunos deste curso. Queremos que vocês façam progressos durante sua formação. Com o progresso vem o respeito. Mas quando vocês dormirem sobre seus louros e apresentarem trabalhos de má qualidade sob a proteção desse respeito, serão desafiados. Continuem assim, e vocês talvez percam o respeito por cuja conquista trabalharam muito duro nos últimos três meses. Todo corpo humano que chega a este lugar é a mulher, o irmão, o filho, o tio, a irmã de alguém. Trate-os dessa maneira. É por isso que contratamos vocês, e foi isso que vocês nos prometeram.

O doutor Colt saiu da gaiola e deixou cada um de seus ocupantes calado e perturbado, guardando lentamente os papéis e se dirigindo para o fim de semana.

UMA HORA DEPOIS, LÍVIA SUAVA, CASTIGANDO O SACO DE pancadas. Randy amparou o saco com um ombro para firmá-lo enquanto Lívia o socava.

— Você está com um humor terrível! — Randy gritou. — Não mencionarei sua aparência de merda.

— Ótimo — Lívia rosnou, dando um soco. Ela dançava alternando os pés. — Esta noite não é uma questão de aparência, mas simplesmente de raiva.

Ela desferiu uma combinação de socos e chutes nos vinte minutos seguintes. Seus punhos ficaram doloridos, e suas canelas, esfoladas.

— Muito bem, doutora. Isso é tudo o que meu ombro aguenta.

Ofegante, Lívia colocou as mãos no alto da cabeça.

— Obrigada, Randy. Estou esgotada.

— Pôs tudo para fora?

Lívia pegou sua garrafa de água.

— Acho que nunca vou conseguir isso.
— Quer falar comigo a respeito?
Ela tomou um gole.
— Para quanto subiria a minha mensalidade?
Randy jogou uma toalha para Lívia e esperou.
— Você tem arrependimentos na vida, Randy?
— Quem não tem?
— Fale-me de seu maior.
— Vejamos... Só tenho o ensino fundamental porque achei que me daria bem vendendo drogas numa esquina de Baltimore. Ganhei isto... — Ele puxou para baixo a gola da camiseta para exibir uma grande cicatriz em sua pele negra. — ...porque um cara atirou em mim. E tenho de acordar todos os dias sabendo que estou vivo porque matei o cara que quis me matar.

Por um instante, Lívia o encarou. Em seguida, concordou com um gesto lento de cabeça.

— Tudo bem, você ganhou de mim.

Randy deu risada.

— Impossível. Não em se tratando de arrependimentos.
— Não?
— De jeito nenhum. Arrependimento não se pode medir. O meu não pode ser maior do que o seu. Meu pai sempre dizia: ou você tem ou não. — Randy apontou para o saco de pancadas. — E você não vai se livrar dele dando socos nessa coisa.

— Imagino que não.

— Então do que se trata? Do que você se arrepende?

Lívia olhou para o saco, e para Randy de novo.

— De não ter atendido ao telefone.

NAQUELA NOITE, LÍVIA CUTTY ACORDOU NO QUARTO DE infância sob o mesmo ventilador de teto que a refrescava nos verões quentes da juventude. Após a ida à academia, ela decidiu sair de Raleigh. Com a foto de Casey Delevan na bolsa, dirigiu-se para a casa dos pais, em Emerson Bay. O plano original era perguntar-lhes sobre Nicole nos meses anteriores ao desaparecimento. Eles saberiam algo sobre o rapaz que Nicole namorava na ocasião?

Lívia planejara mostrar-lhes a foto de Casey Delevan e lhes dizer que seu corpo fora retirado da baía e caíra em sua mesa de autópsia. Que ele provavelmente tinha morrido mais de um ano atrás, e, pelo *timing*, fazia sentido que sua morte tivesse se dado mais ou menos na mesma época do sumiço de Nicole. O plano original de Lívia era confessar suas suspeitas de que o homem na foto estava ligado de alguma forma ao desaparecimento de sua irmã.

Lívia precisava da ajuda dos pais para descobrir o que Nicole tramava nos meses anteriores à sua morte, porque tinha poucos elementos do que ela vinha fazendo naquele verão. A triste verdade era que sua irmã caíra em cantos obscuros de sua vida nos anos anteriores ao seu sequestro. A atitude rebelde de Nicole a afastara da irmã. Lívia pôs a culpa de sua ausência na vida de Nicole na residência e na decisão de realizar um curso de especialização ou seguir direto para o mercado de trabalho. Alegou não ter tempo para a irmã, mesmo quando Nicole, naquele verão, pediu para ficar com Lívia por uma semana.

— Só preciso sair de Emerson Bay por um tempo — Nicole revelara.

— E vir aqui? Nic, não há nada para fazer aqui — Lívia respondera.

— Não me importo. Não quero fazer nada. Desde que eu não fique aqui.

— Passo doze horas por dia no hospital.

— E daí? Podemos sair depois que você voltar para casa.

— Nicole, eu chego em casa às onze da noite. Às vezes, mais tarde. Aí, acordo muito cedo e começo tudo de novo. É o que fazemos na residência. Não vou poder recepcioná-la, nem passear com você.

— Não ligo, Liv. Só quero fugir de todos daqui.

— Sei que o ensino médio é difícil, mas, agora, você não tem mais de se preocupar com isso. No outono, você irá para a faculdade e fará novas amizades. Vir para cá vai deprimi-la.

Silêncio.

— Nic?

— O quê?

— É o seu último verão antes da faculdade. Aproveite, está bem? Desista de todo o drama. É inútil.

— Então não posso ir até aí para ver você?

— Em vinte dias estarei em casa para passar um fim de semana prolongado. Então, a gente se fala.

Nicole desapareceu da festa à beira do lago uma semana depois. Lívia guardara aquela conversa no recôndito sombrio de sua mente e a cobrira com uma manta pesada. Era uma medida protetora, que a resguardava das vezes em que falara com a irmã.

Quando Lívia chegou em casa na sexta-feira à noite, seus pais ficaram animados. Sentiam-se ansiosos para ouvir sobre os primeiros meses do curso de especialização. Lívia respondeu a diversas perguntas e pediu desculpas pela falta de tempo e atenção. O que ela não podia dizer aos pais era que seu curso de especialização em ciência forense oferecia horários muito flexíveis e era, de fato, uma das melhores opções de estilo de vida em medicina. A verdade era que o curso nunca a deixara ocupada a ponto de impedi-la de voltar para casa. Porém, a desculpa de uma agenda frenética era uma mentira fácil, e seus pais jamais questionaram suas longas ausências. Ou ignoravam o fato de Lívia ter dificuldade em atravessar a porta de seu lar de infância, uma vez que ele lhe trazia tantas lembranças de sua irmã caçula, ou entendiam muito bem os problemas que ela vinha enfrentando e lhe davam um salvo-conduto. Nesse primeiro ano desde a perda de Nicole, todos sofreram os mesmos sentimentos de carência e fracasso, presos entre precisar fazer algo a cada minuto do dia para provar que não tinham desistido e se permitir relaxar para conseguir seguir em frente.

Fosse o que fosse, ignorância ou salvo-conduto, a visita improvisada de sexta-feira à noite foi dedicada a discutir sua nova vida como aluna de ciência forense, e eles não tocaram no assunto de sua ausência ao longo do ano anterior. Nenhuma das preocupações ou suspeitas de Lívia sobre Casey Delevan veio à tona na noite de sexta-feira. Seus pais, que tinham envelhecido muito no último ano, arcavam com o pesado fardo da filha desaparecida, e seria injusto que Lívia apresentasse alguns desses desenvolvimentos antes que um significado lhes pudesse ser atribuído.

Antes de se deitar, Lívia foi até o quarto dos pais. Encontrou-os sentados na cama, lendo, como faziam desde que ela era criança. Lívia desejou-lhes boa noite, e, ao recuar da soleira, avistou o livro de Megan McDonald sobre a mesa de cabeceira da mãe.

Nas sombrias horas da noite, enquanto o sono não vinha, Lívia permaneceu sentada, observando o ventilador de teto vermelho girar, aliviando sua pele suada. Seus pais nunca gostaram de ar-condicionado, e Lívia tinha lembranças de Nicole e ela dormindo sobre lençóis úmidos, com as janelas escancaradas e circuladores de ar zumbindo ao longo da noite. Nos setembros quentes, ela ia para a escola com o rosto avermelhado e mechas suadas de cabelo grudadas na testa. Agora, outubro, com um calor fora de época, o quarto de Lívia era o mesmo que sempre tinha sido.

Quando o relógio de pêndulo tocou, no vestíbulo do andar de baixo, indicando duas da manhã, Lívia ficou de pé. O quarto não mudara desde que ela fora para a faculdade, mais de oito anos atrás. Fotos de sua juventude ainda estavam sobre sua penteadeira, e bichos de pelúcia, pendurados numa rede no canto. O velho pufe, onde ela costumava fazer a lição de casa, se achava desinflado ao lado da cama. Aquele parecia o quarto de uma criança morta que os pais não queriam esquecer. Os aposentos de Nicole, ao lado, era a coisa real, e Lívia entendeu por que odiava voltar para casa.

Em sua antiga escrivaninha, Lívia ligou seu MacBook e viu o brilho sutil da tela. Digitou "Megan McDonald" no mecanismo de busca e encontrou milhares de resultados. Acessou os artigos de 2016, quando Megan e Nicole desapareceram.

As reportagens cobriam basicamente o passado de Megan. Seu futuro brilhante era conhecido pelo mundo. Os jornalistas amaram o fato de que uma garota tipicamente americana tivesse sido sequestrada. Resultava uma leitura incrível saber como uma menina tão inteligente conseguira enganar seu sequestrador e escapar de um bunker que todo o país conhecia tão bem por meio de fotos e visitas dos programas de entrevistas matutinos, que enviaram seus jornalistas para a cidadezinha de Emerson Bay. Lívia encontrou um vídeo de Dante Campbell gritando diante do bunker, usando saia e sapatos de salto alto, parecendo uma completa idiota.

O país se apaixonou por Megan McDonald. Ela era a garota que conseguira voltar para casa. Tornou-se uma estrela. Era a aluna mais brilhante da Emerson Bay High, e, depois do sequestro, passou a ser a bonequinha do país. Nicole Cutty como parte da história foi notícia apenas inicialmente. O fato de o carro abandonado de Nicole ter sido encontrado na estrada que levava à festa de onde as duas garotas tinham desaparecido foi interessante até Megan McDonald ressurgir. O impressionante retorno de Megan para casa e a fuga heroica eclipsaram todo o resto. Eclipsou o fato de que Nicole continuava desaparecida.

Sentada em seu quarto de infância, Lívia se deu conta do quanto sua vida mudara no ano passado, e o quanto ficara do jeito que era. Seu quarto. O amor de seus pais por casas úmidas e abafadas. E a inabalável culpa de ter virado as costas para Nicole quando mais sua irmã precisou dela.

Lívia digitou o nome de Casey Delevan no mecanismo de busca, esperando ter mais sorte do que teve antes. Casey, de vinte e cinco anos, era um trabalhador da construção civil que foi relatado como desaparecido por seu senhorio em novembro de 2016. Distanciado de sua mãe e com um pai desaparecido em combate, ele não tinha família a sua procura, nem alguém que soubesse que ele sumira. O artigo dizia que a mãe de Casey morava em Burlington, nas proximidades de Atlanta. Lívia verificou o mapa: I-95 para a I-20, cerca de oito horas.

A viagem parecia fácil. Um caminho reto e um bom lugar para começar.

10

COM SEUS PAIS AINDA DORMINDO, LÍVIA SAIU DE CASA ÀS seis da manhã. Ao meio-dia, entrou na Geórgia. Ao céu vespertino, os ciprestes e os vidoeiros-ribeirinhos sombreavam a estrada. As últimas duas horas de viagem foram fáceis, e Lívia deixou que o GPS a guiasse até a cidade de Burlington.

A mãe de Casey Delevan morava em uma casa malconservada, com a pintura descascada e janelas sujas. Não havia garagem, mas um Toyota Corolla enferrujado estava estacionado no acesso de cascalho. Era o meio da tarde de sábado. Três horas antes, a senhora Delevan atendera ao telefone quando Lívia ligara perguntando se ela estaria interessada em adquirir uma assinatura de revista. Agora, Lívia, que estacionara na rua, caminhava até a casa. A campainha não fez nenhum som audível e, depois da segunda tentativa, Lívia bateu à porta. Um momento depois, uma mulher de meia-idade atendeu.

— Bárbara Delevan?
— Sim.
— Olá, senhora. Eu sou Lívia Cutty. Estou aqui para conversar sobre seu filho.

A mulher encarou Lívia através da porta de tela. Então, abriu-a e a segurou, dando passagem a Lívia.

— Entre.

Lívia atravessou a porta, que levava direto à sala de estar. Num dia ensolarado de outono, a casa da senhora Delevan era escura e sombria.

Uma escuridão forçada resultante de venezianas quase totalmente fechadas, que só permitiam o ingresso de uma franja de luz. Nenhuma lâmpada ajudava a visão de Lívia, e o resultado era um brilho amarronzado lúgubre, para cuja adaptação seus olhos precisaram de algum tempo.

— Posso lhe servir algo? Água ou refrigerante?

— Não, obrigada.

— Cerveja, talvez?

— Estou bem.

— Sente-se, por favor.

Lívia entrou na sala de estar e se acomodou em uma poltrona reclinável. O sofá, Lívia poderia dizer, era domínio da senhora Delevan. Dividido em três seções, a almofada do meio estava bastante gasta e manchada. A senhora Delevan se deixou cair ali e pôs os pés na mesa de centro, onde também havia evidência de uma vida sedentária. O acabamento da mesa estava ausente do lugar onde os pés da mulher descansavam enquanto ela assistia à tevê. O aparelho – a própria definição de televisão de "tela grande", uma monstruosidade gigantesca que ficava num canto e na frente de painéis planos – exibia um episódio de *Housewives* de algum lugar. Ao mesmo tempo que se sentou, a senhora Delevan emudeceu a tevê.

O assento da direita estava coberto de papéis empilhados. Lívia supôs que fossem contas ou demonstrações financeiras de algum tipo, organizadas grosseiramente em pilhas. O assento da esquerda se achava abarrotado de caixas de papelão de comida para viagem e garrafas de plástico vazias de refrigerante, com a última enfiada entre as almofadas. Uma garrafa de vodca e um copo descartável, com a borda mordida e manchada, repousavam na mesa de centro.

A senhora Delevan derramou um pouco de vodca no copo e a completou com Coca-Cola. Em seguida, olhou para Lívia.

— Se você está aqui para falar de Casey, vou precisar de um destes. Certeza de que não quer nada?

— Certeza, obrigada. — Lívia percorreu com os olhos a pequena casa. — Mora aqui sozinha, senhora Delevan?

— Me chame de Barb. Sim, moro sozinha. Alan, da loja aqui perto, de vez em quando acha que mora aqui, mas só até eu colocar os pingos nos is. — Ela sorriu, revelando dentes amarelados e gengivas necróticas.

Lívia notou um maço de Marlboro na mesa lateral; sentira o mau cheiro da nicotina assim que atravessara a soleira. Lívia passara os últimos anos analisando cadáveres humanos, seus tecidos e suas células, e testemunhando a natureza destrutiva do mundo: as coisas que os seres humanos fazem uns aos outros e consigo mesmos, as substâncias que são ingeridas, o ar que é respirado e a maneira como nossos órgãos funcionam de forma errada como resultado de tudo isso. A consequência dessa educação e das autópsias que realizou era que a doutora Lívia Cutty via a morte antes de ela chegar.

Lívia observou Barb tomar um gole de vodca e Coca-Cola e imaginou o fígado gorduroso dentro do corpo da mulher. Ela vira exatamente a aparência desse órgão em suas mãos, inchado e oleoso, com vasos enrijecidos serpenteando ao longo da superfície, maltratado por muito tempo pelas toxinas que o impregnaram.

Quando Barb pegou o maço e pôs um cigarro entre os lábios, apertando-os ao acendê-lo, Lívia viu em sua imaginação a fumaça passando pela traqueia e alcançando os pulmões. Imaginou as células epiteliais e as caliciformes, que revestiam as vias aéreas, listradas agora com fuligem amarela e morrendo lentamente. Também imaginou os bronquíolos dos pulmões de Barb já estenosados por anos de abuso, e os minúsculos agrupamentos de alvéolos rígidos por causa da necrose e incapazes de se expandir e transferir oxigênio para a corrente sanguínea. Se aquela mulher fosse colocada em uma esteira, Lívia imaginaria seu coração trabalhando em marcha acelerada para impelir oxigênio naqueles pulmões agonizantes.

— Você tem um desses? — Barb perguntou. — Um cara que acha que pode aparecer e desaparecer quando quiser?

— Não posso dizer que sim, senhora.

Barb agitou a mão para descartar o pensamento.

— Você é da polícia?

— Não. Trabalho no Instituto Médico Legal da Carolina do Norte. Realizei a autópsia de seu filho.

— Ah, sim? Os policiais disseram que eu poderia ligar para você se tivesse alguma dúvida. — A senhora Delevan se virou e folheou os papéis à sua direita. Após um minuto, desistiu. — Eles me deram um cartão. Está aqui, em algum lugar.

— Aqui. — Lívia lhe entregou um novo. — Estou sempre disponível.

— Você veio de Raleigh até aqui? — Barb perguntou, lendo o cartão de visita.

— Sim, senhora.

— Um longo caminho.

— Foi um passeio bonito. As árvores estão começando a mudar. E não gosto de falar com a família por telefone sobre algo tão delicado.

— Bem, agradeço por isso. A polícia me disse que meu Casey não se afogou, que talvez alguém o tenha matado.

— Sim, senhora. É o que meu exame revelou.

— Alguém o esfaqueou, disseram.

Lívia concordou.

— É o que parece, sim.

Lívia aprendera que os detetives do Departamento de Homicídios eram conhecidos por omitir detalhes "sem importância" quando conversavam com as famílias das vítimas. Lívia conseguia imaginar os dois detetives de Raleigh entrando naquela casa e percebendo duas coisas imediatamente. Primeiro: Barb Delevan não tinha nada a ver com a morte do filho. E segundo: ela não seria útil para a investigação deles. Para abreviar a visita, os detetives deixaram de lado os detalhes da maneira suspeita como Casey Delevan morrera. "Esfaqueado" transmitia a conotação de um objeto afiado no intestino. Por mais horrível que essa imagem pudesse ser, orifícios não identificados no crânio do filho seriam algo bem pior.

Barb Delevan tomou mais um gole de vodca e tragou longamente seu cigarro.

— Não há dúvida de que meu filho não se afogou como diz o noticiário? Ele não era muito estável. Mentalmente, quero dizer. Consigo vê-lo saltando daquela ponte antes de... Bem, antes de poder imaginar alguém o esfaqueando.

— Tenho certeza, senhora. Seu filho não se afogou.

— Mas o noticiário diz que ele talvez tenha se afogado.

— Entendo, mas o noticiário está errado.
— Como você sabe?
— Por muitas maneiras. Mas a nossa evidência mais forte é que não havia água nos pulmões dele. Isso nos diz sem nenhuma dúvida que ele não se afogou. E também não tinha ferimentos compatíveis com uma longa queda de uma ponte.
— Então, é verdade? Alguém o esfaqueou?
Lívia assentiu com um gesto de cabeça, e a mãe de Casey enxugou os olhos antes de dar outra tragada.
— Ele sofreu?
Lívia não tinha como saber. Porém, de acordo com o laudo de Maggie Larson, o que quer que tivesse sido usado para penetrar a cabeça de Casey Delevan tinha rompido profundamente o tecido cerebral, em até quatro centímetros, em quatro locais distintos do lobo temporal — responsável pela audição e cognição. Portanto, havia a grande possibilidade de que Casey Delevan tivesse sofrido uma morte longa e lenta, com hemorragia, e permanecido completamente consciente. A única boa notícia era que ele talvez tivesse ficado surdo e incapaz de compreender o que estava acontecendo. E podia ser que Casey houvesse perdido a consciência, o que teria tornando sua morte realmente indolor. Tanto tempo depois, era impossível saber com certeza. Ainda assim, a resposta de Lívia foi imediata:
— Ele morreu instantaneamente.
Barb assentiu. Saber que seu filho não sofrera aliviou parte de sua aflição.
— Gostaria de fazer algumas perguntas sobre Casey. Poder ser, Barb?
Ela deu de ombros, denotando indiferença.
— Claro.
— A polícia disse que vocês dois estavam afastados.
— A gente não se falava, se é isso o que você quer dizer.
— Posso perguntar o motivo?
Barb tomou outro gole de vodca.
— É uma longa história.
— Eu fiz uma longa viagem.
— Por que isso é importante?
Lívia pensou por um momento.

— Cerca de um ano atrás, há dois verões, duas garotas desapareceram em Emerson Bay, o lugar onde nasci.

Barb apontou dois dedos para Lívia, com o cigarro entre eles, e a fumaça serpenteando atrás.

— Eu me lembro dessa história. As notícias ainda falam muito de uma das garotas. A que escapou.

— Exato. A outra garota... era minha irmã.

— A outra que foi levada?

— Sim.

— Era sua irmã?

Lívia concordou.

— Meu Deus! Sinto muito em saber, doutora.

— Obrigada. — Lívia se ajeitou na poltrona reclinável. — Eu mencionei isso porque Casey e minha irmã, Nicole, estavam namorando quando ela desapareceu. Meu exame do... — Lívia se deteve. Quase falou *corpo*, algo que o doutor Colt aconselhara os alunos a evitar. Os parentes não queriam ouvir sobre corpos. Os seus mortos ainda estavam muito vivos em suas memórias. — ...de seu filho indica que ele provavelmente morreu na mesma época do desaparecimento de minha irmã. No fim do verão de 2016. Talvez no começo do outono. Assim, por motivos pessoais, Barb, quero descobrir um pouco acerca de Casey, o rapaz que minha irmã estava namorando.

— Você não está sugerindo que Casey teve algo a ver com o desaparecimento das garotas, está?

Com uma boa compreensão sobre esse argumento, Lívia não se atrevia a revelar suas suspeitas. Além disso, a verdade era que ela não tinha ideia do que pensar de Nicole e Casey.

— Claro que não. Só estou à procura de algo que eu possa descobrir sobre aquele verão. Qualquer coisa que possa saber acerca de minha irmã antes de seu sumiço.

— Sabe, nós duas somos muito parecidas, você e eu. — Barb pôs mais vodca no copo descartável.

— Ah, sim? De que jeito?

— Meu filho mais velho, Joshua, também desapareceu. Ele tinha nove anos. Foi com Casey e o pai ao parque de diversões. O pai deles era um bosta. Desculpe. Sem valor como marido e nada bom como pai. E, mesmo sabendo que ele era assim, deixei que levasse meus meninos ao parque de diversões naquele dia. Ele voltou para casa com Casey. Nunca mais vi Joshua.

Por um instante, Lívia ficou calada diante da revelação.

— Sinto muito por ouvir isso.

— Eu também. Assim, sei como você se sente em relação a sua irmã. Casey também teria sabido.

— Quando seu outro filho desapareceu?

— Em 12 de julho de 2000. Ele teria vinte e sete anos agora, mas na minha mente há apenas aquele menino de nove anos. — A senhora Delevan olhou para o canto da sala.

— Joshua nunca foi encontrado?

Barb fez que não com um gesto de cabeça.

— Meu Joshua sumiu. A polícia interrogou meu marido por muito tempo, mas finalmente desistiu. Havia um predador naquele parque de diversões, e ele esperou até que Joshua se afastasse o suficiente de seu pai. Isso foi tudo. Por um ano, a polícia manteve contato comigo, falando-me de suas pistas e do caso. Mas, finalmente, parou de ligar. Aos poucos, perdi a esperança. O meu casamento nunca mais foi o mesmo. Ainda culpo meu marido. Ele não teve nada a ver com o desaparecimento de Joshua, mas, naquele dia, devia estar tomando conta do meu menino. Meu marido também sabia disso. Então, cerca de um ano depois de perdermos Joshua, ele foi embora. Casey e eu nunca mais o vimos de novo. Casey aguentou as pontas até os dezoito anos, e aí foi embora como seu pai. Não falei com ele por três ou quatro anos. Então, recebi uma ligação da polícia. Agora, meus dois meninos se foram.

Após ouvir a triste história de vida de Barb Delevan, a autodestruição, as venezianas fechadas, a casa escura e o estilo de vida recluso faziam muito mais sentido. E também a atração de Nicole pelo filho de Barb. O desaparecimento de sua prima Julie — uma passagem traumática na infância de Nicole — era algo com que Casey Delevan teria encontrado ligação, e Nicole, o conforto que não encontrara em sua família. Quando Julie desapareceu, Lívia cursava a faculdade, e só se deu conta do desdobramento dos acontecimentos no verão seguinte, ao encontrar Nicole retraída e confusa. Aos dezenove anos, Lívia, em certo sentido, também era uma criança, e não estava equipada com as ferramentas para consolar sua irmã mais nova num momento tão trágico. Seus pais tentaram blindar o horror seguindo em frente e escondendo dela os detalhes.

— Lamento por sua perda, Barb. Não vou ocupar mais seu tempo. Se precisar de alguma coisa, ou tiver alguma dúvida, ligue para mim.

— Obrigada por ter vindo, apesar da distância, doutora. E por me tranquilizar ao me revelar que meu menino não sofreu.

— Claro.

— E fica mais fácil — Barb afirmou, sentando-se e se servindo de outra dose de vodca. — A cada dia que passa vou sentindo menos saudade dele.

Lívia se ergueu. Sabia que Barb Delevan se referia ao filho desaparecido quase vinte anos atrás, e não a Casey. Lívia podia jurar que a perda de contato entre Barb e Casey tinha a ver com o menino de nove anos preso na mente da mãe.

— Obrigada. — Lívia se dirigiu à porta, para o ar fresco do lado de fora.

11

MEGAN MCDONALD SE FORÇOU A IR ATÉ A CASA EM WEST
Bay. Era apavorante, mas nunca tivera coragem de dizer ao senhor Steinman o quão difícil era ir até ali. Ele era solitário, e Megan deduzia que, se não fosse visitá-lo, ninguém o faria. Sua mulher era alguns anos mais velha que ele. O caso de amor se originou de dois casamentos desfeitos e, agora, na fase descendente da vida, terminou com o senhor e a senhora Steinman dormindo em quartos separados.

Ao longo do ano anterior, o senhor Steinman descreveu sua triste vida para Megan. Então, ela decidiu que não o deixaria viver sozinho. Ela lhe devia algo, e companhia era o que tinha a oferecer. O fato de precisar pegar a Rodovia 57 e passar pelo lugar onde o senhor Steinman a encontrara na noite em que escapara do bunker era um elemento adicional para o sacrifício silencioso que fazia para visitar o homem que salvara sua vida. Porém, não podia reivindicar a condição de mártir completa por conta de suas visitas ao senhor Steinman. Com todas as suas amigas cursando a faculdade longe de Emerson Bay, ela realmente não via a hora de jogar *cribbage*.

Megan desembarcou do carro e bateu à porta.

— Entre, minha adorável jovem — o senhor Steinman disse do sofá. Ele parecia estar com um humor jovial essa noite.

Megan empurrou a porta da frente e sentiu o cheiro próprio de gente de idade, uma combinação de talco e antisséptico. A casa podia repelir algumas pessoas. Não era organizada e, com um pouco mais de negligência, poderia ser exibida num *reality show* de acumulação compulsiva. Mas Megan sempre se sentia lisonjeada quando visitava o senhor Steinman. Ele não era idoso, tinha apenas sessenta anos, e sua autoconsciência não o abandonara. Megan entendia que as pilhas de bagunça postas num canto eram a maneira dele de pôr a casa em ordem para recebê-la. E sabia que o cheiro de álcool e do antisséptico que ele usava não podia ser evitado.

Megan o encontrou sentado em sua gasta poltrona reclinável verde. Havia um baralho de cartas bem arrumado na mesa de centro, ao lado do tabuleiro de *cribbage*. Aquele era, Megan sabia, o ponto alto da semana dele.

— Oi — Megan saudou.

— Jogo curto ou longo?

— Curto. Desculpe, mas tenho de passar em casa e, depois, ir para a terapia.

O senhor Steinman inclinou-se para a frente e embaralhou as cartas.

— Sente-se, Megan. Refrigerante?

— Com certeza.

As cartas vibravam enquanto ele as embaralhava.

— Sirva-se à vontade.

Megan pegou um refrigerante na cozinha e, em seguida, sentou-se no canto do sofá. O senhor Steinman distribuiu seis cartas.

— Vou deixar você começar — ele disse.

Megan sorriu e analisou a mão.

— Vá com calma comigo.

— Nunca. Por onde você tem andado?

— Cuidando da divulgação do livro. Entrevistas e tudo o mais.

O senhor Steinman observou Megan por sobre o alto de suas cartas. Quando os olhares se encontraram, ele olhou de volta para sua mão e descartou duas cartas no *crib*.

— Você não me engana. Sabe disso, não é?

— Acabamos de começar o jogo. Ainda não tentei enganá-lo.

— Estou falando das entrevistas.

Megan fez uma pausa breve, mas depois descartou suas próprias cartas no *crib*.

— É o jeito como você sorri. — O senhor Steinman ergueu o olhar e manteve o contato visual desta vez.

— E como é?

— Quando você está aqui e consegue uma boa sequência, você sorri. Sorri de verdade. Não aquela coisa falsa que você faz com os lábios quando está na tevê.

— Ah, eu tenho sorrisos diferentes... — Megan deixou escapar um sorriso amarelo no qual nem ela acreditou.

— Sim. Esse, por exemplo, é tão sem naturalidade quanto aquele que você dava falando com Dante Campbell. Não gosto disso.

Megan jogou sua primeira carta. Um dez de ouros.

— Não dê a saída com um dez ou uma carta de figura. Eu te digo a mesma coisa toda vez. — Ele pôs um cinco no alto daquela carta e moveu seu pino duas posições no tabuleiro. Em seguida, descartou um quatro de copas. — E não pense que você pode jogar mal de propósito para me distrair. Por que sorri assim nas entrevistas?

O senhor Steinman era antiquado e recluso, mas Megan nunca poderia dizer que não era observador.

— Não sei. Porque não gosto de dar entrevistas.

— Então não dê.

— Não posso. Todos querem que eu seja entrevistada.

— Pois continue fazendo tudo o que todo o mundo quer, e um dia você vai acordar e se dar conta de que sua vida passou e você não fez nada do que gostaria de ter feito.

Megan jogou um nove na mesa.

— Sim, bem, estou fazendo o que preciso fazer no momento para conquistar alguma liberdade. Também há outras coisas em que estou mexendo.

— Como o quê?

— Como tentar descobrir o que aconteceu na noite em que o senhor me encontrou.

O senhor Steinman fez uma pausa no jogo.

— Como você está fazendo isso?

Megan deu de ombros.

— Fale — ele pediu, sem tirar os olhos dela.

— Meu médico e eu estamos quase descobrindo algo sobre o lugar onde fiquei presa.

O senhor Steinman deixou suas cartas caírem na mesa.

— E quanto a dar prosseguimento à sua vida e também fazer aquilo que *você* quer fazer? Como, por exemplo, ir para a faculdade. Ou aquela viagem para a Europa de que vive falando.

— Bem...

Nesse momento, os dois escutaram um barulho estridente vindo de outro recinto da casa. O senhor Steinman ficou de pé num piscar de olhos. Megan nunca o vira se mexer tão rápido.

— Espere aqui. — Ele correu para a cozinha. As chaves que usava presas em um passador da calça chocalharam durante seu movimento.

Megan ouviu uma porta se abrir e os passos dele subindo a escada. Sentada sozinha na sala de estar, ela pôs as cartas sobre a mesa e respirou fundo. Se não vinha conseguindo enganar o senhor Steinman durante a divulgação do livro, com certeza todos os demais telespectadores estavam tecendo conjecturas. *Desaparecida* melhorava de posição a cada semana na lista dos mais vendidos, e Megan se perguntava até onde iria. Com ou sem a aprovação do senhor Steinman, ela teria de usar seu sorriso falso no futuro próximo.

Em alguns minutos, ele voltou, um pouco ofegante e com uma camada brilhante de suor na testa.

— Tudo bem? — Megan quis saber.

— Não totalmente. Receio que terei de adiar o jogo desta noite.

— Ah, claro... — Megan se levantou.

— Ou... você gostaria de terminar seu refrigerante? — ele gaguejou.

— Não. Vou levar comigo.

— Sinto muito. Estou bastante envergonhado.

— Deixe disso. Quando eu voltar, nós jogamos de novo.

— E quando será isso?

— Na próxima semana?

— Não vejo a hora! — O senhor Steinman assentiu.

— O senhor tem certeza de que não precisa de ajuda? Eu não me incomodo.

Pondo a mão no ombro de Megan, ele a levou até a porta.

— Não se preocupe. Vou ficar bem. Apareça na próxima semana. Por favor.

AO SE SENTAR EM SEU QUARTO, MEGAN CONSULTOU O
celular. Um ano e meio atrás, ao pegar o aparelho, encontrava diversas mensagens de texto a sua espera. Agora, tudo o que conseguia eram alguns e-mails de amigas que ainda mantinham contato. Porém, e-mails eram um jeito distante de comunicação, destinado a pais, antigas relações e leitores de seu livro, que a perseguiam e aguardavam uma resposta aos elogios desesperados que digitavam em mensagens muito longas.

— Querida? — sua mãe sussurrou, aparecendo à porta.

A palavra *querida* nunca tinha sido pronunciada por Cynthia McDonald antes do sequestro. E as chamadas sussurradas em seu quarto eram a definição de regressão, como se Megan fosse um bebê acordando de uma soneca vespertina.

Megan quase podia ouvir sua mãe dar um gritinho – *Ah, aí está ela!* – na irritante voz de criança de uma mãe recente. *Olhe quem está acordando.*

— O que é, mãe? — Megan desviou o olhar do celular sem mensagens.

— Cláudia está ao telefone. Ela tem uma notícia incrível.

Cláudia era a agente literária que sua mãe procurou quando veio com a ideia de Megan reunir os pensamentos sobre seu sequestro e inseri-los nas páginas de um livro, cuja capa dura exibia a floresta misteriosa de onde ela escapara e, na orelha, uma foto do rosto de Megan com um sorriso tímido, como num romance de James Patterson.

Sorrindo, Cynthia entrou no quarto e lhe passou o telefone.

— Você vai gostar de ouvir isso.

Megan pegou o aparelho e o colocou ao ouvido.

— Oi, Cláudia. Quais as novidades?

— Dante Campbell é ouro puro. Sabíamos que haveria uma grande audiência regional, mas, desde a entrevista, seu livro decolou. Fiquei sabendo que vai estar em 11º lugar na lista do *New York Times* da próxima semana.

Ao fitar a mãe, Megan deparou com seu sorriso largo.

— Isso é... incrível — Megan afirmou, sem grande entusiasmo.

— Arrumei outra entrevista para você. Há muitos pedidos chegando. Preciso saber de seus compromissos para que possamos agendar.

— Trabalho das oito às quatro.

— Claro, mas seu pai não lhe daria um tempinho de folga se eu marcasse uma entrevista por telefone?

— Acho que posso pedir.

— Não há nenhum problema — a senhora Mcdonald disse, alto o suficiente para Cláudia ouvir.

— Ok, senhorita autora da lista de best-sellers do *New York Times*.

— Cláudia deu risada. — Vou marcar algumas entrevistas, e nos falamos na próxima semana.

Por alguns instantes, houve silêncio.

— É algo muito importante, Megan.

— Eu sei. — Megan tentava se convencer. — Estou animada.

— A gente se fala na semana que vem.

Megan entregou o telefone para a mãe.

— Então, filha? — ela perguntou com os olhos arregalados.

Megan deixou escapar um suspiro de descrença.

— Não sei. É uma loucura.

— Muita loucura. Estou muito orgulhosa de você, Megan. Saiba que está ajudando muita gente que passou por experiência parecida.

Megan deu de ombros, um tanto incrédula. Mesmo que todo aquele que houvesse sido sequestrado no país comprasse um exemplar de seu livro, a quantidade não seria grande o suficiente para colocá-lo na lista de *best-sellers*. Os leitores que estavam adquirindo *Desaparecida* não precisavam de nenhum *insight* que o livro pudesse oferecer para ajudá-los a se recuperar de um sequestro. A maioria ansiava por uma história sombria de sobrevivência e fuga, e a estava consumindo com muita satisfação.

— Você pode contar ao seu pai. Ele está voltando para casa hoje.

Cynthia fechou a porta com cuidado, girando a maçaneta para que o mecanismo de mola não "estalasse". Da mesma maneira que a porta de um quarto de criança seria fechada silenciosamente.

Sozinha mais uma vez, Megan consultou maquinalmente o celular sem mensagens. Então, por fim, jogou o aparelho no acolchoado a seu lado e se deitou na cama.

Calculara mal, imaginando que após mais de um ano ninguém mais se importaria com sua história. Agora, o livro que não escreveu, mas que ostentava seu nome e sua imagem, era um *best-seller*. De início, concordou com o projeto por causa da insistência de sua mãe. Pagaria a faculdade, ela lhe dissera. E ajudaria outras garotas vítimas de sequestro. Terry, o pai de Megan, indiferente à ideia, lutava a seu modo com as circunstâncias da nova vida familiar. Porém, uma vez que a possibilidade de ajudar outras vítimas veio à tona, todos embarcaram na história: Cláudia, a agente; Diane, a editora; Dale, o relações-públicas; e, finalmente, a equipe de vendas da editora. Ninguém podia admitir que a história de Megan oferecia uma oportunidade de lucro. Da mesma maneira que Dante Campbell não podia realizar sua entrevista sem primeiro estabelecer que Megan estava se curando, ninguém podia enfiar um dólar no bolso da venda do livro sem primeiro fazer referência a todas as "garotas" que estava ajudando e todos os semestres de estudo que estava financiando.

O livro só nasceu porque Megan precisava de algo para dar aos pais que os fizesse se lembrar de sua filha. Ela precisou de algo para elaborar a respeito, mostrando a eles que a antiga Megan ainda existia. A Megan que amaram e a que se apegaram. A Megan inteligente, ambiciosa e talentosa. A garota tipicamente americana, cheia de determinação e potencial. Depois do sequestro, ela não tinha mais nada a oferecer aos pais. Assim, Megan concordou em escrever o livro com o doutor Jerome Mattingly, respeitado psiquiatra, autor de diversos livros, e em cujo divã Megan se deitava duas vezes por mês. Não importava. Isso a mantivera ocupada, permitindo que seus pais a deixassem em paz. Sua mãe sentia tanta saudade da garota que Megan fora ao ver o anseio brilhando em seus olhos sempre que a via editando o trabalho do doutor Mattingly.

Não havia combinação de palavras para explicar o fenômeno pelo qual Megan passara. Ela ainda precisava achar um jeito de dizer aos pais que a filha da qual se lembravam de antes daquele verão não existia mais. Cynthia e Terry McDonald precisariam chegar a essa conclusão por conta própria. Até lá, Megan cooperaria. Ela permitiu que sua mãe alimentasse a esperança de que, em algum lugar daquela autobiografia sombria, a criança que existira um dia seria encontrada, e que a antiga Megan ressurgiria. Ela devia a sua mãe a cortesia da ilusão de que o grande doutor Mattingly resgataria a antiga Megan das vinhas espinhentas do novo mundo para o qual ela retornara após sua fuga. Ele removeria os carrapichos, a sujeira, a dor e as memórias e entregaria de volta a filha de

Cynthia McDonald, como se os últimos catorze meses nunca tivessem acontecido. Como se aquelas duas semanas naquele porão fossem apenas uma memória distante e transparente, facilmente ignorada.

O problema era que Megan não queria ajuda. A única jovem que queria salvar não existia mais fazia muito tempo. Megan tinha certeza de que nenhum livro, lista de *best-sellers* ou fantasia sobre outras garotas sendo inspiradas por sua história seria suficiente para apagar a imagem que tinha de si mesma fugindo para a segurança, enquanto Nicole Cutty continuava sentada sozinha naquele porão sombrio, esperando o homem chegar à noite. Esperando as chaves chocalharem e as tábuas do assoalho rangerem. Muitos ruídos anunciavam a presença dele. O zumbido suave do motor do carro. A porta do veículo batendo. As chaves retinindo e a porta da casa raspando no chão ao ser aberta. Seus passos: o som grave dos sapatos de sola macia pisando nos empoeirados degraus de madeira da escada que levava ao porão.

Todos esses sons chegavam à noite. Era o momento preferido dele.

– FALE-ME DISSO. FALE-ME DESSE SOM – O DOUTOR Mattingly pediu a Megan, naquele momento sentada numa cadeira elegante em seu consultório.

Essa era a vigésima oitava sessão de seus encontros quinzenais desde a sua fuga, e ela, finalmente, começava a aceitar a ideia da hipnose. Antes de conhecer o doutor Mattingly, a única vez que Megan vira gente "hipnotizada" fora durante um espetáculo de variedades na escola em que o hipnotizador escolheu alguns estudantes na plateia e, em seguida, fez com que saltassem no palco como rãs. A hipnose, Megan vinha aprendendo, era uma coisa séria. Era um estado de consciência que permitia que pensamentos que normalmente permaneciam reprimidos viessem à tona.

Logo depois de uma sessão de hipnose do doutor Mattingly, Megan se lembrou com clareza do som de aviões por cima da cabeça durante seu cativeiro. Além disso, havia outra coisa junto com o som desses aviões, algum outro ruído que se instalou no recôndito de sua mente. Um ruído que vinha tentando recuperar. O processo era muito delicado e exaustivo — como se esticar sob a cama para recuperar um objeto fora de alcance, tamborilando os dedos para ganhar uma fração extra de dois centímetros. E agora, na grande cadeira do doutor Mattingly, Megan sabia que não devia se esforçar demais. Depois de vinte e sete sessões, conhecia o processo. Para ser bem-sucedida, tinha de se entregar à voz do doutor Mattingly. Ir apenas para onde ele sugeria. Se resistisse, se arrastasse seus pensamentos para onde acreditava que deveriam seguir, o efeito da hipnose se perderia, sua mente ficaria à deriva, e ela acordaria e encontraria o doutor Mattingly estalando os dedos e repetindo *não não não não*. Durante o ano passado, Megan aprendeu que entrar na atitude mental correta exigia tempo e paciência, e, uma vez nesse estado, a resistência podia arruinar o efeito em segundos. Em cada sessão, tinha apenas uma oportunidade, e via-se abandonando sua atitude rebelde por duas horas por mês ao se encontrar com o doutor Mattingly. Estava progredindo, mesmo que fosse para um propósito diferente do entendido pelo doutor Mattingly. O objetivo dele era investigar cada milímetro da mente de Megan e remover quaisquer pensamentos reprimidos acerca de seu cativeiro. Lançar uma luz sobre tudo que, com o tempo, vai parar de se esconder.

O objetivo de Megan era completamente diferente.

— São os aviões por cima da cabeça — o doutor Mattingly continuou.

— Fale-me dos sons de novo.

Megan não queria voltar a falar dos aviões. Esse progresso ocorrera da última vez. Havia outra coisa que ela queria alcançar, algo novo, e sentiu as proverbiais pontas dos dedos de sua mente se esticarem e se esforçarem por essa outra coisa. O outro som que queria tanto identificar. Algo em sua postura, em suas pálpebras ou em sua respiração desencaminhava seus pensamentos.

— Fique comigo — o doutor Mattingly disse com sua voz tranquilizadora. — Fique com o que podemos identificar com certeza. Apenas por enquanto. Iremos a esse outro som em breve. Concentre-se nos aviões, por ora. Fale-me desses sons.

— São altos, mas não muito. Meio altos. Um rumor grave, como uma rodovia distante — Megan afirmou, ainda com os olhos fechados.

— Me fale da direção de novo.

Megan quase se permitiu pensar que já passara por isso. Resistiu à tentação.

— Os ruídos vêm da parede dos fundos. Longe, no início, e depois mais alto, se move por cima da cabeça. Então... — Megan fez uma longa pausa. — Desaparece.

— De que modo?

— Das janelas. Eu só posso ouvir o avião através das janelas pregadas com tábuas nos fundos do porão. Uma vez que o avião está por cima da cabeça, o som desaparece.

— Vá para o outro lado do recinto — o doutor Mattingly ordenou.

— Diga o que você vê ali. Fale-me do recinto. O porão.

Durante as sessões, Megan passou muito tempo no porão. Na realidade, todo seu tempo, tanto que já não era mais perturbador estar ali. De início, ela bloqueou aquelas imagens, tirando-as de foco. Fugiu delas. Porém, por meio das consultas com o doutor Mattingly, acabou por entender finalmente que fugir de algo implantado na memória era como tentar passar por um espelho sem ver o reflexo. No começo não foi fácil, mas, assim que Megan entendeu as possibilidades da hipnose, entregou-se plenamente ao processo. Então, agora, apesar de querer investigar esse pensamento, o outro som que acabara de perturbar seu subconsciente, depositou sua confiança no doutor Mattingly, acreditando que ele a levaria lá no devido tempo.

— Piso de concreto — ela disse. — Piso cinza. Frio à noite, o que é bom porque é muito quente durante o dia.

— E as paredes?

— A mesma coisa. Concreto sem acabamento, com sulcos de vez em quando. Uma cama no canto dos fundos, perto das janelas. Nenhum lençol. Apenas uma cama box e um colchão.

— Agora, vá para o outro lado. Longe das janelas. Siga o som do avião. O que há ali?

— É um porão quadrado. Minha cama está lá. Três janelas vedadas com tábuas. Só posso andar alguns poucos metros. Estou acorrentada à parede por um grilhão preso em meu tornozelo. Consigo apenas chegar até onde a corrente alcança. Há uma escada ali, no outro lado do porão.

— Você consegue ver a escada? Pode alcançá-la?

— Não. Minha corrente não é longa o bastante. Só consigo alcançar uma mesinha perto da escada. Ele deixa as minhas refeições ali.

— Ótimo. Megan, quero voltar para as janelas. De volta para onde está sua cama. Quero que você se sente nela. A corrente está afrouxada e você pode se mover livremente agora. Fale-me do que vê e ouve quando se senta nessa cama.

— Está escuro. Sempre escuro. Sem luzes. As janelas estão cobertas com tábuas. Apenas uma fatia de luz do dia atravessa o minúsculo espaço entre a madeira compensada e a borda de uma das janelas. A cama range quando me sento nela.

— Continue.

— As molas se comprimem sob o meu peso e rangem quando ajusto minha posição.

— Agora fique muito quieta. Não se mexa. Não se movimente. Fale-me do rangido agora.

— Desapareceu.

— As molas estão silenciosas?

— Sim.

— Fale-me da escada.

— Está silenciosa. Sem sons.

— Fale-me dos aviões.

— Foram embora. Desapareceram.

— Mas há *algo*.

Pausa longa.

— Inspire, lentamente.

Megan obedece.

— Através do nariz e para o seu cerne, e não para os seus pulmões, Megan. Centre-se.

Megan inspirou, centrou a respiração na área abaixo do peito, para o centro do corpo. Então, expeliu o ar pela boca, devagar.

— De novo. Dessa vez, sentada na cama do porão escuro. Escute sua respiração. Escute quando ela entra em seu cerne...

Megan voltou a inspirar.

— ...e escute quando ela deixa seu corpo.

Longa expiração.

— De novo. Traga esse ar para seu cerne e o segure ali. Escute.

Na mente de Megan reinou um silêncio absoluto com ela naquele lugar, o porão escuro de seu cativeiro. Em geral foi assim durante suas semanas no porão; um silêncio assustador, a menos que ela o rompesse. Por outro lado, havia algo. Era o que ela queria. O som pelo qual procurava desde o início da sessão. O som que jamais poderia ter encontrado sozinha, tão escondido como se estivesse nas dobras redundantes do centro de memória de seu cérebro. Mas, de repente, enquanto segurava a última respiração em seu cerne, o som surgiu ali, em seus ouvidos. Ela o ouviu, investigou-o e o deixou percorrer seus pensamentos, como a lembrança da maré de férias tropicais.

— Fale-me disso — ela achou ter ouvido o doutor Mattingly sussurrar.

— Suave. Distante. Muito longe. Mal posso ouvi-lo. Como um gemido longo, mas mais alto no tom. Uma motocicleta sem o ronco. Não, o som é mais suave e mais fraco. Um cortador de grama, talvez. Mas de vez em quando. Uniforme. Começa e para — Megan murmurou. — É um som longo. Então, desaparece. Depois volta, e é longo de novo. Aí está. — Ela assentiu com um gesto de cabeça. — Aí está.

— Tudo bem, Megan — o doutor Mattingly disse. — Vou contar: três, dois, um. E você está aqui.

Ela piscou e se sentou ereta.

— O que você encontrou, Megan? O que você ouviu?

— Um trem. Ouvi o apito de um trem — ela afirmou, olhando para o doutor Mattingly.

12

ELE ESTAVA NAS CABANAS DE PESCA EM TINDER VALLEY; portanto, tinha a noite para si. Ficaria escondido em uma delas por enquanto e pescaria de manhã antes de ir para casa. Era um disfarce simples e uma história sólida, que resistiria ao escrutínio. Lógica e oportuna, sua viagem a Tinder Valley poderia ser corroborada se ela decidisse verificar sua história. Era o que ele precisava: uma noite para si. Tempo suficiente para fazer sua visita e permanecer por algum tempo depois, para ser respeitoso. Talvez compartilhar um pouco do jantar. Ele poderia dedicar algum tempo essa noite, não como em outras visitas – quando as coisas eram apressadas, abruptas e forçadas —, que nunca eram divertidas. Em geral, terminavam em brigas, discussões e ressentimentos, e ele nunca se sentia bem consigo mesmo ao ir embora. Mas o tempo estava ao seu lado dessa vez. O tempo permitiria que ambos analisassem as coisas que foram ignoradas durante as visitas apressadas. O tempo impediria brigas e rixas. Essa noite, ele tinha todo o tempo de que precisava.

Parou o carro junto ao meio-fio e apagou os faróis. Estava escuro ali, sem postes de iluminação. Silencioso também. Sem rodovias. Seria um lugar agradável para se viver, mas isso não era possível. Ele só podia visitar esse lugar. Mas o que ele encontrava ali, não encontrava em nenhum outro lugar. Tão vazia era sua vida em casa... Não havia amor lá. Não havia intimidade. Fazia por fazer, se necessário. Quando ela o pressionava. Mas seus pensamentos estavam sempre ali. Ele tolerava o contato com ela porque era o que tinha a fazer para conseguir sobreviver. Tolerava os avanços dela porque sabia que era a única maneira de proteger seu segredo.

Mas ali, com seu amor, podia exercitar suas fantasias mais loucas. Ali, podia servir, satisfazer e mimar. Claro, nem sempre funcionava do jeito que ele imaginava. Nem sempre seus esforços eram apreciados. Até mesmo sua generosidade era rejeitada. No começo, ele se dispunha a permitir certa rebelião, a suportar as discussões e os acessos de raiva que vinham com os novos relacionamentos. Mas, com o tempo, esperava que esse comportamento amainasse. Uma vez que suas intenções eram esclarecidas, queria aceitação. Queria gratidão. Queria submissão. Mais do que tudo, porém, queria reciprocidade. Infelizmente, com algumas pessoas, isso nunca ocorreu. E quando seus esforços se esgotavam, e ele não enxergava nenhuma esperança no horizonte, sabia que o fim do caso amoroso estava próximo.

Sentia culpa quando tudo acabava dessa maneira. Tristeza quando um relacionamento terminava. Experimentava um remorso genuíno quando não conseguia fazer as coisas funcionarem – porque entendia a objetividade do fracasso. Após um relacionamento malsucedido, permitia-se banhar-se nessas emoções. Dava a si mesmo a oportunidade de se afligir. Mas então, como tulipas primaveris, alguém chamava sua atenção, e aqueles sentimentos de querer e desejar brotavam em seu interior, florescendo, finalmente, em algo diferente e promissor. Um relacionamento novo estava lá fora à espera. Ele só precisava encontrar a pessoa certa.

Saiu do carro e se ajeitou. Entrou carregando um prato pronto para o jantar e trancou a porta atrás de si. Por um instante, prestou atenção, para se certificar de que nada estava fora de ordem. Em seguida, caminhou até a porta do porão, deslizou a fechadura e ligou sua lanterna. Abriu a porta, que raspou o piso, e olhou para a escada de madeira simples, com uma sensação de êxtase se apossando de seu íntimo. Começou a descer a escada, rumo ao seu prêmio, que sabia que estaria esperando, acorrentada na cama como uma boa e carente criada. Ele deixou um balde e uma esponja para ela se lavar, esperando que essa noite fosse especial.

— Estou de volta, meu amor — ele disse, dando seu primeiro passo na frágil escada do porão, tomado de ânsia e desejo. — Estou de volta.

VERÃO DE 2016

Saia, saia, onde quer que você esteja.
— Casey Delevan

13

Julho de 2016
Três semanas antes do sequestro

NICOLE CUTTY PAROU O CARRO NO ESTACIONAMENTO deserto atrás de um Wal-Mart e desligou o motor. Do outro lado da rua, havia um bar, em cujo estacionamento ainda viam-se alguns carros. Ela tirou um baseado da bolsa, pôs a chama do isqueiro na ponta e escutou a extremidade crepitar. Jéssica e Rachel não gostavam de fumar e, assim, Nicole se sentia obrigada a se esgueirar para suas sessões de maconha no final da noite. Certa vez, numa sexta-feira, na piscina de Rachel, tentou fazer as amigas fumarem, mas Rachel teve um chilique, achando que sua mãe sentiria o cheiro. Nicole amava suas amigas, mas parte dela mal podia esperar para escapar no próximo ano.

Os carros chegavam e partiam do bar do outro lado da rua, e a luz dos faróis feria a vista de Nicole através do para-brisa. Ela queria se sentir sozinha e isolada. Então, saiu do automóvel com seu baseado e caminhou até o parque a meio quarteirão de distância. Passava das 23h, e seus pais não tinham ideia de que ela escapara de casa. As lâmpadas halógenas amarelas tinham se apagado uma hora antes, e o parque se achava imerso nas sombras provocadas pelas luzes dos postes de iluminação situados a vinte metros dali.

Nicole embrenhou-se no parque, de modo que se sentisse à vontade dentro da penumbra de uma fileira de bordos que separavam o parquinho e a rua.

O balanço do parquinho proporcionava uma cadência agradável quando ela se balançava para a frente e para trás, apreciando os efeitos da maconha. Na véspera, Nicole nadara nua na festa de Matt, e agora, tragando com força o baseado, saboreava em sua mente aquele momento em que os rapazes não tiravam os olhos dela e as outras garotas se tornaram invisíveis.

Nicole precisou de vinte minutos para terminar de fumar o baseado. Fechou os olhos e se balançou por mais vinte minutos. Movimentos completos, como se tivesse dez anos: pernas dobradas para trás e, em seguida, arremessadas para a frente, para aumentar o impulso, com as mãos agarrando as correntes. Ela contemplou o céu noturno pontilhado de estrelas que tremulavam juntas. Finalmente, Nicole deixou de se impulsionar e permitiu que o balanço fosse parando lentamente, até ela retornar a um ritmo suave, em que os pés pendiam indolentes, e então tocassem o chão de leve.

Ao escutar um assobio, Nicole se assustou. Logo em seguida, outro assobio.

— Roxie! – um homem chamava.

Nicole examinou o chão para se certificar de que apagara a ponta do baseado.

— Roxie!

Das sombras, um rapaz surgiu segurando uma guia para cão.

— Venha aqui, Roxie. – O homem percebeu Nicole no balanço e se aproximou. — Desculpe. Você viu um cachorro passar por aqui? Um jack russell terrier pequeno?

— Não, não vi — Nicole respondeu, negando com um gesto de cabeça.

— Você está no parque há muito tempo?

— Meia hora, talvez.

Ele se virou, inspecionando o parquinho escuro.

— Sabia que não deveria soltar a guia da coleira.

Nicole se levantou zonza do balanço. O balançar ampliara os efeitos da maconha. Após um instante, ela se endireitou. Sentia-se bem.

— Roxie é o nome dela?

— Sim. — O homem pegou o celular. — Aqui está uma foto. Você já a viu antes?

Nicole se aproximou para olhar o celular do homem, que brilhava como uma lanterna na noite escura. Ela semicerrou os olhos e entreabriu os lábios observando a foto. Gaguejou as palavras até que finalmente elas se formaram:

— Essa é minha prima. Julie.

— É mesmo? — O homem inclinou a cabeça. — É uma pena. Ela também está desaparecida. E nunca voltará para casa.

Antes que Nicole pudesse reagir, um saco de algodão cobriu sua cabeça. Seus músculos se contraíram e ficaram tensos, mas o elemento surpresa foi muito grande para superar. Ela foi agarrada, puxada e empurrada para o assento traseiro de um carro. Sentiu a aceleração pregá-la no assento quando o carro se moveu do estacionamento e saiu a toda a velocidade.

A VIAGEM DUROU VINTE MINUTOS, DURANTE OS QUAIS

suas mãos permaneceram amarradas às costas com fita adesiva, e sua cabeça, coberta com o saco. Nicole chorou e implorou, mas não obteve resposta do homem que a capturou. Ela sabia que havia mais gente no carro.

— Por que você tem a foto da minha prima?

Nicole escutou um pedaço de fita adesiva ser cortado do rolo. Então, duas mãos se estenderam dentro do saco e selaram sua boca com a fita. Ela resistiu, no assento traseiro, mas foi subjugada rudemente pelo homem ao seu lado.

Por fim, Nicole entregou os pontos. Parou de gemer, lutar e chutar. Ficou imóvel sob o peso do estranho até o veículo parar. Então, eles a tiraram do assento traseiro e a arrastaram pela floresta. Ela sentia os musgos, os gravetos e as folhas enquanto era puxada, com seus pés mal tocando o solo. Achou ter sentido trilhos de trem sob os sapatos. No fim de um declive íngreme, o barulho de uma fechadura metálica encheu seus ouvidos. Em seguida, uma porta se abriu, rangendo. Arrastada por uma passagem e forçada a ficar de joelhos, Nicole sentiu que o homem estava atrás dela, e fechou os olhos, apesar do saco na cabeça. A boca dele se achava perto de sua orelha, e sua respiração penetrava o saco.

— Como você gosta? Do mesmo jeito que sua prima? Qual era o nome dela? Julie?

A mão dele deslizou ao longo da cintura de Nicole e sobre seu abdome. Em seguida, alcançou seu seio, agarrou-o e gemeu em seu ouvido.

Nicole tentou gritar, mas só conseguiu emitir grunhidos, resistindo loucamente ao domínio dele. O homem a soltou e a empurrou para a frente. Ela caiu com o rosto no chão frio; com as mãos nas costas, foi incapaz de interromper a queda.

O saco foi arrancado de sua cabeça.

— Vamos esperar até você se acalmar. Não é divertido com você se defendendo o tempo todo.

A porta se fechou antes que Nicole pudesse ver o rosto dele. Ela permaneceu deitada de bruços e prestou atenção. Nenhuma voz. Nenhum passo. Apenas silêncio. Após um minuto, rolou de costas e puxou as mãos presas por trás das pernas e por baixo dos pés, até os braços ficarem a sua frente. Em seguida, arrancou a fita da boca; um puxão lento que torceu os lábios e arruinou a pele. Ao passar a língua nos lábios, sentiu os restos pegajosos do adesivo.

Nicole respirou fundo algumas vezes, para ajudar a se livrar dos tremores provocados pelo homem que sussurrara em seu ouvido. Tentou raciocinar, extrair um motivo da escuridão ao seu redor. Os efeitos do baseado não estavam ajudando.

De pé agora, caminhou lentamente para a porta, apalpando o caminho no escuro, até que suas mãos presas sentiram a maçaneta. Com o ombro, empurrou a porta com força, mas ela não cedeu nem um milímetro. Jogou o quadril contra a madeira e, depois, desferiu um chute feroz, que a fez cair no chão. Então, Nicole chorou. Só conseguia pensar em Julie, uma criança, assustada e atirada em algum lugar escuro como aquele. Sentiu o estômago embrulhar. Por fim, sentou-se, arrastou-se até um canto e permitiu que a terra úmida se infiltrasse no jeans e sugasse o calor de seu corpo.

14

Julho de 2016
Três semanas antes do sequestro

– NICOLE?

A voz jovial estava longe, e transformava seu nome numa palavra de três sílabas. Ni-cooo-leee.

– Saia, saia, onde quer que você esteja.

Nicole abriu os olhos. Tinha adormecido. Sem saber se havia ou não sonhado, ficou de pé e prestou atenção. Os fundilhos do jeans estavam molhados, e as coxas, dormentes de frio. Dormira bastante, tanto que já não sentia mais os efeitos da maconha.

— Ah, pequena Ni-cooo-leee. Onde você está? – A voz era cantada, e ficara mais próxima.

Nicole esperou. Então, ela escutou o som de uma batida na porta de madeira.

— Você está aí, Nicole? É hora de sair.

A porta se abriu. Do lado de fora do galpão, dez pessoas iluminavam a noite com suas lanternas e focalizavam seus rostos como um bando de membros de uma tribo medieval. As duas primeiras que entraram eram garotas que Nicole nunca vira antes, que correram e a abraçaram com força.

— Nós te amamos, nós te amamos, nós te amamos! — uma delas disse.

— Porra! Cacete! — Nicole exclamou.

— Maluquice, não? — A outra garota deu risada. — Você fez xixi na calça? — ela perguntou, ao notar o jeans molhado de Nicole. — Sim! — Virou-se para o grupo. — Ela se mijou!

A turma vibrou. As garotas a tiraram do galpão e, uma vez do lado de fora, todos vibraram mais ainda. Um rapaz saiu das fileiras do bando. Sua lanterna se fixou sob o queixo, iluminando o rosto com um brilho estranho.

— Minha pequena Nicole. Você conseguiu.

— Casey? — Nicole franziu as sobrancelhas.

— Quem mais a salvaria?

— Você é um babaca!

Essa afirmação levou o grupo à histeria. Houve assobios e apupos.

— O que era aquela foto da minha prima?

— Tudo parte da experiência — Casey afirmou.

— E quem era o cara? Ele agarrou meus peitos.

Isso resultou em mais risadas e assobios.

Casey sorriu sob o brilho da luz da lanterna.

— Não seria muito convincente se simplesmente pedíssemos que você entrasse no carro conosco. — Ele deu de ombros. — Primas desaparecidas, andar às cegas, um gemido no ouvido... Tudo faz parte do pacote que você pediu.

Casey se aproximou de Nicole e a abraçou com força, sussurrando em seu ouvido:

— Bem-vinda ao Clube da Captura! Sabia que você iria amar.

15

Julho de 2016
Três semanas antes do sequestro

NICOLE ESTAVA DEITADA SOBRE UMA CANGA NA PROA DA lancha ArrowCat de Raquel. Tinham ancorado uma hora atrás e, agora, deixavam que seus corpos com biquínis absorvessem o sol quente vespertino, enquanto outros barcos se espalhavam lentamente ao redor. Não muito longe dali ficava o Steamboat Eddie's, bar situado numa ilhota no meio da baía que servia frituras e cerveja. Em quase todos os dias de verão, barcos ancoravam e navegavam ao redor da ilhota, com a música da banda ao vivo que tocava no terraço do Steamboat Eddie's ressoando.

— Então, onde você esteve na outra noite? — Jéssica quis saber.

Nicole se virou de costas, com os braços postos dos lados, e os óculos escuros cobrindo os olhos fechados.

— Ocupada.

— Com o Homem Misterioso?

— Talvez.

— O que vocês fazem? Ele te leva para jantar?

— Ele não segue esses clichês — Nicole afirmou.

Jéssica e Rachel esperaram, em silêncio.

— Ficamos de bobeira — Nicole, afinal, disse, sem pretender contar para suas amigas sobre sua insólita aventura. Além de não entenderem a história do clube, provavelmente também a considerariam louca de pedra.

— Meu Deus! — Jéssica exclamou. — Qual é o grande segredo?

— Não há nenhum segredo. Acontece que vocês não o entenderiam. Ele não é como os caras com quem saímos, como todos os babacas do fim de semana, que ficaram morrendo de medo de tirar os calções na festa de Matt. Quero dizer, qual é o problema? O pênis? Dá um tempo, cara!

Rachel e Jéssica deram risada.

— Nunca vou esquecer a cara de Chris Harmon. — Jéssica chacoalhou a cabeça. — Ele ficou olhando para você como um idiota, na plataforma. Nem sequer se importou com o fato de você ter notado. Acho que o trouxa estava em transe.

— Devo ter sido a primeira garota nua que ele viu que não estava na tela de seu computador. Um taradinho. E, é claro, ele não foi o único que fez isso.

— Chris e Brandon. Meu Deus... — Rachel se arrepiou. — Imaginem seu corpo esquelético pelado e molhado!

— Ah, pare com isso! — Jéssica deu-lhe um tapinha.

— Você vai me fazer vomitar... — Nicole se impulsionou para cima com os cotovelos, para inspecionar o crescente número de barcos ao redor delas. Era tarde de sexta-feira, e a baía estava abarrotada. — O que mais me chocou foi ver aquelas puritanas realmente ficarem nuas.

— Quem? Megan?

— Sim. Ela me surpreendeu.

— Ela estava maneira naquela noite. Passou o tempo com todas nós.

— Megan só foi até a plataforma por causa de Matt, Rachel. Ela não suportou a ideia dele ali, sozinho comigo. Credo!

— Conte para ela que você arrumou um namorado misterioso. Então, Megan vai relaxar.

No exato momento em que Jéssica disse isso, um balão cheio de água caiu do céu e molhou o convés perto delas.

— Que merda é essa?!

Ao olhar ao redor, elas viram Matt e seus amigos num barco diante de sua lancha.

— Bombas explodindo! — Matt gritou.

Nicole ergueu o dedo do meio para eles.

— É melhor você baixar isso! — Matt estava na proa de seu barco, sem camisa, com o abdome sarado afunilando-se na sunga, bem baixa em sua cintura.

Nicole teve de admitir que, por mais farta que estivesse dos rapazes do colégio, Matt Wellington ainda despertava seu interesse. Discretamente, no fim de semana anterior, ela observara todos os rapazes, e concluíra que Matt era o único homem entre eles.

— Ou o quê? — Nicole gritou de volta.

— Ou irei até aí e vou baixar esse seu dedo à força!

Nicole sorriu por trás de seus imensos óculos escuros e manteve erguido o dedo do meio. Em seguida, levantou ainda mais a mão. Sem hesitação, Matt mergulhou e nadou até o barco de Rachel, erguendo-se sem esforço da água e ficando de pé sobre a plataforma traseira. Seu corpo espargiu água quando subiu no convés. Jéssica e Rachel riram da aproximação dele.

— Você está ferrada, Nic — Jéssica disse.

— Não me toque. — Mas o sorriso de Nicole traiu o tom agressivo que usou. Ela queria as mãos de Matt em seu corpo.

Matt a pegou, com canga e tudo, enquanto Nicole gritava. Com ela em seus braços, ele pulou na água. Diante do espetáculo, as pessoas dos barcos vizinhos começaram a gritar. Matt e Nicole espalharam água para todos os lados, com ela agarrando seus óculos escuros antes que afundassem, e ele recolhendo a canga quando emergiu.

— Matt, você é um babaca!

— Você me mostrou o dedo, Nic. Da próxima vez, leve em consideração o meu aviso.

Nicole ficou de costas e boiou, com os óculos escuros novamente no rosto.

— Estou muito cansada para nadar. Me leve para o seu barco.

Matt se aproximou de Nicole, agarrou-a em estilo de salva-vidas e a levou até a popa de sua embarcação.

— Vocês têm cerveja?

— Sim — Matt afirmou. — Roubamos algumas do estoque de meu pai na garagem.

Nicole ficou de bruços e passou os braços em torno do pescoço de Matt, com o peito contra as costas dele.

— Beleza. Preciso de uma.

Com seu corpo atlético, Matt subiu a escadinha do barco, com Nicole pendurada nele. Uma vez no convés, Nicole se soltou. Em seguida, Matt torceu a canga dela e a pendurou sobre a amurada para secar. Saudou seus dois amigos com um "toca aqui" antes de ir para a cabine.

— Pega uma cerveja para mim.

Matt desceu três degraus, entrou na cabine e abriu um *cooler* embutido na bancada. Apanhou uma lata de Bud Light e a entregou para Nicole enquanto subia a escada.

— Mantenha a lata baixa, para o caso de a polícia aparecer.

Nicole se sentou no assento em frente ao volante. Bebeu metade da cerveja numa série de cinco grandes goles, com a intenção de impressionar Matt e seus dois amigos fortões. E arrotou ruidosamente.

— Então, o que os bundões vão fazer hoje à noite?

— Acho que iremos à casa de Sullivan. Ele vai dar uma festinha. Ou talvez à cidade. O festival de rua está rolando. Deve ter música ao vivo. E vocês?

— Ainda não sabemos. Falamos do festival de rua. — Nicole bebeu o resto da cerveja. — Você tem o suficiente para Jess e Rachel?

— Sim — Matt respondeu.

Nicole olhou para a lancha de Rachel, a vinte metros de distância.

— Por que vocês dois não fazem uma surpresa para as meninas? Cheguem lá de mansinho. Elas vão pirar — Nicole sugeriu aos amigos de Matt.

Os garotos riram e, em seguida, fitaram Jéssica e Rachel, que tomavam sol com os olhos fechados e deitadas de costas. Como dois cães obedientes, os amigos de Matt aceitaram a sugestão de Nicole e, em silêncio, deslizaram para dentro da água, iniciando sua aproximação furtiva.

Por alguns instantes, Nicole os observou nadando e, então, se voltou para Matt.

— Preciso de outra cerveja.

— Você bebe como um marinheiro.

Matt se dirigiu à cabine. Nicole se levantou do assento de comandante e o seguiu. Abaixo do convés, a cabine era um espaço diminuto, ocupado por um frigobar, uma pequena bancada com pia e alguns armários. No entanto, para Nicole, era perfeito.

— Buu! — ela exclamou, exatamente quando Matt pegava uma cerveja.

Ele se virou rápido, e eles ficaram face a face na pequena área. O corpo de Nicole tinha secado parcialmente no sol durante o tempo em que bebeu a primeira cerveja, mas seu cabelo ainda estava molhado, ajeitado para trás e gotejando sobre os ombros. Sem perda de tempo, ela passou os braços em torno do pescoço dele e entrelaçou os dedos.

Instintivamente, Matt pôs as mãos na cintura dela.

— O que há, Cutty?

— Você nem olhou para mim na outra noite — ela disse, fazendo charme.

— Quando?

— Na sua festa, quando todos nós fomos para a plataforma.

Matt deu risada.

— Acredite, todos estavam olhando para todos. Estava muito escuro para enxergar qualquer coisa.

Nicole sorriu e ergueu as sobrancelhas.

— Então, você olhou?

Matt concordou.

— Admito a culpa.

— Estou gorda?

— Pergunta idiota.

— Então, como você acabou ficando com... Como é mesmo o nome dela?

— Megan? Ela é legal. Nós dois vamos para a Duke depois do verão.

— Ela é sua namorada?

— Não tenho namorada.

— Que bom! — Nicole se inclinou para a frente e beijou os lábios dele. Por alguns instantes, Matt correspondeu. Mas logo interrompeu o beijo.

— Não é uma boa ideia, Nic.

— Por quê? — Ela o encarava. — Quero dizer, se você não tem namorada... — Então, voltou a beijá-lo, passando as mãos pelas costas dele e, depois, no abdome e descendo, até enfiar os dedos entre a pele e o elástico da sunga.

Ele agarrou as mãos dela e riu.

— Que bicho te mordeu?

— Você quer ir para a faculdade sem transar neste verão?

— Quem disse que não estou transando? Você não conhece minha história.

— Verdade. Mas conheço seu futuro se você continuar saindo com Megan McDonald. Chama-se castidade. — Nicole voltou a beijá-lo, mas, dessa vez, mordeu-lhe o lábio inferior. — Porém... — prosseguiu, beijando-o mais, desvencilhando-se da mão de Matt e voltando a acariciar a parte da frente da sunga. — ...se você precisar de alguma ação antes de ir para a faculdade, lembre que nem todas as garotas de Emerson Bay são princesas puritanas.

Eles ouviram gritos e risadas quando os amigos de Matt emboscaram Jéssica e Rachel e as jogaram na água.

— Ih! — Nicole exclamou, dando um peteleco na genitália dele, o que fez Matt se esquivar. — Você perdeu sua oportunidade. — Então, ela umedeceu os lábios com a língua, inclinou a cabeça e fez uma cara triste. — Que pena... Teria sido divertido.

Nicole passou por Matt, alcançou o *cooler*, pegou três cervejas, subiu a escada e se pôs sob o sol.

16

Julho de 2016
Três semanas antes do sequestro

NA DÉCADA DE 1930, A COLEMAN'S BREWERY FOI ABAN-
donada, devastada pela Lei Seca e incapaz de superar a Grande Depressão. A cervejaria tentou sobreviver oferecendo aos seus clientes um lugar para fumar charutos e jogar bilhar e sinuca. Claro, a verdadeira atração era a promessa implícita de beber uísque de contrabando. A cerveja Coleman's, que era fabricada secretamente e muito procurada, aparecia de vez em quando. Foi suficiente apenas para manter as portas abertas durante a Lei Seca. Porém, quando a Depressão chegou, Cole Coleman foi incapaz de se manter em dia com as propinas. Em meados da década de 1930, a cervejaria fechou suas portas para sempre.

    Oitenta anos depois, a estrutura abandonada da cervejaria ainda estava de pé na antiga zona industrial, no lado oeste de Emerson Bay. O rio Roanoke corria de norte a sul através da baía e separava a cidade nas metades leste e oeste. O lado leste prosperou como uma comunidade localizada às margens de uma enseada, com clubes de iates, casas à beira da água, acesso à praia e uma área central descolada. O lado oeste entrou em decadência. Era o lugar onde trens de carga passavam na calada da noite, onde as lâmpadas da iluminação pública queimaram havia muito tempo e nunca foram trocadas. West Bay era onde ervas daninhas forçavam passagem pelas rachaduras da calçada, e os buracos ficavam cada vez mais profundos nas ruas. A polícia desistira de patrulhar o lugar conhecido como Cove, onde se situava a antiga cervejaria, juntamente com outros edifícios abandonados muito tempo atrás, porque nada de mais acontecia ali, além de bêbados procurando abrigo nos edifícios em ruínas e cachorros abandonados andando pelas ruas. Escuro e isolado, era o local perfeito para as reuniões do Clube da Captura. E assustador como o próprio inferno, Nicole estava descobrindo.

Essa jornada até West Bay foi a primeira reunião de Nicole. Sua única associação com o clube antes de seu sequestro foi através de troca de e-mails com Casey e as salas de bate-papo onde eles às vezes digitavam alternadamente acerca do último sequestro no noticiário. Nicole atormentava Casey sobre os detalhes desses desaparecimentos. Seu fetiche por casos de pessoas desaparecidas nasceu na infância, quando Julie se foi, pouco depois de seu nono aniversário.

Naquele verão, houve comoção, choro e histeria, e Nicole se recordava de ter ido com sua família para o Colorado no fim das férias. Não encontrou Julie lá, e ninguém disse onde ela estava ou o que acontecera com ela. Em vez disso, os adultos usavam palavras difíceis e prometiam uns aos outros que Julie voltaria. No entanto, exceto em seus sonhos, Nicole nunca mais tornou a ver a prima. Os pensamentos sobre o que acontecera com Julie se tornaram uma curiosidade exasperante que Nicole alimentava secretamente.

Lívia nunca mostrou muito interesse por sua prima. Julie era apenas uma criança, e jamais houve motivo para Lívia acompanhar as viagens de uma semana para o oeste. Assim, quando Julie sumiu, foi triste e perturbador, mas afetou Lívia de um jeito diferente de Nicole. Na ocasião caloura na faculdade, Lívia era mais velha e mais inteligente, e entendia as coisas melhor do que Nicole. O que Lívia nunca compreendeu, porém, foi a perda que Nicole experimentou com o sumiço da menina. Julie não tinha irmãos, e, com dez anos a separar Nicole e Lívia, as primas se consideravam irmãs. Havia uma compreensão mútua de que elas estavam aprendendo coisas juntas, e não apenas sendo ensinadas por uma irmã mais velha ou um pai ou uma mãe. E quando Julie se foi, a cúmplice de Nicole também partiu. Nicole teve de se virar sozinha para aprender.

Os Cutty nunca falaram sobre Julie, e só recentemente Cynthia restabeleceu contato com Praxie. O relacionamento das irmãs era difícil para Praxie, porque ver Nicole era uma lembrança de cada etapa perdida com Julie.

Sem ninguém com disposição de responder a suas perguntas, Nicole recorreu à internet para buscar informações sobre a prima. Muitos anos tinham se passado, porém, e o pouco que ela conseguiu encontrar referente ao desaparecimento de sua prima não era interessante nem pertinente.

Nicole achou uma comunidade on-line formada por pessoas em sua situação: obcecadas por sequestros e sem medo de falar disso. Elas extravasavam seu "barato" secreto quando uma pessoa desaparecia, apresentando teorias sobre quem a teria capturado e o que estaria acontecendo com ela. Certa noite, ela conheceu Casey numa sala de bate-papo, e, depois de dois meses de trocas de mensagens, Nicole foi admitida no Clube da Captura enquanto fumava um baseado no parque. Foi a maior loucura que fizera em sua curta existência: confiar que um estranho a raptasse, vendasse seus olhos e grudasse uma fita adesiva em seu rosto. Foi traumático e emocionante. Ela ainda sentia calafrios ao pensar naquela noite.

Como uma pepita de ouro escondida numa bolsinha, esses pensamentos eram todos dela. Nova e imatura, Nicole repetia a emoção. A sensação de perigo que lhe dizia que levara as coisas longe demais. Que permitira que sua fascinação superasse seu senso crítico. No escuro da noite, sozinha em sua cama, fixava-se no momento em que ficou sentada imóvel e assustada naquele galpão atrás da cervejaria Coleman's e sentiu medo verdadeiro. Por fim, foi capaz de se relacionar com todas as garotas sobre as quais leu. E soube como Julie se sentiu. Por um breve momento, Nicole restabelecera a ligação com sua velha amiga.

Conforme as instruções, Nicole estacionou o carro na estação de trem e seguiu os trilhos por oitocentos metros até avistar o antigo edifício da Coleman's Brewery, em Cove. Pegou um caminho que passava através de um matagal e descia um declive suave, escutando um trem que se aproximava do norte, trazendo madeira do Canadá. Perguntou-se se era o caminho pelo qual a teriam arrastado enquanto o saco cobria sua cabeça. Chegou ao cruzamento na frente da cervejaria abandonada no exato momento em que o trem passou ruidosamente atrás dela, bloqueando a luz que vinha dos postes de iluminação situados no lado oposto dos trilhos.

Cem anos depois que os tijolos bege da Coleman's Brewery foram assentados, continuavam de pé. Quase todos. Nicole percebeu uma área nos fundos do edifício que estava desmoronando. Provavelmente, era onde as entregas costumavam acontecer, e muitos caminhões tinham dado ré na plataforma de entrega e batido contra a base, abalando os tijolos, estremecendo os vergalhões e afrouxando as vigas, até o ponto em que, uma geração depois, as paredes cederam e os tijolos caíram.

Sem jamais ter conhecido alguém desse grupo antes daquela noite, quando todos seguravam lanternas sob os queixos e olhavam fixo para o galpão, Nicole não sabia o que esperar de sua primeira reunião do Clube da Captura. Ela se dirigiu até a entrada da frente, mais além dos entulhos no chão: caixas de isopor de *fast food* e garrafas de cerveja. De dentro, ela ouviu vozes. Depois de passar pela porta aberta e alcançar um pequeno átrio, Nicole deparou com um espaço de aparência decrépita, que supôs ter sido uma taberna, no passado. O balcão na altura da cintura continuava no lugar onde os clientes costumavam se sentar e receber bebidas no tampo de mogno. Não existiam bancos agora, mas Nicole viu que o grupo trouxera duas longas mesas dobráveis e uma dúzia de cadeiras diferentes umas das outras. Dois *coolers* Igloo mantinham as cervejas geladas.

Nicole avistou Casey de pé, perto da cabeceira da mesa. Ele sorriu quando os olhares se encontraram.

— Nossa garota perdida voltou para casa! — ele gritou.

Todos olharam na direção da fachada da cervejaria e vibraram ao ver Nicole. Ela estalou os lábios, como se fosse a recepção que esperava, e, então, ergueu a mão. Casey se aproximou e a abraçou.

— Bem-vinda à sua primeira reunião. Você vai gostar.

Um arrepio percorreu o corpo de Nicole por causa do jeito como Casey a tocou, agarrando-a como se ela lhe pertencesse. Casey era tão diferente dos rapazes da escola, que interrompiam o contato visual se demorado demais e nunca se comprometiam com nada por medo de rejeição. Nem mesmo aceitavam o que era oferecido, como Matt no outro dia no barco, assustado demais para agir mesmo quando Nicole estava preparada para se entregar a ele. Casey, ela tinha certeza, pegava as coisas mesmo antes que fossem oferecidas.

Por uma hora, Nicole se manteve ao lado de Casey, enquanto ele a levava para cada um dos pequenos grupos e a apresentava. Ela conheceu rapazes com cabelos compridos e tatuagens, garotas com as cabeças rapadas e *piercings* em todos os lugares, incluindo narizes, lábios e sobrancelhas. Todos bebiam cerveja em lata e falavam de sequestros aleatórios em todo o país. Uma caloura de faculdade estava desaparecida na Geórgia, e seu namorado era o suspeito. O corpo de um aluno do ensino fundamental acabara de ser encontrado nas regiões pantanosas do sul da Flórida. Outra recém-casada desaparecera de um navio de cruzeiro, e assim por diante.

Depois que Nicole foi apresentada a cada grupo, Casey pegou sua mão e a levou para a mesa. Ela se sentou, e todos se reuniram ao redor, puxando as cadeiras e ocupando seus lugares. Casey sentou-se à cabeceira. Atrás dele, havia um quadro-negro iluminado por uma gambiarra, com seu grande cone metálico parecendo um colar elisabetano para cães. Uma longa extensão elétrica terminava num gerador a gás do lado de fora. A noite quente de verão estava muito úmida, sem brisa no interior da antiga fábrica de cerveja.

— Muito bem — Casey disse. — Silêncio, gente, por favor.

Aos poucos, todos ficaram quietos e se acomodaram.

— Primeiro, ela já foi apresentada esta noite, mas vamos formalmente dar as boas-vindas a Nicole.

Todos aplaudiram e assobiaram.

— Como sabemos, Nicole aceitou o desafio ontem, e apesar de se mijar...

Um casal gargalhou, e alguns tiveram ataques de riso.

— ...ela foi aprovada com distinção. Nicole se deu conta do que é um sequestro. É algo pelo qual todos nós somos fascinados, quer tenha um final feliz ou não, quer seja arrepiante ou não. É um fetiche? Não sei. É mórbido? Talvez. As pessoas que não pertencem ao clube entendem? De jeito nenhum. Todos são mentirosos, que ficam tão fascinados quanto cada um de nós? Podem apostar que sim.

Casey ficou de pé, pegou um pedaço de giz e deu alguns tapinhas no quadro-negro.

— Novo negócio. Na semana passada, destacamos o caso de Reagan William Beneke. Serial killer do oeste do Texas. Acusado de 64 mortes, implicado em 38. Todas mulheres, da Louisiana e do Texas. Na maioria das vezes, mulheres jovens, de quinze a trinta anos. Ele as caçava à noite, em geral encontrando-as em bares e, depois, as seduzindo. Beneke as levava para sua casa onde... — Casey percorreu o recinto com o olhar. — Usem a imaginação. Quando se sentia pronto, ele as estrangulava e as desovava num pântano da Louisiana; chegou a admitir para as autoridades que alguns corpos foram levados pelos crocodilos. Isso explica a discrepância entre quantas mulheres Beneke matou e quantas foram encontradas.

O clube escutava com atenção.

— De sua confissão, corroborada por testemunhas durante seu julgamento, sabemos que ele nunca levou uma vítima à força. Todas se dispuseram a acompanhá-lo a sua casa. Isso me faz lembrar de outra pessoa que usou tática semelhante. Quem?

Todos permaneceram calados, até que Nicole finalmente disse:

— Dahmer.

— Sim. — Casey apontou para Nicole. — Jeffrey Dahmer. Embora tenha matado suas vítimas de modo completamente psicótico e mórbido, a maneira como ele as atraía é fascinante. Dahmer e Beneke seduziam suas vítimas. Davam-lhes a opção de ir com eles, nunca as levando à força. Então, vamos abrir a discussão desta noite com isso: qual emoção é maior? Força bruta ou sedução suave?

Durante uma hora, eles conversaram sobre a primeira vítima de Dahmer, um rapaz que pediu carona e embarcou voluntariamente no carro. Mais tarde, ele entrou na casa de Dahmer, que o matou. Passaram para suas outras vítimas, em especial homens pegos em bares gays e levados para o porão da casa da avó de Dahmer. Todas as vítimas seguiram Dahmer por vontade própria para sua casa; seu futuro local de morte.

Esse tipo de caça — a versão de Dahmer e a versão de Reagan William Beneke — era uma variedade de sequestro distinta daquela a que o clube estava acostumado. Até esse ponto, suas iniciações e seus sequestros simulados eram realizados à força. Do tipo agarrar e arrastar, com saco na cabeça. Rápido, eficiente e assustador.

— Então, Dahmer usava seu encanto e seus bons miolos para levar as vítimas para sua casa. Uma vez que estavam no porão, ele as drogava, maltratava-as e, no final, as matava. Este clube está interessado na caça. Quero que todos nos lembremos de como Dahmer era ardiloso em sua abordagem. Como ele e Beneke eram carismáticos. — Casey sorriu, parado ao lado do quadro-negro. — Isso se revelará fundamental nos próximos dias.

Uma ansiedade silenciosa tomou conta do Clube da Captura. Casey planejava o próximo sequestro de um novo membro, e todos ficaram agitados e excitados.

Casey olhou para Nicole.

— Foi emocionante para nós enfiá-la naquele galpão. Como nova integrante do clube, sua próxima fase envolve virar a mesa e se tornar a sequestradora. Nesse nível, você desfrutará da emoção de atrair alguém da rua, levando-a para seu esconderijo e tendo-a toda para si. É melhor do que ser a vítima. Disposta a isso?

Todos ali encararam Nicole.

— É claro! — ela respondeu.

— Ótimo. Temos quatro sócios em potencial. Todos confirmaram seu interesse no clube.

— Garoto ou garota? — Nicole quis saber.

— Três garotos e uma garota. Alguma preferência?

Nicole hesitou, com sua mente vagando para o armário escuro de seus sonhos, de cujo interior os olhos arregalados de Julie espreitavam.

— Garota — ela disse, por fim.

O LOCAL DA REUNIÃO IA SE ESVAZIANDO À MEDIDA QUE os membros do clube se dispersavam, deixando latas de cerveja vazias no chão. Casey ficou para trás, cuidando do computador e do gerador, na companhia de Nicole, que bebia uma lata de Miller Genuine Draft.

— Vou tomar parte disso, não é? — Nicole perguntou.

— A caça? Claro. — Casey enrolava a extensão elétrica em torno do braço.

— O que vamos fazer com ela?

— Trazê-la para cá e deixá-la nas ruínas por um tempo. — Casey apontou para os fundos do edifício da cervejaria, onde os tijolos desmoronavam. — Poderíamos usar o galpão, onde colocamos você. Mas faremos um pouco diferente. Vou pôr um colchão velho nos fundos. Iremos nos divertir muito com ela.

— Você vai gemer no ouvido dela? — Nicole tomou um gole de cerveja e lançou um olhar sedutor para ele.

Casey parou de empacotar o computador.

— Não fui eu que fiz isso.

Nicole ficou de pé e se aproximou dele.

— Vai agarrar o peito dela?

— Também não fiz isso.

— Não? — Nicole chegou ainda mais perto. — Eu gostaria que tivesse feito.

Agora, ela estava face a face com ele.

Casey olhou para a porta. O último dos membros do clube tinha partido. Então, ele deixou cair a extensão elétrica e agarrou Nicole pela cintura, puxando-a para si.

— Não provoque se não quiser arcar com as consequências.

Nicole soltou a lata de cerveja, que caiu no chão e jorrou espuma, e passou as mãos em torno da nuca dele.

— Não sou uma provocadora. — E ela puxou o rosto de Casey e o beijou.

Sem demora, Casey empurrou Nicole contra a beira da mesa e perguntou baixinho, junto ao ouvido dela:

— Quantos anos você tem?

Nicole segurou o rosto dele e o olhou nos olhos.

— Você tapou minha boca com fita adesiva e me jogou num galpão de noite. Transar comigo não pode ser mais ilegal do que isso.

Casey a deitou na mesa. Além de suas vozes e seus gemidos, o único ruído vinha do gerador externo, que fornecia energia à lâmpada que lançava o recinto nas sombras.

17

Agosto de 2016
Duas semanas antes do sequestro

DIANA WELLS ESTAVA NUM PORRE HOMÉRICO. EMBORA com apenas dezenove anos, entrar em bares nunca fora um problema para a caloura da Universidade Estadual de Elizabeth City. Diana usava a identidade da irmã de uma amiga, que tinha vinte e dois anos e se parecia com ela. Assim, mostrava o documento, que incluía foto, para os seguranças dos bares sentindo bastante confiança. Não gostava que o peso registrado naquela identidade fosse de setenta e dois quilos. Na realidade, ela pesava sessenta e cinco desde que cortara os carboidratos, e conseguia entrar de novo em calças jeans skinny. Estava fazendo um curso de verão com a esperança de que, depois do segundo ano da faculdade comunitária, pudesse se transferir para a Universidade Estadual da Carolina do Norte.

Essa noite, Diana viera acompanhada por suas duas melhores amigas. A paquera começara a rolar uma hora antes. Primeiro, o rapaz, por meio de um garçom, ofereceu a elas três doses de *lemon drops*, e acenou quando todas olharam. Em seguida, disse oi no caminho para o banheiro, mas só para Diana. Em geral, eram suas amigas, ambas bem magras, que chamavam a atenção dos homens. Assim, essa noite, Diana adorou o fato de ser o centro da atenção de alguém.

Ele era mais velho, talvez um estudante de pós-graduação, e Diana sentiu-se feliz por se expandir para fora do círculo em que elas sempre ficaram. Era um estorvo ver suas duas amigas paquerarem um grupo de rapazes e, casualmente, escolherem aqueles que achavam mais bonitos. Diana ficava com as sobras, os rapazes tímidos, que também permaneciam nas sombras e esperavam pelo fim da noite para ver o que restava. Diana era isso.

Dessa vez, porém, a coisa estava rolando diferente. Até que enfim, Diana experimentava o estilo de vida social universitário, paquerando um cara que se interessara por ela desde o início, e não por falta de opção.

Ele estava com outro casal, um rapaz e uma garota sentados ao seu lado, no balcão. Sem dúvida, os dois sacavam a azaração.

— Você não vai falar com ele? — uma de suas amigas perguntou.

— Não sei — Diana respondeu. — Ele parece mais velho.

— Deve estar na pós.

No meio da discussão das duas, ele acenou com o braço, convidando-a. Diana arregalou os olhos. Então, ele acenou com mais força, encarando-a. "Venha aqui. Tenho que implorar?", disse, apenas movendo os lábios.

Rindo, suas amigas a empurraram, incentivando-a.

— Vai! O garoto apaixonado está chamando — elas provocaram.

Com o copo na mão, Diana caminhou desconfiada na direção dele.

— Só o que fiz a noite toda foi comprar alguns drinques para você — foi o comentário dele quando ela chegou bem perto.

— Obrigada pela bebida.

— Sou Casey — o rapaz se apresentou.

— Diana.

O *barman* alinhou quatro copinhos e os encheu com um preparado vermelho.

Casey os puxou.

— *Fuzzy navels*. Pegue. — E ele entregou um copinho a Diana.

O casal ao lado dele apanhou os outros dois e os ergueram. Casey fez as apresentações:

— Estes são os meus amigos Nate e Nicole. Esta é Diana.

— Saúde! — Nicole sorriu.

Então, todos inclinaram as cabeças e brindaram.

— Estou para lá de Bagdá. — Diana tomou a dose em um só gole e riu. — Meu Deus, isto é bom!

— Eu poderia beber *fuzzy navels* a noite toda. — Casey deu de ombros. — Ou aquelas doses de *lemon drop*.

— Sim — Diana concordou. — Vodca com limão também é muito bom.

— Sente-se conosco.

Diana obedeceu. Eles tinham de gritar por cima da música.

— Você está na faculdade aqui? — Casey quis saber.

— Sim. E você?

— Sou da pós-graduação.

— Sério? Em quê?

— Matemática.

— Meu Deus! Eu odeio matemática.

— Eu também — ele brincou.

Casey pediu uma nova rodada de bebidas, e eles conversaram por meia hora. Ele era muito diferente dos outros rapazes que Diana conhecera na faculdade, que conversavam principalmente com seus amigos e nunca diretamente com ela. Casey perguntou tudo a seu respeito. Quando Diana teve de usar o banheiro, ele a acompanhou e esperou até que ela terminasse, para que pudessem voltar juntos. Depois de mais vinte minutos, as amigas de Diana se aproximaram.

— Estamos indo — elas disseram.

— Tudo bem. — Diana sorriu amarelo.

Casey inclinou a cabeça para o lado.

— Se você tiver que ir, talvez possamos nos ver na próxima semana ou algo assim. — Ele olhou para seus amigos, e de novo para Diana. — A menos que queira ficar conosco. Garanto que você vai chegar em casa sem problemas.

Diana sorriu para Casey e, depois, se dirigiu a suas amigas:

— Vou ficar mais um pouco.

Parecia tão bom permanecer ali, no fim da noite; ser a única a ficar para trás, para conversar com um rapaz, enquanto suas amigas voltavam para o alojamento da universidade.

— Legal — uma das garotas disse. — Vemos você mais tarde.

Sorrindo, as amigas de Diana se afastaram.

— Se você tiver de ir, tudo bem — Casey afirmou.

— Não. — Diana acenou para as duas. — Não tenho nenhum compromisso importante pela manhã. Posso aproveitar um pouco mais.

Casey ergueu sua garrafa de cerveja e Diana brindou com sua vodca.

— Saúde — ele disse.

Diana tomou um gole. "Meu Deus, ele é lindo!"

EM UM INSTANTE ERA UMA DA MANHÃ. OS *BARMEN* GRITA-ram que o bar estava encerrando os serviços. Então, um grupo de estudantes se amontoou no balcão para fazer os últimos pedidos antes de se espalhar pelas ruas e se dirigir para algum outro lugar e beber uma saideira. Havia uma conversa de uma festa em uma república estudantil tarde da noite. Diana e Casey riram quando o grupo os esmagou contra o balcão para pedir suas bebidas.

— Nós vamos virar paçoca. — Casey pegou a mão de Diana e a puxou para longe do balcão, na direção da porta.

Diana sentiu os dedos dele se entrelaçarem nos seus, como os casais que ela via se dando as mãos *no campus*. Ela deixou que ele a retirasse pela saída principal. O ar do verão estava denso e pegajoso. Zonza por causa da bebida, Diana caminhou pela calçada com passos pesados e vacilantes na direção do fim do prédio e do caminho que separava o bar da lavanderia ao lado.

Casey puxou Diana para o espaço estreito.

— Desculpe — ele disse. — Tive de sair dali.

— Sim. Eu precisava de ar.

— Pretende ir à festa da república?

Diana deu de ombros.

— Não sei. Você quer?

Casey se aproximou dela até que as costas de Diana tocaram a parede de tijolos.

— Na verdade, não.

O rosto dele estava perto o suficiente para que se sentisse o cheiro de cerveja. De cigarros, também. Como se Casey pudesse ler a mente dela, disse-lhe:

— Você está com cheiro de *fuzzy navels*.

Ela deu risada.

— É porque você me pagou quatro doses.

Casey se aproximou ainda mais.

— O cheiro é bom.

Diana o encarou até fechar os olhos e sentir os lábios dele nos seus. Ela abriu a boca, e as línguas se enroscaram num beijo molhado, embriagado. Diana agarrou a cabeça dele, passou os dedos por seus cabelos do jeito como sempre achou que faria quando encontrasse um cara de quem realmente gostasse. O beijo durou uns quinze minutos.

Diana esfregou o nariz no dele de um lado para o outro, encarando-o como um filhote de cachorro.

— Você quer ir a essa festa?

— Na verdade, não. — Casey deu-lhe um beijinho rápido. — Podemos ir para minha casa. Meus amigos, com quem moro, já foram para lá.

— O casal que estava com você?

— Sim. Moramos numa casa na Park Street. Eles devem ter levado algumas pessoas para lá. Então, podemos ficar por um tempo. A menos que você queira fazer outra coisa.

Diana o beijou.

— Não. Vamos para sua casa.

Casey agarrou a mão dela de novo, levou-a até seu carro e abriu a porta do lado do passageiro. Então, Diana embarcou e pôs o cinto de segurança. Embriagada como estava, sabia que não devia estar num carro depois de tanto beber.

— Tem certeza de que está bem para dirigir, Casey? — ela perguntou quando ele embarcou.

— Sim, estou bem. Não é longe. — Casey pôs o veículo em movimento.

Quando pararam num semáforo ele voltou a pegar na mão dela, segurando-a enquanto a repousava no console entre os dois. O semáforo ficou verde, e ele acelerou. Pouco depois, desacelerou e semicerrou os olhos.

— Meus amigos. — Casey projetou o queixo na direção do para-brisa.

— Ah, sim... — Diana os viu caminhando na calçada.

Casey estacionou, e Diana abriu a janela. Ele se debruçou, pondo a mão no joelho dela.

— Ei, querem uma carona?

— Achei que vocês estavam indo para a festa da república. — A garota chamada Nicole ajeitou o cabelo.

— Decidimos ir para casa. Entrem.

O casal de amigos de Casey sentou-se no assento traseiro, e Casey acelerou.

— Diana — Nicole disse —, esse cara realmente te convenceu a ir para casa com ele? Casey é um puta pervertido, que gosta de coisas muito estranhas.

— Meus melhores amigos puxando meu tapete... — Casey chacoalhou a cabeça.

— Ah, ele me pareceu confiável...

— Se você acredita nisso, então você é muito idiota — Nicole afirmou num tom sombrio. – Sério.

A bebedeira de Diana se foi, como se nunca tivesse existido. Ela olhou para Casey, enrugando a testa, preocupada. Casey retribuiu o olhar com os olhos mortiços e uma expressão muito grave. Foi a última coisa que Diana viu antes que o saco fosse colocado em sua cabeça.

Diana gritou desesperada até a fita adesiva tapar sua boca e a silenciar. Durante a breve briga no assento dianteiro, os garotos conseguiram prender suas mãos com abraçadeiras de náilon, puxando-as para suas costas e apertando-as com força.

O percurso de carro foi rápido e nauseante, com Diana balançando de um lado para o outro sob o impulso das curvas fechadas e das acelerações repentinas. Sem o cinto de segurança, e com as mãos presas às costas, ela não tinha controle sobre seu corpo, e os escutou rir quando bateu a cabeça na janela do lado do passageiro numa curva fechada à esquerda.

Finalmente, o carro parou, derrapando no cascalho.

— Tirem a garota do carro — Diana escutou Casey dizer em seu novo tom de voz. A doçura havia desaparecido. — Tragam para os fundos.

Portas se abriram, mãos a agarraram sob os braços e a puxaram do automóvel.

— Venha, idiota — ordenou a garota, cujo nome Diana não conseguia mais lembrar. — Vai ser divertido.

Ainda de porre, Diana se sentiu sendo arrastada. Procurou se manter de pé, tentou ficar com os pés debaixo de si, mas eles estavam puxando muito rápido. Identificou o terreno como cascalho ou brita. Rudemente a sentaram numa cadeira e a envolveram com algo, prendendo-a. O material envolveu as panturrilhas, os braços e o peito. Então, tiraram o saco de sua cabeça, e ela precisou de um segundo para captar o cenário. Talvez um armazém ou um edifício antigo. Não tinha certeza. Os tijolos estavam desmoronando e havia um buraco no telhado.

Casey estava diante dela. Ele a encarava com aqueles olhos mortiços, com a cabeça inclinada para o lado.

— Você disse que queria ir para casa comigo. Portanto, bem-vinda.

Diana tentou falar através da fita adesiva, com lágrimas rolando pelo rosto.

Casey fez que não com a cabeça.

— Não quero ouvir sua voz. Pode estragar tudo. Quero manter a voz agradável em minha cabeça da hora em que você estava me conhecendo. Isso me ajudará no momento difícil que você e eu estamos prestes a ter.

Diana olhou ao redor. Os outros dois estavam fora do alcance de sua visão, mas ela conseguia sentir a sua presença atrás de si. E notou um colchão caindo aos pedaços no piso.

Casey assumiu uma expressão diabólica.

— Mas uma coisa que não consigo tolerar é muco e lágrimas. Então, vou dar dez minutos para que você se recomponha. Quando eu voltar, quero minha garota fofa de volta, entendeu?

Casey se virou e caminhou até a porta na extremidade do recinto. Quando ele saiu, Diana baixou os olhos e viu que o material que tinham usado para prendê-la era filme plástico transparente, e atava seu tronco e suas pernas. Parecia estranho, repugnante e sufocante.

PARTE III

Você tem ideia de quanto dói quando você se comporta desse jeito?
— O Monstro

18

Outubro de 2017
Treze meses após a fuga de Megan

LOGO DE MANHÃ CEDO, NA SEGUNDA-FEIRA, APÓS UM FIM de semana prolongado visitando seus pais na sexta à noite e dirigindo até a Geórgia para ver a mãe de Casey Delevan, Lívia tomava seu café folheando o compêndio de ciência forense, com o escritório ainda escuro e silencioso. Na sexta à tarde, seu desempenho sofrível, tanto na sala de autópsia como na gaiola, ainda pesava bastante em sua mente, e ela estava determinada a impedir que isso voltasse a acontecer.

Lívia leu e releu resultados de autópsias em vítimas de traumatismo craniano. Recapitulou as lições de anatomia que memorizara muito tempo atrás. Estudou os diferentes efeitos da hemorragia cerebral e do deslocamento da linha média. Delineou os requisitos de uma autópsia neurológica completa, os tipos colhidos de amostras de tecidos e as técnicas utilizadas para isolar esses espécimes. Examinou as fraturas cranianas e os distintos padrões de ruptura óssea, que permitiam que um médico-legista fizesse suposições qualificadas acerca das armas utilizadas para causar a lesão. Em seguida, pegou um livro imenso intitulado *Clinical Therapeutics*, e reviu com todo o cuidado a farmacologia, abrangendo especificamente as interações medicamentosas na população geriátrica. Redescobriu grande número de medicamentos com nomes longos e complicados, que ela lembrou vagamente de ter visto na faculdade de medicina e se obrigou a memorizar. Por fim, estudou os acidentes vasculares cerebrais — derrames — e as técnicas de exame que melhor os detectavam quando não eram tão óbvios, como um grande vaso arrebentando no meio do cérebro.

Ao terminar, Lívia ainda tinha trinta minutos antes de o escritório se encher de gente. Reabasteceu a xícara com café e tirou o livro de Megan McDonald da bolsa. Sentada a sua mesa no escritório dos alunos, leu por cima os últimos capítulos. Imaginou seus pais deitados na cama, lendo o mesmo livro, procurando por pistas que pudessem lhes revelar o que acontecera com a filha. Na mente de Lívia também estava a casa de Barb Delevan, com cortinas fechadas, a névoa esfumaçada e uma garrafa de vodca pela metade. A casa dos pais e a da mãe de Casey Delevan guardavam uma semelhança impressionante: um lugar e seus moradores presos no passado, incapazes de participar do presente.

O que impediu seus pais e Barb Delevan de seguirem em frente foi a mesma e implacável energia subjacente que impediu Lívia de ter um pensamento claro. Era a necessidade de respostas. A ausência de uma conclusão do caso do desaparecimento de Nicole era uma âncora presa profundamente no passado, que causava um anacronismo, enquanto o tempo escoava pouco a pouco — dias, semanas e anos —, encarcerando uma porção da alma enquanto a vida prosseguia.

Lívia virava a última página do livro de Megan quando escutou seu nome ser chamado.

— Doutora Cutty, estamos oficialmente prontos para partir — Kent Chapple disse do corredor.

Lívia ergueu os olhos do livro.

— Hora de irmos, doutora — Kent repetiu. — A ligação veio durante a noite. Temos que pegar estrada.

Ao longo do ano do curso de especialização, todo aluno era obrigado a acompanhar os peritos do necrotério, formalmente denominados peritos médicos-legistas, durante duas semanas, para observar técnicas de investigação da cena do crime e também o processo de isolamento do corpo. Era uma semana longe do necrotério, estrategicamente agendada ao longo do curso, para evitar o esgotamento do aluno. Durante o desenrolar da autópsia de duzentos e cinquenta corpos, em doze meses, cada aluno precisava de uma pausa. Lívia era a primeira da fila, e, após o desempenho deplorável de sexta-feira na gaiola, o momento não podia ser melhor.

Quando Jen Tilly e Tim Schultz entraram no escritório, Lívia juntou seus papéis e os colocou, junto com o livro de Megan, na gaveta inferior de sua mesa. Ficou de pé e, usando jeans e uma blusa, em vez de vestimenta cirúrgica, pegou seu blusão preto que tinha no peito a inscrição IML em amarelo e MÉDICO-LEGISTA nas costas.

— Até mais, pessoal — Lívia se despediu.

— Boa sorte — Jen desejou.

— Não mate ninguém. — Tim sorriu-lhe.

— Engraçadinho. Espero que seu estômago se comporte bem esta semana.

Lívia acenou e se foi.

— Ouvi dizer que Colt abriu fogo contra você na gaiola, na semana passada — Kent comentou, quando eles caminhavam pelo corredor.

— As boas notícias se espalham rápido.

Kent deu risada.

— Todos estão chamando de massacre.

— Cada um fica famoso como pode.

— Bom momento para me acompanhar. Parece que sou seu salvador.

— Sem dúvida. Me tire daqui antes que o doutor Colt me veja.

Os dois atravessaram a porta dos fundos do necrotério e encontraram uma manhã de outono ensolarada. Kent abriu a porta corrediça do furgão. Lívia embarcou e se sentou no assento traseiro.

Ela não tinha certeza do que esperar, mas a distribuição de espaço que encontrou dentro do furgão a surpreendeu. Embora nos últimos três meses se visse frente a frente com cadáveres, esperava alguma separação entre ela e eles, mas não havia nenhuma. Atrás dos assentos individuais dianteiros, a parte traseira do furgão tinha uma maca vazia esperando para ser ocupada por um corpo que viajaria perto dela durante o tempo que levasse para voltarem ao necrotério.

— Bom dia, doutora Cutty — Sanj Rashi a cumprimentou, do assento do motorista. Outro perito, Sanj era de origem indiana, com pele escura, cabelo preto, sobrancelhas grossas e um sotaque perfeito do Brooklyn. Ele nasceu e cresceu em Nova York, e chegou ao Instituto Médico Legal da Carolina do Norte após cursar a Universidade Rutgers, em New Brunswick.

— Bom dia, Sanj.

Kent fechou a porta corrediça e embarcou no furgão, sentando-se no assento do passageiro. Inseriu informações no GPS e consultou papéis em uma prancheta metálica.

— Primeira parada desta semana: Anthony Davis. Indivíduo do sexo masculino, cinquenta e cinco anos, encontrado morto por seu senhorio após RVMC.

Sanj deu a partida no veículo, e os peritos afivelaram seus cintos de segurança.

Lívia puxou o cinto por cima do peito.

— RVMC? — ela perguntou.

Sanj acionou o câmbio automático e se virou para Lívia.

— Reclamação dos Vizinhos por Mau Cheiro. Você não achou que nós a treinaríamos com algo fresquinho, achou?

Rindo, junto com Kent, Sanj pôs o furgão em movimento. Aquela seria uma semana interessante, e, no mínimo, ela ficaria longe do doutor Colt e da gaiola.

O PRÉDIO DE APARTAMENTOS FICAVA NA DIVISA DO CON-dado de Montgomery. Eles pararam num estacionamento e observaram o prédio de tijolos marrons. Tinha três andares e doze unidades.

Um pequeno grupo se achava reunido perto da entrada principal, e todos os olhares se dirigiram para o furgão do necrotério. Kent e Sanj desembarcaram e abriram as portas traseiras para retirar a maca, sobre a qual estava um saco de lona contendo tudo de que podiam precisar. Lívia seguiu os dois peritos, que empurravam a maca por entre os carros de polícia, cujas luzes piscavam, e subiu os degraus para entrar no prédio.

O oficial do Departamento de Polícia que os encontrou logo depois que passaram pelas portas disse:

— Este é o dono do prédio. Ele vai acompanhá-los.

O homem se apresentou.

— Eu sou Sanj Rashi. – O perito apertou a mão dele. — Estes são Kent Chapple, perito do Instituto Médico Legal. E a doutora Lívia Cutty, médica-legista. — Então, apontou para o corredor. — Para onde vamos?

— Segundo andar — o proprietário informou.

Todos se apertaram no elevador com a maca agourentamente vazia. Um momento depois, quando as portas do elevador se abriram, Sanj respirou fundo, como se estivesse numa revigorante manhã de primavera.

— E aí está — foi seu comentário.

O proprietário tirou um lenço e cobriu o nariz.

— Sim. Há dois dias, os vizinhos me ligaram para denunciar o cheiro. Finalmente consegui vir aqui esta manhã. Abri a porta do apartamento e quase vomitei. Todo o prédio está fedendo agora.

Pelo corredor, o proprietário os levou até o apartamento 204, abriu a porta e balançou a cabeça negativamente.

— Vocês precisam de mim para alguma coisa? Caso contrário, vou dar o fora daqui.

— Vá — Sanj o liberou. — Se precisarmos de algo, descemos.

— Esse fedor vai desaparecer?

— O cheiro sumirá quando o corpo se for. Depois que formos embora, ferva um pouco de café com vinagre. Ajuda muito.

O proprietário atravessou às pressas o corredor e pegou o elevador. Sanj fitou Lívia, cujos olhos lacrimejavam.

— Bem-vinda à semana de acompanhamento.

O apartamento tinha um quarto, sala e cozinha. De calção, camiseta, sem meias e sem sapatos, Anthony Davis se encontrava sentado no sofá. Era bastante gordo e estava muito morto.

Lívia caminhou ao redor do sofá para obter uma visão melhor, enquanto Sanj e Kent pegaram o que precisavam do saco de lona e tiraram fotos preliminares da cena.

Quando Sanj parou de fotografar, Lívia apanhou um par de luvas e se aproximou de Anthony Davis. Sua pele estava de um cinza pálido, os lábios, quase brancos, e as pálpebras abertas expunham um pouco de íris azul, seca e pálida havia muito tempo. Ao chegar mais perto do cadáver, Lívia valorizou o sistema de ventilação do necrotério. Estando num apartamento fechado com um corpo em putrefação, ela descobriu que o sistema retirava mais ar impuro do ambiente do que ela imaginava. Por um instante, tapou a boca com a mão quando sentiu ânsia de vômito.

— Pegue. — Kent entregou-lhe um pote de Vick VapoRub. — Lá vou eu de novo cuidar de você. Tim Schultz que se vire, vamos deixar que ele sofra a semana toda. Mas quanto a você, doutora Cutty, vamos ajudá-la. Espalhe um pouco disso debaixo do nariz.

Lívia pegou o pote, enfiou o dedo enluvado na pomada, pôs uma pequena quantidade acima do lábio superior e dentro das narinas. Imediatamente, o odor de mentol e limão a dominou, o que era uma alternativa muito melhor ao odor de podridão úmida de Anthony Davis.

Sanj e Kent, usando agora luvas e óculos de proteção, aproximaram-se do cadáver e começaram sua investigação. Lívia ficou atrás deles, observando. Era como aquela semana deveria ser.

— Estágio moderado de putrefação — Kent afirmou. — Eu diria de cinco a sete dias. A rigidez cadavérica passou, e o corpo está num estado de lassidão secundária. — Ele sentiu as pernas inchadas de Anthony Davis. — O sangue está fixo. Sem dúvida, uma semana.

Sanj fazia anotações e tirava mais fotos do corpo e do apartamento de todos os ângulos. Enquanto isso, Kent se movia ao redor do cadáver.

— Com certeza, risco de ataque cardíaco.

— Ou de acidente vascular cerebral — Kent sugeriu. — Ele morreu no sofá e nunca se moveu. Lividez nas nádegas e nas pernas.

Após haverem coletado tudo de relevância e sem ter mais nada para fotografar, colocaram Anthony Davis com cuidado num saco mortuário de vinil preto e depois sobre a maca. Enquanto eles cuidavam do corpo, Lívia analisou o sofá e a mesa de centro. Metade de uma pizza permanecia na embalagem manchada de gordura em que foi entregue, e o recipiente de isopor ao lado estava suspeitosamente intacto. Lívia ergueu a tampa com a caneta e encontrou os ossos secos e quebradiços de asas de frango comidas. Uma lata de refrigerante estava no chão, e o tapete, com uma mancha no lugar onde o líquido entornou.

Lívia olhou de volta para a maca.

— Posso examiná-lo?

Sanj desviou os olhos de sua prancheta.

— O corpo? Fique à vontade.

Lívia abriu o zíper do saco para expor o rosto de Anthony Davis. Em seguida, usou sua lanterninha para iluminar-lhe a boca. Pondo os dedos enluvados entre os lábios do morto, pressionou os dentes inferiores e fez a boca se abrir. Então, posicionou a lanterna mais perto da boca para obter uma visão melhor, com o Vick VapoRub perdendo parte de sua eficácia assim tão perto da podridão.

— Achou alguma coisa, doutora?

— Sim, Sanj. — Lívia observava, atenta. — Ele engasgou com uma asa de galinha. Vi os ossos na parte posterior da garganta.

Kent e Sanj se entreolharam.

— É por isso que você é a doutora.

— Qualquer um teria encontrado isso na autópsia. — Lívia deu de ombros.

— Sim — Sanj afirmou. — Mas desse modo parecemos inteligentes.

— Aposto que ele deixou cair o refrigerante quando começou a engasgar.

Sanj não deixou de fotografar a lata de refrigerante. Em seguida, fechou o zíper do saco e empurrou a maca para fora do apartamento, com a ajuda de Kent. Do lado de fora, com expressões soturnas, os moradores observavam Sanj e Kent acomodarem o vizinho no furgão. Enquanto os peritos conversavam com os policiais e terminavam o laudo, Lívia encontrou o proprietário do prédio.

— Você é o dono, certo? — ela perguntou.

— Sim. Fui eu que o encontrei.

— Os vizinhos ligaram para denunciar um mau cheiro, correto?

— Isso, doutora.

— Já aconteceu antes de os vizinhos ligarem com uma reclamação e você ter de se informar sobre um inquilino?

— Os inquilinos reclamam o tempo todo. Mas, em geral, telefono e resolvo as coisas desse jeito. Liguei para Tony por dois dias e, obviamente, ele nunca atendeu. Então, vim para ver o que estava acontecendo.

— Como você entrou no apartamento?

— Tenho a chave mestra para todas as unidades. Está no contrato de locação que posso entrar em qualquer apartamento, desde que me identifique e dê um prazo razoável.

Lívia pensou um pouco e assentiu.

— Os policiais me perguntaram sobre isso mais cedo.

— Claro. Você fez a coisa certa. Estou curiosa por um motivo diferente. — Lívia apontou para o estacionamento, onde Sanj e Kent embarcavam no furgão. — É a minha carona. Sinto muito por Tony.

— Sim — o proprietário disse. — Você tem certeza de que o cheiro desaparece?

— Dê um dia ou dois. — E Lívia desceu os degraus.

NO PRIMEIRO DIA, ELES COLETARAM DOIS CORPOS E VOLtaram para o necrotério exatamente quando outra equipe de peritos saía para uma chamada vespertina. Eram quatro da tarde. As chamadas recebidas depois desse horário eram deixadas para os peritos da equipe da noite.

Antes de partir, Lívia agradeceu a Sanj e Kent pela hospitalidade, prometendo vê-los de manhã. Em seu carro, digitou um endereço no GPS.

O caso de Anthony Davis e sua conversa com o proprietário do prédio a fizeram pensar. No percurso de quarenta minutos de volta ao necrotério, com o corpo deitado perto dela, Lívia utilizou o celular para obter as informações de que precisava. O desaparecimento de Casey Delevan não fora comunicado por amigos ou familiares, mas pelo proprietário de seu imóvel. Exatamente como o caso de Anthony Davis.

Lívia pegou a rodovia no sentido oeste, em direção a Emerson Bay. Noventa minutos depois, saiu em West Bay. Por meio do GPS, chegou à antiga residência de Casey Delevan. Era um edifício comprido em forma de "U", de um andar, que tinha dezoito apartamentos. Ela encontrou o número do proprietário e ligou.

— Old Town Apartments — a voz informou.

— Aqui é a doutora Cutty, do Instituto Médico Legal. Nós nos falamos mais cedo.

— Você já está aqui?

— Estou estacionada na frente.

— Chegarei aí em um minuto.

Em instantes, Lívia viu a parte da frente do escritório se abrir e um homem calvo sair para o pátio. Ela se aproximou dele, com um sorriso e a mão estendida.

— Lívia Cutty.

Ele apertou-lhe a mão.
— Art Munson.
— Você é o dono dos apartamentos?
— De todo o prédio. Está só setenta por cento ocupado. Você não está procurando um lugar para ficar, está, doutora Cutty?
— Infelizmente, não.
— Não achava que uma médica iria querer um de meus apartamentinhos. Então, em que inquilino está interessada?
— Um antigo, chamado Casey Delevan.
— O rapaz que acabaram de tirar da baía?
Lívia concordou.
— Sim, ele. Você está registrado como a pessoa que comunicou seu desaparecimento. Certo?
— Liguei para a polícia, se é isso o que está perguntando. Não sabia que meu nome estava registrado.
— Por que você ligou para a polícia?
— Delevan costumava pagar o aluguel três meses de uma vez. Exijo isso de alguns inquilinos, principalmente daqueles sem crédito ou com o nome sujo. Isso impede que me deixem de mãos abanando. Ele pagou três meses e atrasou o pagamento seguinte. Enviei dois avisos e não obtive resposta. Assim, fui verificar as coisas depois que ele não atendeu a minhas ligações. Muitos desses caras não atendem minhas ligações. Eles esquecem que eu sei onde moram. Fui duas vezes ao seu apartamento e ele não abriu a porta. Finalmente, tive de usar minha chave para entrar. Na hora, eu soube que ele tinha ido embora.
— Por quê?
— O lugar estava imundo. Comida estragada na geladeira. Ninguém punha os pés ali fazia tempo. De vez em quando, tenho esse tipo de inquilino. Algo acontece, e eles somem. Assim, quando vi que ele tinha ido embora, telefonei para a polícia.
— E quando foi?
— Logo depois do Halloween. Passei por tudo isso com os policiais. Ele pagou adiantado o aluguel para o verão, de julho a setembro. Nunca recebi nada dele em outubro. Eu o persegui com telefonemas por duas semanas antes de descobrir que o apartamento tinha sido abandonado.

— E você ligou para a polícia porque achou que algo havia acontecido com ele?

— Não. Liguei porque sou obrigado a fazer um boletim de ocorrência na polícia antes de poder limpar a unidade. Como já tinha perdido um mês de aluguel, quis me apressar para encontrar um novo inquilino. Delevan não tinha nenhum familiar registrado em seus documentos. Assim, guardei todas as coisas dele, por exigência legal, durante três meses. Em seguida, comecei a penhorar tudo. Tinha quase esquecido dele quando soube que o cara saltou daquela ponte. Gostaria que ele tivesse assinado um cheque para mim antes de saltar. — Art Munson deixou escapar uma risadinha, que logo reprimiu.

— Você disse que o apartamento deu a impressão de que estava desabitado havia algum tempo?

— Com certeza.

Lívia criou uma cronologia em sua mente. Casey podia ter desaparecido em algum momento entre julho e novembro, confirmando a hipótese do Instituto Médico Legal de que seu cadáver tinha de doze a dezesseis meses quando chegou ao necrotério.

— O que você fez com os pertences dele? — Lívia perguntou.

— Vendi alguns para alguns inquilinos. Joguei fora muitos deles. Acho que algumas coisas ainda estão aqui, no depósito.

— Ah, é? Posso dar uma olhada?

— Sem problema. Qual seu interesse?

— Fiz a autópsia dele. Estamos resolvendo algumas pendências.

— Parece algo que a polícia deveria fazer.

— Concordo. Mas aqui estou eu, no fim de um dia de trabalho, envolvida nessas tarefas.

— O depósito fica no porão. Vamos.

Lívia seguiu Art Munson, e eles entraram no prédio. Após atravessarem uma porta nos fundos, desceram uma escada escura e chegaram a um grande porão bagunçado. As lâmpadas fluorescentes piscaram e se acenderam.

Era um paraíso para colecionadores. Inicialmente, Lívia contou oito mesas de madeira, e depois percebeu outras três embaixo de pilhas de almofadas de sofá e plantas de plástico empoeiradas. Alguns aparelhos de televisão antigos estavam empilhados no canto, junto com duas geladeiras velhas e dezenas de quadros emoldurados e espelhos para pendurar.

— Parece bagunçado — Art afirmou —, mas está mais organizado do que você imagina. Tudo foi separado por ano. Delevan é do ano passado. Então, as coisas estão aqui. Ele foi meu único inquilino que sumiu no ano passado.

Art apontou para uma mesa contendo uma pilha de livros de capa dura, um micro-ondas e um computador.

— A maior parte de seus móveis foram vendidos. Ele tinha algumas coisas decentes, então foi fácil vender. Isso é tudo que resta.

Lívia dirigiu-se até a mesa e examinou a pilha de livros. Viu uma biografia de Jeffrey Dahmer e uma enciclopédia de *serial killers*. Folheou os dois e percebeu que estavam bastante sublinhados e cheios de dobras nos cantos das páginas. Ao abrir a gaveta superior, encontrou canetas, clipes e outros materiais de escritório espalhados durante a jornada da mesa para o depósito de Art Munson. Abriu as outras gavetas, fuçou nelas e não achou nada de anormal. A gaveta inferior, porém, estava trancada. Lívia voltou aos livros e os folheou com mais atenção.

— Vai ficar algum tempo, doutora?

— Alguns minutos, talvez.

— Estarei lá fora. Avise se precisar de algo.

Quando Art Munson saiu, Lívia voltou a abrir a gaveta superior e vasculhou melhor o refugo. Procurou a chave da gaveta trancada, mas não a encontrou. Percorreu com os olhos o porão, observando as demais pilhas de restos. A iluminação fluorescente começava a aquecer, e o depósito estava mais claro agora do que originalmente.

Na terceira mesa, encontrou uma caixa de ferramentas. Em seu interior, havia uma chave de fenda. De volta à mesa de Casey, ela inseriu a ferramenta no espaço entre a gaveta trancada e a estrutura da mesa, e reuniu toda a força que tinha. Exatamente quando um grunhido escapou de seus lábios, a gaveta se quebrou na fechadura e abriu.

Por um instante, Lívia esperou para ter certeza de que Art Munson não desceria para verificar a causa do barulho. Então, examinou as pastas suspensas na gaveta. Extratos bancários e contas. O contrato de locação com a Old Town Apartments. E uma pasta mais grossa.

Lívia a retirou e a colocou sobre a mesa. Nesse movimento, alguns artigos de jornal escaparam da pasta. Cortados meticulosamente, tinham bordas no esquadro. Eram retângulos horizontais compridos que continham as manchetes. Examinando-os, Lívia leu artigos narrando o sequestro de uma garota da Virgínia chamada Nancy Dee. Um sentimento ruim e sombrio se apossou de Lívia ao folhear os artigos, que abordavam os relatos iniciais sobre a garota desaparecida e a busca de respostas. Os informes da polícia e a especulação a respeito de como Nancy foi sequestrada, aonde ela foi no dia em que desapareceu: uma cronologia de sua vida, que reconstituiu seus passos naquele dia, a última vez que foi vista com vida. Os artigos abordavam a investigação policial, a busca empreendida pela população da cidade e as vigílias de familiares e amigos – e levaram Lívia de volta ao sequestro de Nicole. A família Dee passou pelo mesmo processo. A diferença, porém, surgiu quando Lívia continuou a folhear os artigos. Seis meses após o desaparecimento, o corpo de Nancy Dee foi achado numa cova rasa em uma floresta da Virgínia, a mais de cento e cinquenta quilômetros de distância de sua cidade natal.

Lívia recolocou os artigos na pasta e a pôs de volta na gaveta. Encontrou um mapa da Virgínia em uma das pastas, retirou-o e o colocou sobre o tampo. Seus dedos percorreram as outras pastas suspensas, cada uma etiquetada com um nome, como "Paula D'Amato" e "Diana Wells", que ela puxou do suporte.

— Doutora? — Art Munson gritou do alto da escada. — Já terminou?

Lívia juntou as três pastas e o mapa da Virgínia numa pilha e colocou tudo em sua bolsa. Fechou a gaveta e jogou as partículas de madeira lascada debaixo da mesa.

— Sim — ela respondeu, reorganizando sua bolsa para parecer solta e casual.

Do lado de fora, o crepúsculo tomara conta de Emerson Bay, com o céu outonal iluminado por um brilho púrpura azulado desbotado.

— Alguma vez a polícia examinou os pertences de Casey Delevan? — Lívia perguntou.

Art balançou a cabeça.

— Não. Apenas pegou minha declaração e fez algumas perguntas. Disseram que voltariam a me procurar. Após três meses, eu informei que estava alugando o apartamento e retirando as coisas dele. Nunca mais a polícia deu as caras.

— Ainda estou trabalhando com os detetives nesse caso. Apenas para assegurar que não deixamos passar nada. — Lívia lhe entregou um cartão de visita. — Se você se lembrar de algo que pareça importante a respeito de Casey Delevan, me ligue.

— Tudo bem. Achei que ele saltou da ponte Points. Há algo mais nisso tudo?

— Não. É isso aí. Só estamos pondo os pingos nos is. Parte do processo burocrático.

Art ergueu o cartão de Lívia enquanto ela embarcava em seu carro.

— Se você descobriu que o cara deixou algum dinheiro, ele ainda me deve um mês de aluguel.

Lívia deu a partida.

— Se eu encontrar algo, garanto que você receberá seu cheque. Obrigada pela ajuda.

19

MEGAN MCDONALD TRABALHAVA NO TRIBUNAL DO CON-
dado, na seção de arquivos. Seu pai conseguira o emprego para ela, para mantê-la ocupada após o sequestro. De acordo com o doutor Mattingly, ficar horas sentada em seu quarto, seria prejudicial à saúde de Megan. Porém, ela se perguntava se arquivar certidões de casamento e ações judiciais numa sala abafada durante oito horas por dia não era igualmente insalubre.

No entanto, assim como seu livro — e a maioria das coisas que Megan fez durante o ano anterior —, o trabalho no tribunal era uma maneira de tranquilizar seus pais, acalmá-los, confortá-los e fazê-los acreditar que tudo ficaria bem. Nesse sentido, seu papel de filha era irônico. *Ela* devia ser a recebedora de conforto e consolo. Mas nesse novo e estranho mundo pós-sequestro, Megan se viu tranquilizando seus pais e tornando as coisas viáveis, para que eles pudessem seguir suas vidas. Ela foi às sessões com o doutor Mattingly, escreveu seu livro, deu entrevistas. Passava seus dias no emprego do tribunal, das nove da manhã às cinco da tarde. Em casa, ouvia a única coisa que sua mãe era capaz de oferecer: a voz murmurada, que fornecia atualizações das vendas do livro e retransmitia mensagens dos leitores tocados pelas palavras de Megan. Na realidade, Megan sabia, o principal motivo pelo qual sua mãe abria a porta de seu quarto com frequência era para ter certeza de que ela estava ali e segura, e não tinha sido levada de novo. Isso vinha se tornando uma compulsão obsessiva, sobre a qual Megan queria falar com o doutor Mattingly.

Era muito constrangedor para sua mãe permitir que Emerson Bay, e aqueles que trabalhavam subordinados ao seu pai, vissem que Megan havia caído do estrelato. Assim, o emprego na seção de arquivos era chamado de *estágio*. Para o que ele iria prepará-la? Isso nunca ficou claramente definido. Mas foi o único jeito de explicar por que uma garota de dezenove anos, que devia estar cursando a Universidade Duke, que fora oradora da turma na formatura na Emerson Bay High e que criara um dos programas de tutoria mais bem-sucedidos que o estado já vira, agora trabalhava com mulheres de meia-idade no escritório administrativo do tribunal do condado, enchendo pastas suspensas com documentos impressos e arquivando-as em gaveteiros.

Nos dias úteis, das onze e meia da manhã às duas da tarde, a lanchonete ficava abarrotada de servidores do condado, advogados, jornalistas, auxiliares de escritório e inúmeros cidadãos que precisavam se encher de comida antes de se apresentarem na corte para julgamentos de casos referentes a dirigir acima da velocidade permitida, jogar lixo na rua ou estar embriagado ao volante. A lanchonete era um lugar barulhento, com mesas compridas e bandejas cor de laranja. Fazia oito meses que Megan era estagiária, e nunca pusera os pés ali. Em vez disso, passava a hora do almoço no carro. Desenvolvera uma rotina, que até agora não pagara dividendos. Ainda não tinha certeza do que estava procurando exatamente, mas a alternativa era não fazer nada, o que não era mais aceitável. Não quando acreditava que estava tão perto.

Megan precisou de vinte minutos para ir até West Bay. Considerando o mesmo tempo para a viagem de volta, ela teria vinte minutos para observar o céu. Parando num novo parque, que jamais visitara, saiu do carro e se apoiou contra o para-choque dianteiro. Depois de alguns minutos, um avião passou por cima de sua cabeça, na rota sudoeste, em direção ao aeroporto de Raleigh-Durham. Megan observou o avião, seu tamanho no céu e a direção em que se deslocava. Escutou seu som. Na imaginação, Megan sobrepôs essa imagem a uma de que se lembrou de suas duas semanas em cativeiro. No porão escuro onde ele a manteve, ela conseguia espiar os aviões que passavam através de uma rachadura na tábua que cobria a janela. Em geral, o pedacinho de céu que era visível estava vazio quando Megan o examinava. Mas, de vez em quando, ela via um avião. À noite, aquela rachadura na tábua oferecia estrelas, e a partir delas Megan imaginava constelações. Durante o dia, ela esperava pelos aviões para não se sentir tão só. Aqueles aviões transportavam pessoas, e, quando ela os via, sentia que ainda fazia parte do mundo.

Agora, ali, encostada em seu carro, no parque, Megan considerou que estava perto. Tinha poucos elementos que a ajudassem em seus cálculos, mas o som daqueles aviões lhe dizia que o padrão de tráfego aéreo que observava naquele momento era o mesmo que tinha visto e ouvido durante as duas semanas naquele porão.

Megan esperou vinte minutos e, em seguida, cinco minutos mais. Sabia que o tempo extra a atrasaria para o trabalho, mas ainda assim o usou esperando ouvir. Finalmente, embarcou em seu carro. Tentaria outro lugar no dia seguinte. Estava perto. Nesse lugar, os aviões estavam na altura e no rumo corretos. Os motores faziam o som certo. Tudo o que faltava era o apito do trem.

20

LÍVIA FEZ UMA PARADA RÁPIDA EM CASA NA TERÇA-FEIRA à noite, após o segundo dia de acompanhamento. Até aquele instante, Kent Chapple chamava o tempo de Lívia no acompanhamento de "semana da podridão", pois o terceiro transporte dela também envolvera um corpo em decomposição, de uma pessoa morta alguns dias antes. Hoje, ela e os peritos criminais tinham ido à casa de Gertrudes Wilkes, mulher de noventa anos, que a polícia encontrara morta sob as cobertas da cama. A estimativa era de que seu corpo permanecera ali por quase duas semanas, antes que o carteiro desse o endereço às autoridades, quando não conseguiu pôr mais nada dentro da caixa de correio. Sem família para obtenção de informações a respeito dela, a casa estava tomada pelo cheiro da morte quando a polícia abriu a porta, naquela manhã. Quando Lívia chegou com Sanj e Kent, o odor tinha arrefecido um pouco, pois os policiais haviam fervido no fogão o máximo possível de café e aberto todas as portas e janelas. Apesar dos esforços deles, porém, no momento em que Lívia entrou no recinto, lançou mão do Vick VapoRub. Kent inalou intensamente quando passou por Lívia.

Mais tarde, a autópsia revelou que a senhora Wilkes tivera uma morte tranquila em seu sono de insuficiência cardíaca congestiva. Embora nenhum familiar ainda estivesse vivo para ouvir isso, Lívia se confortou com o fato de que a hora dela chegara de forma tão serena. Também foi gratificante que ninguém, além do pessoal do necrotério e da polícia, tivesse sabido que o corpo daquela pobre mulher ficou apodrecendo por duas semanas só porque ninguém que a amava tinha sobrado neste mundo.

Na terça à noite, quando Lívia entrou no vestíbulo de sua casa, tirou o grampo que prendia o cabelo num coque e o deixou cair sobre os ombros. Pegou uma mecha de cabelo e a cheirou.

— Droga!

A morte tinha um jeito de impregnar coisas, como, por exemplo, roupas e sapatos. Mas quando se tratava do cabelo, era pior. Apesar do coque que Maggie Larson a ensinara a fazer, Lívia trouxera para casa alguma parte da pobre senhora Wilkes.

Consultou o relógio. Havia tempo para um banho rápido. Ao abrir a água, pensou em Kent Chapple. Esperava que ele estivesse errado sobre o resto da semana. A podridão da morte envelhecia rápido.

Debaixo do chuveiro, Lívia revisou mentalmente o que descobrira em sua investigação da noite anterior, após voltar para casa com as pastas de Casey Delevan. Ela leu todos os artigos que ele reuniu sobre Nancy Dee, que desapareceu de uma cidadezinha da Virgínia sem deixar rastros e surgiu morta seis meses depois. Ao contrário de Gertrude Wilkes, Nancy Dee não morreu tranquila durante o sono. Além disso, infelizmente, tinha muitos familiares para tomarem conhecimento dos tristes detalhes. Seu corpo fora enterrado numa cova rasa na floresta e descoberto por um cachorro e seu dono.

Lívia também leu acerca de Paula D'Amato, caloura do Instituto de Tecnologia da Geórgia, que desaparecera oito meses antes de Nancy Dee, e cujo paradeiro ainda era um mistério. Diana Wells, a terceira garota cujo perfil Lívia encontrara na gaveta de Casey Delevan, era mais difícil de considerar. Na segunda-feira à noite, uma busca rápida no Google revelou que Diana era estudante da Universidade Estadual de Elizabeth City. Mais cedo, durante o dia, a caminho da casa de Gertrude Wilkes, Lívia conseguiu encontrar um número de telefone e chegou a Diana Wells.

Fora do chuveiro e sem o cheiro da morte no cabelo, Lívia percorreu o longo caminho para Emerson Bay e entrou no Starbucks em East Bay. Para um lugar que vendia café e bolos, estava lotado às oito da noite, com crianças grudadas em laptops ligados em tomadas nos tampos das mesas, estudantes em diversos tipos de estudo, e casais conversando e bebendo *cappuccinos*.

Sentando-se ao balcão, Lívia lançou olhares expectantes para três mulheres que entraram, oferecendo contato visual e um sorriso tímido. Todas a ignoraram. Uma quarta mulher entrou com olhar perscrutador, e examinou o recinto até deparar com Lívia, que ergueu a mão num aceno discreto. A mulher se aproximou, e Lívia ficou de pé.

— Diana?

— Sim. Você é a doutora Cutty?

— Sou. Obrigada por ter vindo.

Com uma expressão perplexa, Diana Wells exibia uma ruga se formando entre as sobrancelhas.

— Acho que estava esperando alguém mais velho.

— Acabei de terminar minha residência. Posso lhe oferecer um café?

— Sim. Quero um *latte* com baunilha.

Alguns minutos depois, sentadas frente a frente, Lívia tirou um bloco de papel amarelo. Observou Diana Wells. Uma garota acima do peso, com um lado da cabeça rapado quase careca e uma parte abrindo caminho para uma onda de cabelo roxo penteado para o lado. Um *piercing* nasal e outro labial e maquiagem pesada pediam descoberta e atenção.

— Não quero desperdiçar seu tempo, Diana. Assim, vou direto ao ponto. Como você conheceu Casey Delevan?

— Na realidade, não o conheci. Quero dizer, nem sabia seu sobrenome até vê-lo no noticiário como o cara que saltou da ponte Points. Só o encontrei uma vez. — Ela fez uma pausa breve. — Você o tirou mesmo das águas da baía?

— Não exatamente. Fiz sua autópsia. Como você o conheceu? — Lívia procurava por uma maneira de obter informações da garota sem mencionar que seu perfil estava presente na gaveta de Casey Delevan, junto com o de duas outras garotas, uma morta e outra desaparecida, e sem se atrever a discutir sua suspeita de que ela era a próxima em sua lista.

— Num bar — Diana disse.

Lívia esperou.

— Olhe, já conversei com a polícia sobre isso.

— Sobre Casey Delevan?

— Sim.

— Quando?

— Naquele verão — Diana informou. — No verão em que tentei ingressar no clube.

Lívia inclinou a cabeça para o lado.

— Que clube?

Diana encarou Lívia com uma expressão confusa.

— O Clube da Captura. Achei que você telefonou por causa dele.

Lívia considerou a melhor abordagem para lidar com Diana Wells e decidiu que a honestidade era a melhor:

— Chegamos a alguns resultados confusos na autópsia. Estou tentando obter mais informações a respeito de Casey Delevan de pessoas que o conheceram.

— Confusos como? Ele não saltou da ponte?

Lívia abriu as palmas das mãos e balançou a cabeça negativamente.

— Não temos certeza. Me fale sobre esse clube.

— Como eu disse, o nome era Clube da Captura. Era um grupo de pessoas que falavam de casos de pessoas desaparecidas.

— Falavam como?

— Não sei. Simplesmente discutiam os casos. Todos os detalhes, o que a polícia sabia e suas próprias teorias.

— Casos locais?

— De todos os lugares. Em todo o país. Na realidade, em todo o mundo. Descobri o clube depois que comecei a conversar com Casey em salas de bate-papo on-line.

— Então, você o conheceu na internet?

— Sim. Não, na verdade não. Quero dizer, não sabia seu nome durante as conversas on-line. Nas salas de bate-papo, ele me falou do clube, que gostava de casos de pessoas desaparecidas, assim como eu, e que se eu estivesse interessada em ingressar no clube poderia me tornar sócia.

— E você se interessou?

— Sim. — Diana deu de ombros, como se a opinião dos outros não significasse nada para ela. — Curti aquela coisa.

— Que coisa?

— Sequestros.

— Curtiu como?

— Fiquei curiosa a respeito deles. Queria saber o que acontecia com as pessoas que eram sequestradas. Queria acompanhar suas histórias e ver como era. — Diana tornou a dar de ombros. — Igual a qualquer outra pessoa que lê a revista *Events*, quando uma garota desaparecida é posta na capa.

— Tudo bem. Você ingressou nesse clube?

— Eu quis, mas...

Lívia esperou.

— Para virar sócia era preciso que a pessoa passasse por um sequestro. Um sequestro falso.

— Você tinha de concordar em ser sequestrada?

— Tudo que eu disse — Diana prosseguiu num tom defensivo — foi que estava interessada no clube. Nunca concordei com o sequestro. Só falei que parecia legal. Então, os caras me surpreenderam e me fizeram acreditar que era real. Eu estava bêbada na noite em que conheci Casey. Não fazia ideia de que ele era o cara das salas de bate-papo. Casey me fez acreditar que ele estava interessado em mim. Me paquerou. E, no fim da noite, eu o acompanhei e entrei em seu carro, achando que estávamos indo para uma festa de uma república. Foi quando aconteceu.

— Quando aconteceu o quê?

— Enfiaram um saco na minha cabeça, me amarraram e me levaram a um prédio abandonado.

— Meu Deus! — Lívia exclamou.

— Mas eu fiquei tão histérica que eles acabaram me levando de volta ao bar e me deixando no estacionamento.

— Casey não te machucou?

— Não. Fisicamente, não.

— Você voltou a vê-lo?

— Nunca. Até ele aparecer no noticiário, algumas semanas atrás.

— E você procurou a polícia por causa disso, depois?

— Meus pais me obrigaram.

— O que houve?

— Nada. Os policiais disseram que nunca encontraram nada sobre o clube, e que eu era uma participante voluntária.

Lívia baixou os olhos e observou suas anotações.

— Você disse que Casey estava com um amigo. Você o conhecia?

— Dois amigos. Um rapaz e uma garota. Não os conhecia. A garota foi que colocou o saco na minha cabeça depois que entrei no carro de Casey.

— Quantas pessoas estavam lá?

— No carro? Apenas Casey, o outro cara e a garota. Mas no prédio abandonado havia muita gente. Tipo umas vinte ou mais pessoas. O clube inteiro, acho. Porém, antes de ver todos os membros do clube, fiquei só com Casey e a garota. Os dois me amarraram numa cadeira e sussurraram coisas horríveis no meu ouvido. A garota ficou me dizendo o que iriam fazer comigo. Coisas indecentes, nojentas.

— Você viu essa garota alguma vez?

— Não. Ela estava no bar com Casey, mas não prestei atenção a ela. No carro, ela ficou no assento traseiro, e estava muito escuro para vê-la. Em seguida, ela enfiou o saco na minha cabeça.

Lívia colocou a caneta sobre a folha de papel.

— Você sabe o nome dessa garota? Essa que pôs o saco na sua cabeça?

— Sim — Diana afirmou. — Casey a chamava de Nicole.

21

DOIS TRANSPORTES COM OS PERITOS, NA MANHÃ DE quarta-feira, fizeram Lívia voltar ao Instituto Médico Legal às duas da tarde. No escritório dos alunos, ela se sentou a sua mesa e navegou pela internet. Estava à procura de algo sobre Casey Delevan ou o estranho grupo de pessoas perversas que Diana Wells chamou de Clube da Captura, cujos membros, Lívia temia admitir, incluíam Nicole. Embora Lívia não tivesse encontrado nenhuma organização com esse nome, conseguiu localizar uma grande presença on-line de indivíduos interessados nos detalhes de pessoas desaparecidas no presente e no passado.

Após uma hora de pesquisa, voltou a dirigir sua atenção para Casey Delevan. Num site de 2015, que não era atualizado fazia algum tempo, Lívia encontrou um anúncio da empresa Two Guys Handyman Service, contendo os nomes de Casey Delevan e Nathaniel Theros. Também havia um número de telefone e um endereço. Lívia anotou ambos e, então, Kent Chapple apareceu na porta do escritório.

— Terminamos por hoje, doutora. Qualquer chamada após as três será atendida pelo segundo turno. Vejo você amanhã de manhã.

— Obrigada, Kent.

Lívia pegou a anotação contendo as informações a respeito de Nathaniel Theros e deixou o escritório. Ele morava no lado oeste de Emerson Bay. De Raleigh, o percurso de carro levou cerca de duas horas. Os freios rangeram quando Lívia parou diante da residência de Theros.

Era uma casa de um andar, com arbustos malcuidados, gramado desleixado e ervas daninhas forçando a passagem através das rachaduras da calçada. Ficava num bairro decadente, que incluía outras casas malconservadas, constituindo as ruínas de West Emerson Bay, onde a indústria morrera por causa do fechamento das fábricas e de sua transferência para o exterior. Ao longo de décadas, uma grande transformação ocorreu em Emerson Bay, quando as atividades portuárias e de remessa de cargas se espalharam para o norte e para o sul. Foi como se uma gota de detergente tivesse caído sobre Emerson Bay e afastado fábricas e estaleiros sujos, deixando a limpa comunidade à beira do lago de East Emerson Bay, chamada de East Bay pelos moradores locais, que era descolada, jovem e florescente. As casas à margem do lago atraíam os ricos, e o turismo era desenfreado. Os restaurantes, as lojas e as galerias de arte prosperavam, com os moradores locais e os turistas caminhando pelas ruas de paralelepípedos, comendo em varandas e observando a baía e os barcos a vapor restaurados que percorriam a via navegável.

No entanto, se o turismo se enraizou e floresceu, virando a principal atividade econômica de Emerson Bay, o lado oeste sofreu. Sem as fábricas e os estaleiros, e sem o benefício de uma bela orla lacustre, West Bay se tornou o lado agonizante da cidade, com tanques enferrujados de antigas refinarias e pátios ferroviários que contribuíam para uma vida ruidosa. O que costumava ser um lugar onde o povo trabalhador se refugiava depois de um dia nas docas ou nas fábricas, um lugar onde um pequeno quintal para os filhos e ruas seguras eram o suficiente para uma existência agradável, West Bay agora era um local só visitado quando necessário. E, para Lívia, nesse dia não havia como evitá-lo.

Lívia conferiu o endereço pela última vez e, em seguida, subiu os degraus e tocou a campainha. Os cachorros latiram sem parar e arranharam a porta do outro lado. Houve alguns gritos antes de a porta finalmente se abrir.

— Sim? — o homem disse.

— Nathaniel Theros?

— Só se eu estiver encrencado. Caso contrário, Nate.

Lívia sorriu.

— Sem problemas. Meu nome é Lívia Cutty. Queria te fazer uma pergunta estranha.

O homem estava curvado, segurando um grande rottweiler pela coleira. As tatuagens desbotadas apareciam sob a camiseta, nos braços e no pescoço. Ele ergueu as sobrancelhas.

— Gosto de coisas estranhas.

— Você conhecia um cara chamado Casey Delevan?

Nate deu um sorriso instantâneo.

— Ah, sim. Tempos atrás.

— Importa-se se eu fizer algumas perguntas sobre ele?

— Casey está encrencado?

— Pode-se dizer que sim.

— Você é da polícia?

— Não, sou médica.

Nate fez uma expressão esquisita.

— Me dê um segundo. Vou prender Daisy.

Lívia esperou na varanda, e Nate desapareceu no interior da casa, arrastando Daisy, que rosnava e latia. Ela ouviu o barulho de uma gaiola e, pouco depois, Nate reapareceu. Ele atravessou a porta de tela, caminhou até a escada na entrada, apoiou-se contra o corrimão do lado oposto dela e acendeu um cigarro, que brilhou no crepúsculo de outubro.

— Por que uma médica está perguntando por Casey Delevan?

— Curiosidade, principalmente. Trabalho no Instituto Médico Legal, em Raleigh. Sou uma aluna terminando minha formação.

— Ah, sim? Como o CSI?

— Mais ou menos.

— Porra! — Nate disse com um sorriso. — Em que tipo de encrenca Casey está metido?

— Um corpo foi tirado da água em Emerson Bay algumas semanas atrás. Você ficou sabendo disso?

Nate concordou.

— Ouvi falar.

— A identificação revelou que era seu amigo Casey.

Nate riu como se Lívia estivesse contando uma piada. Em seguida, pôs o cigarro na boca.

— Você está me dizendo que Casey morreu?

Lívia fez que sim com um gesto de cabeça.

— Desculpe. Deu nos telejornais.

— Não tenho televisão. Só internet. E não estive por perto nas últimas semanas. O que houve com ele?

— Ainda não tenho certeza — Lívia mentiu. — O corpo foi encontrado boiando nas águas da baía. Há quem ache que ele se matou. Que ele saltou da ponte Points. Vocês trabalharam juntos?

— Sim. Nem sei quanto tempo atrás. Dois anos, talvez. Tínhamos uma empresa de prestação de serviços gerais para caras ricos de East Bay que não sabem consertar porcaria nenhuma. — Nate sorriu ao relembrar. — Estávamos indo muito bem. Mas um dia Casey parou de aparecer. Depois de uma semana, soube que ele tinha partido.

— Partido? Morrido?

— Droga, não! Foi embora, simplesmente. Casey era um andarilho. Tinha estado em toda parte, e tive a impressão de que Emerson Bay era apenas uma parada para ele. Quando Casey não apareceu para trabalhar, imaginei que tivesse se mudado para seu próximo lugar. Mas, na verdade, posso vê-lo saltando de uma ponte. Ele era o cara mais louco que já conheci. Deprimido talvez, não sei.

— Quando Casey deixou de ir trabalhar?

Nate assumiu uma expressão de exasperação, como se Lívia o estivesse desafiando com uma pergunta que envolvia cálculo.

— Não sei. Foi um tempo atrás.

— Vamos retroceder. Quando vocês criaram a Two Guys, sua empresa de reparos e manutenção? No verão?

— Não. Foi na primavera — Nate afirmou. — Imaginei que todos os ricos iriam querer pintar e reformar suas mansões antes de o verão chegar.

— Então, foi na primavera de 2016? Digamos, há vinte meses?

Nate enrugou a testa.

— Sim, acho que sim. Dois anos atrás, como eu disse.

— Tudo bem. Então, vocês começaram na primavera. E disse que tinham trabalho?

— Ah, sim! Tínhamos muito trabalho.

— Você e Casey trabalharam juntos durante quanto tempo? Você lembra?

Nate deu uma tragada no cigarro e balançou a cabeça para a frente e para trás, como se escutasse música.

— Alguns meses. Lembro que fez bastante calor naquele verão e estávamos pintando uma casa imensa na baía. Estava tão quente que tínhamos de nos esconder do sol, seguindo as sombras ao longo do dia, para poder trabalhar. Isso! Agora me lembro de que Casey sumiu no meio desse trabalho. Tive de terminá-lo sozinho. Uma casa imensa à beira do lago. O cara me pagou, e até guardei algum dinheiro para dar para Casey quando ele aparecesse. Depois de algumas semanas, decidi que o dinheiro era meu. Considerei que ele não voltaria.

— Isso foi no verão. — Lívia estreitou os olhos. — Em que mês? Você lembra?

Nate ponderou por um instante.

— Não tenho mais a empresa. Como Casey sumiu, não consegui tocar o negócio sozinho. Mas guardei a papelada por causa dos impostos. Ainda tenho tudo numa pasta. Quer que eu verifique quando pintamos aquela casa?

— Você se importaria?

— Me dê um minuto.

Lívia ficou na varanda, e Nate tornou a entrar. Cinco minutos depois, ele voltou.

— Agosto — Nate disse, atravessando a porta de tela, segurando uma pequena caderneta que a começou a ler. — O trabalho durou três semanas. Começamos em 13 de agosto. Terminei sozinho em 5 de setembro. A última vez que vi Casey foi na primeira semana de trabalho na casa. Ele deu as caras durante toda a semana. Mas, depois do fim de semana, não voltou mais, se a memória não me falha. — Nate consultou o antigo calendário de bolso em que costumava controlar seus trabalhos. — Sexta-feira, 19 de agosto. Foi a última vez que o vi. — Olhou para Lívia.

Por sua vez, Lívia olhou para a caderneta nas mãos de Nate. Ela manteve uma expressão impassível, mas sua mente funcionava de modo frenético. Nicole desaparecera no sábado, 20 de agosto, em uma festa a que a maioria dos formados da Emerson Bay Hill comparecera. Lívia se lembrou de Art Munson, o senhorio que, em novembro, comunicou o desaparecimento de Casey. Com três meses de aluguel pagos antecipadamente, era possível que Casey tivesse desaparecido em agosto, junto com Nicole. E era possível que o momento da morte, de doze a dezoito meses atrás, como determinado pelo departamento de antropologia do Instituto Médico Legal, tivesse sido naquele mesmo fim de semana.

Os pensamentos de Lívia pegaram direções desconexas, e, por um momento, a doutora Cutty, que foi ensinada a considerar descobertas aleatórias e dar sentido a elas, ficou sem ferramentas para coletar as informações que reunia, sem capacidade de juntar as peças em algo coeso. Algumas partes aleatórias de informações pipocaram em sua mente. A respeito do fim de semana em que Nicole desapareceu e que talvez coincidisse com o sumiço de Casey. Sobre o namoro dos dois. Sobre o grupo perverso chamado Clube da Captura. E de Casey Delevan aparecendo em sua mesa de autópsia.

Sua mente remontou à doutora Larson e aos espetos que ela usou para examinar as misteriosas perfurações no crânio de Casey. As "contusões por pá" na parte de cima de seu braço esquerdo. Sua camiseta coberta de barro do chão em que estivera originalmente enterrado. As cordas e os blocos de cimento, e o pescador que o puxou do fundo das águas da baía.

O pensamento de Lívia se congelou em uma única pergunta. Num impulso, perguntou:

— Você fazia parte do Clube da Captura?

— Droga! — Nate disse, sorrindo, e soltou a fumaça do cigarro pelo canto da boca. — Como você sabe sobre o clube?

— Estávamos procurando todo tipo de coisas a respeito de seu amigo Casey. Conversei com uma garota chamada Diana Wells. Você a conhece?

— Sim, conheço — Nate afirmou sem hesitação.

— Ela não falou nada bem de seu clubinho.

— Diana não conseguiu lidar com a situação. Era uma maluquinha, que ficou muito irritada em sua iniciação. Não foi capaz de lidar com a captura. Tivemos de soltá-la. Foi a primeira vez que tivemos de parar no meio de uma iniciação. Mas não tivemos escolha. Ela teve um acesso de raiva. Achei que fosse ter uma convulsão. — Nate gargalhou. — Puta merda, foi uma confusão!

— Imagino. Fale-me do Clube da Captura.

— Era só um grupo de garotos maconheiros em busca de emoção. Estávamos nessa, naquele tempo. Um fetiche, alguns diriam. A gente não cansava de falar de sequestros e pessoas desaparecidas. Costumávamos conversar sobre todos os casos interessantes. Dissecávamos essa merda. Como o caso daquela garota que desapareceu nas Bahamas. Lembra? Seis anos depois, todos ainda tentavam descobrir o que acontecera com ela. Todos tinham uma teoria. Houve até um programa especial da HBO sobre ela. Casey tinha uma cópia, e assistimos ao documentário em uma das reuniões. Nós, do clube, tínhamos nossas próprias hipóteses e conversávamos sobre todas essas coisas.

Lívia concordou, tentando ocultar sua expressão de desagrado.

— Ainda leio a respeito disso o tempo todo — Nate revelou. — É insano, sabe, que alguém deseje *roubar* alguém. Não o carro, não o dinheiro. Na verdade, roubar a *pessoa*! Sim, o clube era tenebroso, mas o país inteiro também é. Quando alguém importante desaparece, ou o caso é bastante interessante, todos têm o mesmo fetiche. O mundo inteiro, na realidade. Ninguém admite, mas é fato. No clube, ninguém criticava. Todos entendiam. — Ele deu outra tragada e sorriu. — Todos se escondem sob o disfarce da atenção ao noticiário e da tristeza pela vítima e sua família. Ótimo. Fique triste. É normal. Mas não finja que você não sente curiosidade.

— Fale-me das iniciações.

— Era a grande emoção do clube. Para entrar, você tinha de concordar em ser capturado. Era um barato, para os dois lados. Também tivemos algumas capturas épicas.

— Deixe-me tentar entender. Vocês todos concordavam em sequestrar uns aos outros?

— Não, não era desse jeito. Ninguém concorda com algo assim. Não funcionaria. Não era algo que alguém esperava. Casey era o cara dos contatos, que ficava on-line e encontrava os interessados em virar membros. Assim que Casey se convencia de que um novo possível membro estava pronto para o barato, o sequestro era feito. Ninguém nunca o viu chegar. Se alguém esperasse ser capturado, qual seria a graça? Se funcionasse, você precisaria ficar assustado. Quero dizer, apavorado.

— Como Diana Wells.

Nate soltou fumaça no ar noturno.

— Ela não entendeu o espírito do clube.

— E Casey era o quê? O responsável pelo clube?

— Ele era o cara!

— Do que mais vocês falavam nas reuniões? De que outros casos?

— Porra! De muitos. Alguns bem antigos. Como dos anos 60. Mas principalmente de casos atuais.

— Por exemplo?

— Os casos locais, ou de algum lugar próximo, eram sempre um grande assunto.

— Vocês conversaram alguma vez sobre o caso de Megan McDonald e Nicole Cutty?

Nate olhou para Lívia, com os cantos dos olhos ligeiramente enrugados, em sinal de suspeita.

— Jura que você não é policial?

— Juro. Você sabe quem são essas garotas? Megan e Nicole.

— Claro que sim.

— Sim? Nicole Cutty era minha irmã.

— Sério?

— Sério. Casey e o clube falaram alguma vez de Nicole ou Megan?

— Você quer dizer a respeito do desaparecimento delas? Não.

— Não? Por que não? O caso de Megan McDonald teve tanta visibilidade. Além disso, elas eram daqui. Um caso tão grande e tão próximo devia ter empolgado vocês.

— Totalmente. Fiquei fascinado. Ainda estou. Segui Megan McDonald on-line e assisti a suas entrevistas... Até li seu livro. Mas o clube não existe mais. Casey organizava tudo. Assim, quando ele sumiu, o clube acabou. Tentamos nos reunir algumas vezes. Costumávamos nos encontrar na antiga Coleman's, mas sem Casey não era a mesma coisa. — Nate sorriu. — Então, Nicole era sua irmã?

— Era — Lívia respondeu, concordando.

Nate deu outro sorriso torto.

— A captura dela foi uma das mais épicas do clube. Nicole quis que fosse sombria e suja. A maioria das pessoas não conseguia lidar com o que fizemos com Nicole. Ela adorou.

Lívia engoliu em seco, empurrando o que estava tentando aflorar na garganta.

— Quer dizer que Nicole fazia parte de seu clube?

Nate franziu a testa, como se todos soubessem disso.

— Não era só parte, mas tinha Casey nas mãos. O que quer que Nicole quisesse, ela conseguia.

Lívia piscou.

— Não entendi.

Nate terminou de fumar e jogou o cigarro na grama com dentes-de-leão e latas vazias de cerveja.

— Sendo sincero com você: Casey e Nicole estavam transando e dirigindo o clube. *Juntos*. Do que quer que Casey ficasse a fim, sua irmã também ficava. A coisa toda com Diana Wells deu errado porque Nicole a levou muito longe, e Casey consentiu.

Ante essas palavras, Lívia recuou meio passo e se apoiou contra o corrimão oposto àquele em que Nate estava encostado. Ela tentou assumir uma expressão descontraída.

— Você já falou disso para a polícia?

— Nunca falei nada para a polícia.

— A polícia já falou com você?

— Porra, não.

— Tem certeza?

— Você não acha que eu saberia? Acredite em mim.

— Mas Nicole sumiu. Megan McDonald também. O caso apareceu em todos os noticiários. Ao mesmo tempo, Casey não voltou mais para trabalhar. Você nunca parou para pensar se existia uma ligação?

Nate deu de ombros.

— Com o sumiço de Nicole, imaginei que Casey caiu fora para evitar alguma encrenca com a polícia. O namorado sempre é pressionado. Sabe o que quero dizer?

Nate pegou outro cigarro e ofereceu o maço para Lívia.

— Não, obrigada. Quer dizer que esse clube não existe mais?

— Puf! — Nate acendeu o isqueiro e pôs a chama na ponta de seu Marlboro. — Sumiu, desse jeito. — Soltou o dedo da rodinha do isqueiro, fazendo a chama morrer.

— Mas você ainda segue as histórias de garotas desaparecidas, não é?
— Está no meu sangue, ou sei lá como dizem. Você sabe?
— DNA.
— Certo. Está no meu DNA. Não é minha culpa. É apenas parte de mim.
— Você tem o DNA doente, senhor Theros.
— Foi o que me disseram.
— Importa-se se eu voltar e fizer mais algumas perguntas se algo mais aparecer sobre Casey?
— Claro que não. Fique à vontade.
Descendo a escada, Lívia deixou a varanda.
— Casey está mesmo morto, doutora?
— Infelizmente, sim — Lívia afirmou, olhando por sobre o ombro.
— Sinto muito por Nicole. Ela era uma garota muito legal.
Lívia atravessou o gramado da frente da casa, com uma imagem muito diferente de sua irmã se formando em sua mente. Aquela de Nicole levando livros de Harry Potter para sua cama desapareceu, substituída agora pela aura de uma jovem vestida de preto, desesperada por atenção e disposta a não medir esforços para consegui-la.

22

Outubro de 2017

O TÉRMINO OFICIAL DA SEMANA DE ACOMPANHAMENTO de Lívia estava previsto para sexta-feira, às cinco da tarde. Porém, com a anuência de Kent, ela conseguiu se ver livre ao meio-dia. Após a busca e o transporte de uma vítima de suicídio de quarenta anos, que ligou o motor do carro na garagem fechada e esperou que o monóxido de carbono o matasse, Sanj Rashi estacionou o furgão no Instituto Médico Legal. Em seguida, tirou a maca com o corpo e a conduziu pela entrada dos fundos do necrotério. Lívia ficou do lado de fora com Kent.

Ao todo, durante a semana de acompanhamento, Lívia participou da busca e transporte de doze corpos, aprendendo com Kent e Sanj as complexidades e os truques da investigação da cena. Embora a semana tivesse sido fascinante, Lívia se pegou ansiando pela chegada da sexta-feira para voltar ao necrotério, à sua mesa de autópsia, aos seus instrumentos e ao ambiente controlado da sala. O que ela aprendeu em sua primeira semana de acompanhamento, porém, se provaria inestimável na continuação de sua formação, e ela voltaria na manhã de segunda-feira mais instruída do que quando saiu. Também estaria revigorada e pronta para seu próximo caso.

Kent pegou um cigarro.

— Tem certeza de que não se importa se eu sair mais cedo hoje? — Lívia perguntou.

— Você é de um escalão superior ao meu, doutora.

— Obrigada. Gostaria que o doutor Colt não ficasse sabendo disso.

— O que acontece no furgão do necrotério morre no furgão do necrotério. — Kent sorriu.

— Te devo uma.

— Cuidado com o que você promete. Eu costumo tirar vantagem dos meus favores.

Lívia apontou para o cigarro dele.

— Sabe o que esse trabalho fez comigo em apenas três meses, Kent?

— O quê?

— Me ensinou a ver as pessoas de dentro para fora. Ou pelo avesso... acho que esse é um jeito melhor de dizer. Vejo você morrendo de câncer de pulmão ao tragar esse cigarro. Vejo seu corpo sem vida sobre minha mesa de autópsia, assim como todos os tumores necróticos em seus pulmões estenosados. Vejo sua traqueia marcada com cicatrizes e cinzas, e seus lábios e sua língua pretos com a morte expectante, que avançou por sua garganta e encontrou seus pulmões. Vejo marcas de inchações brancas de tumores cancerosos em todo o seu abdome, e seus nós de linfa inchados com...

— Tudo bem, pelo amor de Deus! — Kent deixou cair o cigarro e pisou nele.

— Desculpe. Só estou falando para você dos perigos do meu trabalho. Desde quando você fuma, afinal? Eu te conheço há três meses, e a primeira vez que o vi fumando foi dois dias atrás.

— Hábito antigo. Apenas o retomei.

Lívia caminhou até o furgão e se apoiou contra ele, colocando-se ao lado de Kent. A semana de acompanhamento, com a maior parte dela passada dentro do furgão, proporcionou diversas oportunidades para conversas. A invenção de crenças a respeito dos médicos-legistas era desmedida, sobretudo a ideia de que todos eram rigorosos com os peritos. Algo que Lívia estava achando um mito. Os médicos-legistas trabalhavam muito próximos dos peritos, e eram as pessoas que passavam a conhecer melhor.

Após cinco dias, Lívia se deu conta de que podia descobrir muita coisa sentada no assento traseiro do furgão do necrotério. Kent suportava um casamento infeliz com sua namorada do ensino médio. Os filhos eram o único motivo pelo qual ele e a mulher permaneciam juntos, e os dois discutiam abertamente a melhor hora para o divórcio. Talvez quando os filhos entrassem no colégio, mas o divórcio representava uma transição complicada para as crianças num momento já desafiador. O ingresso na faculdade era o próximo melhor momento, mas estava longe, e a ideia de "coexistirem" por tanto tempo era difícil. Kent não acreditava em terapia e se recusava terminantemente a confessar seus aborrecimentos e desapontamentos a um psiquiatra. No meio da semana, lamentando-se no assento dianteiro e soltando a fumaça do cigarro pela fresta da janela, Kent disse que tinha um estoque sem fim de corpos que escutariam as histórias de sua vida de merda.

— As coisas melhoraram em casa? — Lívia quis saber.

— É possível empilhar um monte de bosta de diversas maneiras, doutora.

Lívia sorriu.

— Tente usar uma bola antiestresse em vez de fumar. A bola vai manter suas mãos ocupadas enquanto você estiver no furgão.

— Vou tentar.

— Você falou a semana toda de sua mulher. Quero que saiba que escutei tudo com muita atenção.

Foi a vez de Kent sorrir, projetando o queixo para a frente.

— Basta se lembrar de nossa conversa quando você se casar, doutora. Espere pela pessoa certa, porque, depois que você tiver filhos, vai se sentir presa a eles. — Após uma breve pausa, ele perguntou: — Então, está saindo com alguém?

Lívia fez que não.

— Esse trabalho é exaustivo. Neste momento, estou mais interessada em impressionar o doutor Colt do que um namorado. E o meu escape atual para a energia reprimida é chutar um saco de pancadas Everlast seguro por um homem imenso chamado Randy.

Kent franziu os lábios.

— Eu vou ignorar essa resposta.

— Ótimo. Falei para me safar dessa.

— Deu certo. Então, o que está tramando para hoje? Por que quer cair fora mais cedo?

— Estou indo a Richmond para me encontrar com o médico-legista chefe de lá.

— Ah, sim? Por quê?

— Tem a ver com aquele cara que saltou da ponte, que você trouxe para mim algumas semanas atrás.

— O que tiramos das águas da baía?

— Ele mesmo.

— Esse caso ainda está pendente?

— Sim, mas não estou mais envolvida. Os rapazes de Homicídios estão tratando do caso. Só estou curiosa.

Kent passou a língua pelo lado de dentro do lábio inferior.

— Curiosa de quê?

— É uma longa história, Kent. Se tivéssemos mais algumas horas juntos no furgão, eu lhe contaria.

— Não vamos ter. Mas você pode me contar outra hora.

— Você vai tirar férias na próxima semana?

— Sim. Vou pescar por alguns dias em Tinder Valley.

— Eu o verei quando você voltar?

— Claro. Você se saiu muito bem esta semana, doutora.

APÓS SUA JORNADA EM EMERSON BAY PARA ENCONTRAR Diana Wells e Nate Theros, Lívia passou as últimas duas noites concentrada em Nancy Dee, a garota descrita nos artigos que ela encontrou na gaveta de Casey Delevan. Depois de duas noites investigando o desaparecimento da garota, as buscas para encontrá-la, os vaivéns das pistas, as pessoas que foram interrogadas e, passados seis meses do desaparecimento, a descoberta de seu corpo em uma reserva florestal da Virgínia, não havia muito que Lívia não soubesse acerca de Nancy Dee.

Sequestrada no condado de Sussex, na Virgínia, em março de 2015, de início houve um grupo de suspeitos habituais, incluindo o pai e os namorados. No entanto, as suspeitas logo se evaporaram quando todos do grupo forneceram álibis bastante sólidos.

Nas primeiras semanas, empreendeu-se uma busca intensiva, e enquanto Lívia tomava conhecimento da história de Nancy, as palavras a levavam de volta para o ano anterior, quando os moradores de Emerson Bay procuraram por Nicole e Megan. Essa busca também foi frenética. No começo, cheia de esperança de que haveria uma explicação simples para os sumiços, a busca lentamente caiu sob um manto de apreensão à medida que os dias avançaram. Quando Megan McDonald ressurgiu como que por milagre, perambulando pela Rodovia 57 duas semanas após desaparecer, a alegria tomou conta da cidade e o júbilo inundou o país, varrendo-o de leste a oeste como um tsunami. Em pouco tempo, surgiram os detalhes da fuga ardilosa de Megan do bunker na floresta e do caráter resiliente da garota durante o cativeiro. Era tudo o que todos queriam, e a celebridade de Megan ocultou nas sombras o fato de que Nicole continuava desaparecida.

O tempo se encarregou de relegar a história de Nancy Dee a segundo plano. O intervalo de atenção do público era curto, e havia muitas outras histórias que surgiam para distraí-lo. Até o corpo de Nancy aparecer numa cova rasa perto da divisa da Virgínia, no condado de Carroll, a maioria tinha se esquecido dessa pobre garota. Então, num surto curto e final, Nancy tornou a ganhar as manchetes e, em seguida, desapareceu para sempre, lembrada apenas pela família, pelos amigos e grupos de fetiche que gostavam de tais horrores.

Lívia reuniu tudo que tinha sobre Nancy Dee e pôs no assento dianteiro do carro. A Virgínia, assim como a Carolina do Norte, possuía um sistema estadual de médicos-legistas, o que significava que as mortes suspeitas eram tratadas pelo Instituto Médico Legal, em contraste com as instalações menores, dirigidas por legistas, espalhadas pelos condados. No dia anterior, Lívia telefonara para a doutora Ângela Hunt, a médica-legista chefe da Virgínia, para perguntar sobre Nancy Dee. A doutora Hunt concordara em se encontrar com Lívia se ela conseguisse chegar a Richmond às quatro da tarde.

Pela estrada I-85, num percurso direto, a viagem de Raleigh a Richmond durou duas horas e meia. Lívia encontrou o Madison Building e estacionou sob dois mastros altos, onde a bandeira americana e a do estado da Virgínia tremulavam na brisa vespertina. Depois de alguns minutos de apresentações e exibição de seu crachá de médica-legista, Lívia foi finalmente conduzida ao escritório da doutora Hunt.

— Doutora Cutty?

— Sim. Lívia Cutty.

— Angie Hunt.

Elas apertaram as mãos, e a doutora Hunt fez um gesto para que Lívia se sentasse em uma das cadeiras em frente à mesa. Tomando seu assento, a doutora Hunt perguntou:

— O que traz uma aluna do doutor Colt para o norte?

Lívia sorriu.

— Não o doutor Colt. Esta semana eu acompanhei os peritos. Terminei antes da hora. Então, o *timing* deu certo. Eu queria lhe perguntar sobre aquele caso do ano passado.

— Certo. — A doutora Hunt tirou uma pasta da gaveta inferior.

— Nancy Dee.

— Exatamente.

— Revi o caso depois que você telefonou. Estou feliz por deixa-la dar uma olhada. Foi um caso triste, mas quando o revisei não vi nada que me chamasse a atenção.

— Mesmo assim, gostaria de vê-lo. Por motivos pessoais.

A doutora Hunt fez que sim com a cabeça.

— O que você precisar. Pode usar meu escritório. Avise-me se necessitar de alguma coisa e se tiver alguma dúvida.

— Obrigada.

Quando a doutora Hunt saiu, Lívia pegou a pasta, abriu a capa e encontrou fotos da cena onde o corpo de Nancy foi encontrado. Na última semana, Lívia testemunhara centenas dessas fotos sendo tiradas por Kent e Sanj, ao documentar os corpos que foram chamados para investigar e transportar.

Lívia tirou as fotografias da pasta e as colocou a sua frente. Elas retratavam o corpo sem vida de Nancy Dee, parcialmente coberto por folhas. Olhos fechados, pele pálida e coberta de terra, cabelo emaranhado e compactado como uma escultura. Lívia não pôde evitar sobrepor o rosto de Nicole nas fotos. A imagem fez seu coração se apertar e seu estômago arder.

Um praticante matutino de *jogging*, cujo cachorro, que o acompanhava, mudou de rumo e entrou na floresta, na certa incitado pelo cheiro do cadáver, descobriu Nancy Dee. Desaparecida por seis meses, a identificação foi rápida depois que o cadáver foi transportado ao necrotério da doutora Hunt.

Lívia se voltou para as fotos da autópsia e examinou as descobertas, lendo o laudo como uma praticante de leitura dinâmica. Nos últimos quatro anos, ela leu centenas de laudos como aquele, e escreveu muitos nos três primeiros meses do curso de especialização. Lívia esperava revelações a respeito dessa pobre garota, raptada nas ruas da Virgínia e abusada por um monstro, que morreu por algum ato de violência bárbaro. De fato, a autópsia revelou abuso sexual. No entanto, as fotos do corpo vistas por Lívia não eram dignas de nota. O exame externo observou escoriações e contusões nos tornozelos e nos pulsos, provavelmente por imobilização, mas, de resto, não havia sinais de abuso físico.

Depois de folhear o laudo da autópsia, Lívia chegou à última página. A *causa mortis* fez sua mente fraquejar. Ela voltou para o laudo de toxicologia e o releu. Seu dedo correu pela página e parou no sedativo descoberto na corrente sanguínea de Nancy Dee. Como foi encontrado em alta concentração, determinou-se que o organismo de Nancy não teve condições de metabolizá-lo completamente, o que significava que ela morreu pouco depois de sua ingestão. A quantidade consumida foi tão grande que atacou seu sistema respiratório e provocou uma parada respiratória fatal. Quem manteve Nancy em cativeiro por seis meses, por acaso ou com intenção, ministrara uma dose elevada de um anestésico chamado cetamina.

Por alguns instantes, Lívia levou em consideração o medicamento, recorrendo ao seu conhecimento recém-refinado de farmacologia adquirido com seu estudo compulsivo após o fiasco na gaiola no caso da idosa vítima de queda. A cetamina era utilizada sobretudo por veterinários para sedação antes de cirurgias, mas tinha um papel limitado na medicina tradicional. Chamado de Special K pelos jovens, também era usado indevidamente como alucinógeno. Em combinação com o Diazepam, como era o caso de Nancy Dee, os efeitos sedativos eram intensificados.

Lívia olhou para o teto do escritório da doutora Hunt. Algo mais sobre o medicamento a atormentou. Ela pôs o dedo na página e correu a unha sob cada letra. C-E-T-A-M-I-N-A.

Quando Lívia caiu em si, foi rápido e sem muita dúvida. Ela arrumou a pasta e a empurrou por sobre a mesa. Por instantes, tentou encontrar a doutora Hunt, mas desistiu após alguns minutos vagando pelos corredores.

Do lado de fora, embarcou em seu carro e deixou o GPS do celular conduzi-la à livraria mais próxima. Entrou numa Barnes & Noble e, cercada pelos últimos títulos de autores conhecidos, foi até o expositor de *best-sellers* de não ficção e pegou o livro de Megan McDonald na prateleira. Lívia o abriu no meio, onde lembrava que tinha lido o que lhe interessava. Precisou de alguns minutos para encontrar o trecho. Era a recordação de Megan do tempo de permanência no hospital após sua fuga do bunker. Sua lembrança daquela noite era nebulosa. Megan escreveu, e muito do que registrou acerca de sua jornada na Rodovia 57 e de sua internação no hospital foi documentado com a ajuda do senhor Steinman, o homem que encontrou Megan descalça e sangrando, e que a transportou em seu carro e a levou à segurança.

Lívia percorria as páginas, louca para encontrar uma única palavra. Finalmente, achou o parágrafo que procurava. Naquela noite, a memória de Megan foi alterada, e ela passou as doze primeiras horas no hospital num estado quase comatoso. Parte de seu transe foi atribuído ao choque e à desidratação. No entanto, segundo os médicos, foi sobretudo devido à grande quantidade de sedativo encontrado em seu organismo. Um anestésico muito utilizado por veterinários. Um medicamento chamado cetamina.

23

MEGAN SENTOU-SE EM POSTURA DE LÓTUS COM OS OLHOS fechados na elegante cadeira de couro do consultório do doutor Mattingly. A sessão dessa noite era um complemento de suas habituais duas consultas mensais. Megan a solicitara especificamente. Desde a sessão em que houve um grande progresso, quando se lembrou do apito do trem ao longe como um ruído recorrente de seu tempo no porão, Megan não via a hora de voltar para a hipnoterapia. Ela sabia que havia mais coisas enterradas em sua memória, provavelmente reprimidas pelos efeitos amnésicos da cetamina, o anestésico que a sedou durante aquelas duas semanas no cativeiro.

Megan acreditava que havia o suficiente em sua própria mente para compreender o que passara. Desde que se lembrou do apito do trem, ela acordava à noite com algo mais que a incomodava. Algo a respeito do porão e de seu cativeiro, que foi liberado durante uma sessão, mas que ainda não estava bastante próximo para emergir e ser útil. Desde que começou o tratamento com o doutor Mattingly, Megan aprendera a diferenciar o que era importante do que era insignificante. Aprendeu quais impressões perseguir e quais abandonar. Suas noites agitadas estavam lhe dizendo que esse anseio mais recente — esse objeto que seus dedos roçavam, mas não conseguiam agarrar — precisava ser investigado.

— Descreva de novo o recinto, Megan. Comece com aquilo que você sabe com certeza — o doutor Mattingly solicitou.

Cada vez mais as sessões assumiam uma trajetória familiar, e Megan aprendera a percorrer esse caminho redundante sem protesto ou resistência.

— O lugar onde durmo está no canto. Colchão, cama box e estrado. A minha frente, encostada na parede atrás da qual fica a escada, há uma mesa.

— A mesa onde sua comida era colocada?

— Não — Megan afirmou, com os olhos fechados. — A mesa das refeições está mais perto da escada. Essa outra está encostada na parede.

— Vá, Megan. Caminhe até essa mesa. Veja-a em sua mente. Veja-a em três dimensões em sua imaginação.

— Eu tento. Quero chegar lá, mas a corrente não é longa o bastante.

— Não force. Só olhe, Megan. Olhe para a mesa e descreva o que você vê.

— Está muito escuro.

— Apenas parece que está muito escuro, Megan. Seus olhos se adaptaram à escuridão. Você vê melhor do que acredita que pode. Olhe para a mesa. Dedique algum tempo e me diga o que vê.

Megan respirou fundo. Levou um minuto para ela responder:

— Há um recipiente sobre ela. Mais nada.

O doutor Mattingly se manteve em silêncio.

— É uma lata... De tinta. Uma lata de tinta spray.

— Muito bem, Megan. Agora deixe essa lata em paz. Esqueça essa mesa que você não consegue alcançar. Vá para a outra mesa. Aquela onde sua comida é deixada. O que há nela?

Sentada na cadeira estofada, as pernas cruzadas de Megan se contraíram enquanto ela caminhava em sua mente até onde a corrente permitia.

— Não há nada lá. Está escuro, e tenho de sentir se a comida foi deixada para mim. Não há nada agora.

— Ótimo, Megan. Excelente. Agora, volte para a cama. Deite-se nela e ouça minha voz... Você já está lá?

Megan concordou.

— Você já se deitou, Megan?

Ela volta a concordar.

— Essa mesa está vazia. Mas às vezes está cheia. Às vezes você acorda e encontra sua comida posta sobre a mesa. O que é que a acorda, Megan? Qual é o som que interrompe seu sono?

Megan balançou a cabeça negativamente.

— O que é, Megan? O que você ouve que a desperta?

— Não... Não sei. A escada, acho. A escada range quando ele caminha sobre ela.

— Sem adivinhação, Megan. Não há necessidade de adivinhar. Tudo o que você precisa está aí, nesse lugar. Apenas ouça tudo e me diga o que você ouve.

— A escada. Não sei! A escada está rangendo. Ele está vindo!

— Ignore a escada rangendo, Megan. Você ouve outra coisa?

— Não. Apenas a escada. Ele está vindo!

— Ok, Megan. Quero que você acorde agora. Você vai acordar em três, dois, um. Acorde.

Megan piscou e olhou para o doutor Mattingly. Sua respiração estava acelerada e ofegante.

— Droga — ela disse após alguns instantes.

— Nós discutimos isso, Megan. Nem toda sessão vai terminar com um grande progresso.

— Estava bem perto da coisa que estou procurando.

— Megan, nesta fase do tratamento, é importante que eu a proteja, para impedir que sua mente vá muito longe durante as sessões. No final das contas, em cada sessão iremos um pouco mais longe, e isso será considerado um progresso. No entanto, ir muito longe em pouco tempo resultará em regressão. Em vez de avançar, sua mente vai recuar, e nosso progresso será perdido.

— Se eu chegar perto de novo, o senhor pode me deixar ali por mais um minuto? Não gosto quando sou controlada. O senhor disse que eu precisava me sentir no controle para a coisa funcionar.

— Estou sempre considerando o que é melhor para você, Megan. Quando sua linguagem corporal e sua voz coincidirem será o momento certo para darmos o próximo passo. Então, vou deixá-la ali. Mas enquanto sua respiração e seu pulso estiveram acelerados, sua mente não estará pronta para esse passo. Isso leva tempo. Desde que se entregou ao processo, você deu grandes passos. É comum querer fazer muito. Mas, como seu médico, preciso mantê-la saudável ao longo do processo.

Megan respirou fundo.

— O senhor é o psiquiatra.

24

SUA ÚLTIMA VISITA, TÃO ANTECIPADA E TÃO BEM PLANE-
jada, não deu muito certo. Naquela noite, ela estava num estado de espírito especialmente desafiador. Ele tomou conhecimento disso assim que entrou no porão. Ao descer a escada, encontrou-a segurando uma parte do estrado da cama desmantelado como um bastão de beisebol. Vê-la assim, tão pronta para atacá-lo, o magoou. Tudo o que ele fizera fora oferecer amor e cuidar dela. Ele queria lhe dar uma chance justa.

Com sua grande esperança de uma noite agradável de companheirismo, era um fardo para ele ter de reparar a intromissão da garota. De início, dominou-a sem grande dificuldade, mas o processo estragou a noite. Em seguida, amarrou-a no lado oposto do recinto, para que pudesse consertar a cama em paz sem medo de ser atacado. Por fim, o pior de tudo: ele a puniu. Era o que mais odiava fazer. Uma pena que aquela grande esperança para a noite terminasse daquela maneira. Contudo, se o relacionamento entre os dois tinha de sobreviver, cada um devia seguir as regras. Ele não estava fora dessas regras. Sem dúvida, não. Desde o início, ele as explicou para ela e prometeu que nunca violaria as regras, a menos que ela o forçasse a isso. Infelizmente, com ela em particular, eram violadas com frequência. Muito mais do que com as outras.

Após a última noite ter terminado tão mal, ele temia que as coisas tivessem chegado a um ponto de ruptura para os dois. Eles estavam numa bifurcação do caminho. Apesar de cada jornada ser única e durar diversos períodos, todas pareciam chegar a essa bifurcação. Numa direção, felicidade e júbilo. Na outra, pesar e tristeza.

Naquela noite, quando ele a encontrou armada e pronta para atacar, consertou calmamente a cama e puniu a garota de modo rápido e adequado. Em seguida, deu mais uma chance para as coisas funcionarem. Ele confiou e acreditou que ela estava disposta a tentar. Naquela noite, ela conversou muito com ele, quase implorando por outra chance. Assim, ele organizou esta noite, outro momento especial, quando ele tinha todo o tempo do mundo, pois ninguém o esperava em casa nem perguntaria onde ele tinha estado. Eles não precisariam apressar as coisas.

Porém, nesta noite, quando ele desceu a escada do porão, soube imediatamente que ela mentira: encontrara-a em ação. Ela usara de novo a extremidade afiada do estrado para arrancar uma das tábuas de madeira compensada que cobriam a janela e que estava jogada no chão. Uma visão evidente de sua mentira. Ela também tinha forçado a moldura da janela — um vidro pesado e grosso — para produzir uma fenda através da qual conseguira meter a metade de seu tronco, ficando com a cabeça, o pescoço e um dos braços presos do lado de fora da janela do porão, e com o peito e a parte inferior do corpo do lado de dentro.

Ela parecia patética e impotente. Até mesmo insensata, pendurada na janela, sem nenhum jeito de ir mais longe ou de recuar de volta para o porão. Nessa condição miserável, ela teria se dado conta de que ele era seu salvador? O único que poderia ajudá-la? Ele sentiu algo por ela. Talvez tristeza. Talvez algo diferente. No entanto, pela primeira vez, também sentiu medo. Teria sido desastroso se ela tivesse tido sucesso. Ela poderia ter arruinado tudo para ele. O pânico se apossou dele com o pensamento do que a liberdade dela traria. As pegadas que ela deixaria, como sementes de pipoca caídas, levariam de volta até ali. As descobertas que seriam feitas. Significaria o fim, algo para o qual ele não estava preparado.

Quando ele entrou no porão, sua mente trabalhou rápido para corrigir seus erros. Ela não teria mais acesso às janelas. Ele reorganizaria o recinto e restringiria os movimentos dela. Triste, mas necessário. Essa noite, a punição seria brutal. Uma demonstração de que esse comportamento não poderia continuar. A mensagem seria transmitida sem remorso.

Ele caminhou até ela e bateu de leve na janela. Exausta em virtude da fuga abortada, ela ergueu a cabeça do chão úmido do lado de fora e olhou para ele através do bloco de vidro muito grosso. Imóvel, com um braço preso em sua lateral e o outro estendido apoiando a cabeça, encostado na lama molhada e na brita do lado de fora da janela, ela sentiu-o esfregar sua perna nua, que pendia do lado de dentro do porão.

Olhando nos olhos dela, ele balançou negativamente a cabeça.

— Tem ideia de quanto me dói quando você se comporta desse jeito?

Com os dentes cerrados, ela chutou violentamente o rosto dele. Num reflexo súbito, ele recuou, perdendo o equilíbrio e caindo no chão, com a mão cobrindo a expressão de ofensa e surpresa estampada em sua face. Ele se sentou no piso de concreto frio e ficou observando-a se debater, com metade do corpo dentro e a outra metade fora da janela do porão, como se fosse uma impotente tartaruga de ponta-cabeça.

Ele ficou de pé e caminhou até o canto. Sobre a mesa, havia uma lata de tinta spray, que ele agitou com força. Enquanto misturava a tinta, a bolinha de aço chocalhava dentro da lata. Durante esse movimento, ele também cerrou os dentes, com os olhos fixos nos dela, que o encarava de volta através do vidro.

Ele foi até a parede oposta da janela e apontou a lata para o concreto. Com tinta preta, pintou um grande "X" ao lado de um "X" anterior, cujas linhas pretas grossas tinham escorrido pelo concreto cinza, secando em lágrimas congeladas de tinta. Os dois conheciam as regras. Três xis significavam o fim do relacionamento. O primeiro fora pintado da última vez, quando ele a encontrou segurando o estrado desmantelado da cama e pronta para lutar por sua liberdade. Esta noite, o segundo "X". As regras eram claras. Depois do terceiro, a chance de redenção não seria concedida, resultando numa separação de caminhos. O sistema era tolo e aviltante. Mas também bem-sucedido. A história lhe dizia que o segundo "X" era disciplinador. Havia sempre um tempo alegre depois que a segunda marca era pintada na parede. Era um tempo de submissão. Um tempo de dádiva. Um tempo em que, no passado, ele se apaixonou.

Contudo, a amor não vinha fácil. Precisava ser conquistado. A traição tinha de ser extinta por completo.

Ele recolocou a lata de tinta sobre a mesa, inalando os produtos químicos agradáveis que saturavam o ar. Então, tirou a camisa para não sujá-la. Dobrou-a impecavelmente e a pôs na mesa. De costas para ela, respirou fundo e expirou lentamente. Em seguida, tirando o cinto, virou-se e se dirigiu até ela. Enlaçou o cinto em torno dos tornozelos dela, apertando-o com força e, então, de forma sádica, puxou-a de volta para o porão através da janela.

VERÃO DE 2016

Vou para casa em todos os feriados.
— Megan McDonald

25

Agosto de 2016
Duas semanas antes do sequestro

ELE TINHA SETE ANOS QUANDO O HOMEM NO PARQUE DE diversões levou seu irmão. Com dedos pegajosos, Casey Delevan levava o algodão-doce à boca quando viu o homem com cabelo ensebado colocar o braço em torno de Joshua e conduzi-lo até o estacionamento. Não havia explicação para seu silêncio naquele dia, nem para o porquê de ele não ter corrido em busca de ajuda. Devia ter encontrado seu pai. Em vez disso, deixou que o açúcar se dissolvesse na língua enquanto aquele estranho levava Joshua, pisando o cascalho, para fora do alcance da visão.

Quase vinte anos tinham se passado desde aquele dia no parque de diversões, e ainda vivia dentro dele. Às vezes, Casey conseguia ficar dias sem pensar naquilo, mas era algo raro. Muitos elementos desencadeadores na vida diária — açúcar, sol e cascalho — o levavam de volta ao parque de diversões, impedindo-o de se esquecer do que acontecera. Aquele dia tinha, havia muito, deixado de ser simplesmente um evento em sua existência. Aquele dia o definiu. Foi o que o trouxe agora ao bunker na floresta. Casey tentou evitar esse lugar, resistir ao seu encanto. Porém, seguir sem preencher o vazio trazia angústia numa escala imensurável. Ele sabia que levar as garotas era a melhor pior opção.

Depois que Casey levou a primeira garota, os meses seguintes se tornaram um período muito sombrio. As semanas de planejamento e as horas de enfadonha estratégia precederam sua viagem. E então, a facilidade surpreendente. A simplicidade de localizá-la e a captura sem sobressaltos: não mais difíceis do que conduzir um menino de nove anos por um estacionamento de cascalho. Na hora ele soube que poderia fazer aquilo cem vezes sem jamais se entediar. Durante uma semana, Casey se sentiu em êxtase, eufórico com o fato de levar sua primeira garota. Mas então o remorso tomou conta, descendo como uma nuvem negra de trovoada. Casey se enfurnou em seu apartamento escuro, ignorou o trabalho e não se alimentou. Perdeu peso e a motivação para fazer qualquer coisa, com exceção de ver tevê. Quando os dias viraram semanas, a vontade de viver se foi. Ela permeava sua mente, aquela primeira garota, e ele se sentia impotente para encurralá-la.

Por fim, a salvação veio de um impulso de construção lenta, um desejo em que ele passou a confiar. Foi a única coisa que trouxe sanidade. Em seu interior, como uma pequena brasa ardente numa fogueira sufocada, existia uma fome crescente que precisava ser saciada. Esse impulso o livrou de sua depressão. A necessidade de caçar, perseguir e encontrar a próxima garota. A emoção da captura e a execução da entrega propiciavam um contentamento inexplicável. Deixar as jovens, presas, assustadas e impotentes para aquele que as solicitou enchia-o de euforia. O ritual foi tudo que o salvou.

Ele não era psicótico, lembrava a si mesmo. Nunca fez mal às garotas que capturou. Por meio do noticiário, mantinha um controle atento sobre elas. Até ali, apenas uma emergira. Sua primeira. A jovem que ele tirara com muita facilidade das ruas da cidadezinha da Virgínia, cuja imagem não o deixou em paz durante seu primeiro período de angústia. Ela foi encontrada enterrada numa floresta do condado de Carroll alguns meses depois de ele tê-la entregado. As outras duas garotas continuavam desaparecidas. Casey sabia que elas ainda estavam lá, talvez no mesmo lugar em que as deixara, e essa ideia desencadeou uma sensação estranha em suas entranhas, que até mesmo Casey Delevan era tímido demais para investigar. Ele não queria descobrir se essa noção o excitava ou o entristecia. Assim, deixou intocado aquele frêmito em seu interior, que implorava por respostas a respeito de onde aquelas garotas estavam e o que vinha sendo feito com elas.

Para reprimir sua necessidade de averiguar as histórias daquelas jovens, Casey deixou o clube ciente dos últimos detalhes e se juntou às discussões quando os sócios especularam sobre quem pegara as garotas e o que poderia ter acontecido com elas.

Casey estacionou sua caminhonete fora da Rodovia 57 e perambulou ao redor da área de descanso. Usou o banheiro e comprou uma Coca-Cola na máquina de venda automática. Examinou alguns folhetos de propaganda que estavam na entrada e, em seguida, sentou-se a uma mesa de piquenique. Esperou trinta minutos até haver uma trégua no trânsito e apenas outro carro estar parado no estacionamento. Então, levantou-se do banco e se dirigiu a uma trilha de terra batida. Seguiu-a e, no meio do caminho, desviou-se e entrou na floresta.

A vegetação densa seguiu por trezentos metros, em declive. Então, Casey emergiu dos espinhos e carrapichos, encontrando uma pequena ravina, que seguiu por dois quilômetros e meio. Era agosto e estava úmido e quente, com mosquitos rechonchudos e maduros após um verão escaldante. Tentando matá-los, Casey desferia tapas no pescoço e nos braços durante a caminhada. Finalmente, avistou a porta do bunker.

Um matagal e dois abetos azuis camuflavam a entrada. Os pinheiros perenes proporcionavam sombra, e a porta de madeira cor de terra — marrom, verde e suja — se integrava à floresta de uma maneira que não podia ser percebida por cem pessoas cem vezes. Um olhar fortuito jamais a detectaria. No entanto, nesse dia, a bandana vermelha amarrada na maçaneta da porta era evidente. Ele sabia que um pedido o esperava. A excitação se apossou de Casey, como se seu coração se enchesse de repente de cafeína e nicotina e bombeasse tudo isso de uma vez em seu organismo.

Casey se acalmou e se sentou num tronco caído. Observou o bunker e a floresta, prestando atenção a qualquer coisa fora do comum. Depois de uma hora, convencido de que estava sozinho, aproximou-se da porta e a abriu. Pesada e grossa, a porta servia a diversos propósitos. Se alguém chegasse a gritar naquele lugar, a porta e as outras três paredes feitas de terra abafariam o som. A porta também permitia que as dobradiças fossem fixadas com parafusos de carpintaria de oito centímetros, que não podiam ser afrouxados, nem cortados. Além disso, a grande tranca deslizante na entrada do bunker era, com certeza, suficiente para impedir a fuga de alguém.

Com a porta do bunker aberta, Casey viu a mochila, e um impulso o dominou, muito poderoso para ser sufocado. Ele adentrou o ambiente com cheiro de mofo e abriu o zíper da mochila. Meteu a mão através do dinheiro, e então, no fundo, encontrou o que procurava. Uma única folha branca de formulário contínuo. Ele desdobrou o pedido e leu:

CABELO CASTANHO, NA ALTURA DOS OMBROS.
CORPO MAGRO E ATLÉTICO, NO FINAL DA ADOLESCÊNCIA.
ESTATURA ELEVADA.

Casey leu repetidas vezes. Olhou ao redor, aturdido com a visão em túnel. Estava ali, de novo, o desejo que fervilhava e animava aquela parte que ele sabia que ninguém mais possuía: um reservatório estranho de emoções sombrias e irregulares que constituíam seu ser. Um pântano negro em sua alma, que odiava e menosprezava, formado anos atrás no parque de diversões, quando, enquanto comia algodão-doce, observou em silêncio o homem de cabelo ensebado pôr a mão no ombro de Joshua e levá-lo ao estacionamento de cascalho.

As lembranças daquele dia — a guloseima açucarada, o ar úmido do verão, o mau cheiro da urina e do excremento dos animais — se misturaram ao longo dos anos de sua adolescência. Concentrações diferentes de culpa se sobrepunham nessas recordações. O remorso por sua inércia naquele dia. A vergonha por observar o estranho levar seu irmão, enquanto ele permanecia mudo, mastigando o algodão-doce. Aqueles pensamentos, imagens e memórias se juntaram para formar sua humanidade. Casey se odiava por permitir que aquele pântano negro em sua mente o definisse. Odiava quando entrava em ebulição e transbordava pelas margens. Odiava por controlá-lo. Odiava sempre. Exceto nas vezes em que amava.

Casey voltou a olhar para a folha em sua mão e leu o pedido mais uma vez. A caçada ia começar.

26

Agosto de 2016
Uma semana antes do sequestro

MEGAN MCDONALD TERMINOU O ÚLTIMO ANO NA EMERSON Bay High com um currículo impressionante. Ela comandou a equipe de animadoras de torcida desde o segundo ano e a levou três vezes ao campeonato estadual. Líder da equipe de debates, jogou basquete no time principal da escola, e ficou em segundo lugar em sua turma na média geral de notas. Passou parte do verão anterior na África do Sul ajudando num hospital improvisado administrado pela organização Médicos Sem Fronteiras, ponto de destaque para seu pedido de matrícula na faculdade de medicina nos anos vindouros. No entanto, sua maior realização foi a iniciativa de liderar um programa de tutoria durante o verão, após o término do segundo ano, que, no total, incluiu oitenta por cento da turma de primeiranistas, e foi criado para ajudar as garotas que chegavam ao primeiro ano a fazer a transição do ensino fundamental ao ensino médio.

Sua determinação em tornar o programa perfeito mereceu um elogio no jornal local. Os professores e os gestores também elogiaram o programa de tutoria e o ambiente criado para as garotas do primeiro ano do colégio. Os pais enviaram cartas descrevendo o quão bem suas filhas se adaptaram durante aquele difícil ano de transição. O superintendente difundiu a notícia do sucesso do programa, e as escolas do ensino médio vizinhas entraram em contato com Megan em busca de conselhos para a criação de suas próprias plataformas de verão. Em pouco tempo, um jovem de destaque de um colégio de Nova York ligou para pedir a ajuda de Megan para criar um programa similar para rapazes. Toda a atenção levou a um artigo na revista *Events* apresentando Megan McDonald e explicando como ela vinha eliminando a ansiedade não só da turma entrante na Emerson Bay High, mas — à medida que seu programa se tornava amplamente adotado — de milhares de jovens em todo o país.

Megan percorria a escola onde se formara um mês antes, quando foi a oradora da turma na solenidade de formatura. Stacy Morgan, que estava indo para o terceiro ano, a acompanhava. Stacy assumiria o programa de tutoria nesse verão, quando Megan fosse para a faculdade.

— Temos mais uma semana para terminar tudo — Megan afirmou, enquanto elas atravessavam o estacionamento. — Sei que você está estressada, mas vai ficar bem. Acredito que você fará um trabalho melhor que eu. As pessoas gostam mais de você.

— Ah, não é verdade. — Stacy balançou a cabeça. — As garotas mais novas te idolatram.

— Elas sentirão o mesmo por você. É preciso apenas que consiga mostrar que você é a líder desse evento. Todos, durante o fim de semana, têm de ver e sentir isso. Desse modo, todos vão te respeitar. Até mesmo o pessoal do quarto ano. Você vai arrasar.

— Obrigada.

Elas pararam junto ao jipe de Megan.

— Vou sentir saudade de você no ano que vem, sabia?

— Sim, eu também, Megan. Mas você vai fazer novas amizades, ingressar numa fraternidade e estar por sua própria conta.

— Talvez. Não ficarei o tempo todo em Raleigh. Voltarei nos fins de semana, e vamos sair.

— Promete?

— Prometo. Você vai à festa na praia, no sábado? — Megan quis saber.

— Sim. Acho que todos irão. Não é aquela em que Nicole Cutty vomitou na fogueira, no ano passado?

Megan deu risada.

— Nicole é uma idiota. Ela engole cinco cervejas para impressionar... quem? Nem imagino. Depois, tenta apagar o fogo com o vômito.

— Ela se comportou como uma puta na outra noite. Não entendo essa garota.

— Eu prefiro ficar fora do caminho dela. Nicole quer drama, e eu espero que ninguém lhe forneça isso.

Stacy sorriu.

— Matt vai estar na festa? Ouvi dizer que vocês ficaram no último fim de semana.

— Não! — Megan respondeu. — A gente se beijou na baía. Foi tudo.

— Achei que tivessem ficado juntos no ano passado.

— Mais ou menos.

Stacy permaneceu calada.

— É complicado. Matt estava numas com aquela garota de Chapel Hill, mas nada sério. De repente, parece que começou a sair com Nicole. Nunca consegui saber a história toda. Então, as coisas estão tipo caminhando, entende?

— Fermentando?

— Urgh! Preciso correr. Vou encontrar meu pai para o almoço. Vejo você no sábado à noite.

Megan entrou no jipe e o pôs em movimento. Pelo fato de seu pai estar se sentindo cada vez mais carente por causa de sua iminente ida para a faculdade, Megan vinha se esforçando nesse verão para passar mais tempo com ele. Era difícil vê-lo dessa maneira. O orgulho que Megan via nos olhos dele era inequívoco, e sabia que ele estava feliz por sua causa. Mas ela também percebia o medo do pai.

Nos últimos meses, a tristeza tomou conta dele, desde que Megan decidiu estudar na Universidade Duke. O *campus* ficava a apenas três horas de distância, mas não era isso o que perturbava seu pai, e sim a ideia de que a faculdade era o primeiro passo para perder sua filha. Megan nunca escondeu o desejo de sair de Emerson Bay e morar numa grande cidade. Fascinada por Boston e Nova York desde pequena, Megan foi franca ao afirmar que essas cidades eram suas primeiras escolhas para cursar medicina após o colégio. Seus interesses poderiam mudar, mas, por enquanto, estava apaixonada pela ideia de estudar neonatologia, e a St. Luke's School, em Nova York, oferecia um dos melhores cursos do país.

Megan parou no estacionamento do Gateways, um restaurante de Emerson Bay que servia boas saladas e hambúrgueres gourmet, e avistou o carro oficial de seu pai estacionado em frente. Megan sabia que ele já estava lá dentro conversando com as garçonetes e os *barmen*, e ganhando um almoço grátis do dono. Seu pai tinha certo carisma e o dom de fazer com que as pessoas se sentissem à vontade. Alguns policiais exerciam sua autoridade como fonte de intimidação. Seu pai nunca foi assim, e talvez esse fosse o motivo de ele ser tão bem-sucedido como xerife. Todos os moradores locais o conheciam, e a maioria gostava dele, por isso votou nele.

Ao entrar no Gateways, Megan viu o jornal espalhado no balcão, uma xícara de café fumegante ao lado e um banco com assento vermelho vazio. Assim que ela se sentou, a garçonete se aproximou.

— Oi, querida. Seu pai está no toalete. O que vai querer?

— Coca Zero, obrigada.

Megan examinou o jornal. A página de esportes estava aberta. Ela virou para a primeira página e espiou as manchetes. Megan lia quando ouviu o som familiar das chaves e do coldre do pai, que se aproximou por trás dela. Ao evocar a lembrança de seus pais, a maioria das garotas imaginava seus rostos, a cor do cabelo ou seus sorrisos. Porém, para Megan, seu pai sempre foi o xerife valentão do condado de Montgomery. Ela o imaginava em seu uniforme mais do que em roupas civis: chaves tinindo e coldre de couro guinchando.

Uma parte dela estava triste pelo fato de partir para a faculdade, mas não nervosa. Megan viajou sozinha para a África e encontrou o caminho para um vilarejo no deserto onde trabalhou ao lado de estrangeiros, num país cuja língua ela não falava. Todo o nervosismo de sua vida foi gasto na viagem com os Médicos Sem Fronteiras no verão anterior. No entanto, havia uma pequena nuance de tristeza quando pensava em ficar longe de seus pais, e sobretudo do pai, a quem ela quis a vida toda agradar.

— Oi, pai. — Megan ganhou um beijo no alto da cabeça.

— Como anda o planejamento do retiro de verão?

— Bem. Stacey tem tudo sob controle. Alguns outros detalhes para resolver, mas ainda temos duas semanas. — Megan girou sobre o banco do balcão quando o pai se acomodou ao seu lado.

— Tenho certeza de que tudo dará certo.

Megan respirou fundo.

— Até certo ponto, estou feliz por passar o controle dele. Isso é ruim?

— De modo algum. O retiro é um monte de trabalho. Não há nada de errado em se livrar dele, entregando-o para outra pessoa.

— Eu gosto do programa. Mas eu quero seguir adiante.

— Você tem apenas dezoito anos, querida. Tem muito tempo para construir um legado.

— Não foi o que eu quis dizer.

O xerife olhou para o jornal, agora com as desagradáveis manchetes da primeira página a encará-lo.

— O que aconteceu com minha página de esportes?

— Muitas coisas acontecem no mundo além de esportes, papai.

Ele resmungou, farfalhando o jornal.

— Ei, papai, recebi um grande pacote da Duke ontem, incluindo o calendário do basquete. Pouco antes do Dia de Ação de Graças, vamos jogar contra o time da Estadual da Carolina do Norte. É um jogo de grande rivalidade. Você e a mamãe devem ir nesse fim de semana, e assistiremos ao jogo. Será divertido.

— Ação de Graças? Ainda está muito longe.

— Não estou dizendo que será a primeira vez que vocês irão me visitar, mas sim que reservem a data para podermos ir ao jogo.

— Qual é a data?

— É o fim de semana anterior ao Dia de Ação de Graças. Depois, no domingo, irei para casa com você e a mamãe para passar o feriado.

Terry McDonald pegou o celular e agendou. Quão fácil era achar que novembro chegaria sem problemas.

— Você já teve alguma notícia da MACU?

Megan sorriu e acariciou o braço de Terry.

— Ainda não, papai.

Era uma brincadeira antiga entre os dois, para que seu pai perguntasse da situação dela em relação à Mid-Atlantic Christian University, a faculdade mais próxima de Emerson Bay. Às vezes, ele também perguntava da Universidade Estadual de Elizabeth City. Ambas as faculdades ficavam a cerca de trinta minutos de distância. Megan não se candidatou a nenhuma delas.

— Bem, talvez só estejam querendo deixar você nervosa.

— Você sabe que irei vê-los em todos os feriados e até em alguns fins de semana prolongados.

— A MACU fica a vinte minutos de casa. Você poderia ir e voltar diariamente, e manter seu quarto conosco.

Megan ergueu as sobrancelhas, fazendo ar de espanto.

— Parece superdivertido. Continue cuidando da minha correspondência, ok?

Eles pediram o almoço. Duas saladas, a pedido de Megan. Seu pai, agora com cinquenta e poucos anos, tinha acumulado uma impressionante protuberância em torno da cintura. Megan vivia a pressioná-lo, pedindo que ele emagrecesse.

— Então, o que vai acontecer este fim de semana, Megan?
— A festa na praia pelo fim do verão.
— Adultos vão estar presentes?
— A festa vai ser ao lado da casa de minha amiga. Ou seja, seus pais estarão por perto.
— Nome?
— Jenny Walton.
— Nada de beber.
— Entendido.
— E se você acabar tomando uma má decisão...
— ...ligarei pedindo uma carona para casa.
— E quando você estiver na Duke, as mesmas regras se aplicam. Sei que jovens bebem, não sou idiota. Prendo *punks* suficientes na cidade para saber das coisas. Mas nada de drogas e nada de dirigir bêbada. E isso significa...

— ...também nada de beber e pedir carona. Se beber, não dirija. Se beber, não peça carona. Entendi, papai. Nunca farei isso.

Terry McDonald inclinou-se para a frente e beijou o rosto da filha.

— Enquanto você cumprir esse acordo comigo, tudo pode ser resolvido.

— Não se esqueça do acordo que eu tenho com você, pai. Se eu tirar boas notas no primeiro semestre na Duke, você perderá dez quilos até o fim do primeiro ano.

O xerife se serviu da salada a sua frente, deixando a rúcula de lado.

— Sim. Fechado. — Ele respirou fundo. — Tenho a sensação de que vou ter de comer muito desta porcaria.

Eles almoçaram tranquilamente juntos, duas semanas antes da faculdade, discutindo o futuro: jogos de basquete, o feriado do Dia de Ação de Graças, perda de peso, faculdade de medicina e grandes cidades. O futuro era algo admitido como coisa natural. Estava sempre ali, esperando para ser vivido.

27

Agosto de 2016
Uma semana antes do sequestro

NICOLE AJUDOU CASEY A GUARDAR O GERADOR NA caçamba da caminhonete dele, junto com o quadro-negro e as mesas dobráveis. Eles fizeram uma última verificação no prédio da antiga cervejaria para se certificar de que não sobrara nada da presença do clube. Tinham limpado o galpão arruinado onde mantiveram Diana Wells, removendo a fita adesiva e o filme plástico que utilizaram para imobilizá-la, e jogando fora a cadeira que a manteve na linha. Quando ficaram satisfeitos, embarcaram na caminhonete de Casey e pegaram a Rodovia 64, deixando a Coleman como nada mais do que uma cervejaria decadente em West Bay.

— A garota parecia um maldito zumbi quando a soltamos — Nicole comentou, no assento de passageiro. — Se ela procurar a polícia, ninguém a levará a sério.

— De qualquer maneira, é melhor darmos um tempo. Só para garantir.

— O que a polícia pode nos fazer, Casey? Ela concordou com tudo. Como todos nós. Você perguntou se ela queria, assim como perguntou para mim. Diana só pirou por causa da maneira como agimos. Ela esperava que a agarrássemos num beco escuro, e, em vez disso, você a seduziu.

— Não importa. Tudo o que sei é que devemos dar um tempo com as coisas do clube.

— Isso é besteira! — Nicole exclamou. — Não é nossa culpa se ela é tão mole.

O colapso de Diana Wells enquanto amarrada e amordaçada na cervejaria era prova de que ela não esperava nada daquilo. Casey julgara mal a resposta dela à difícil experiência quando finalmente a soltaram e lhe deram boas-vindas ao clube. Quase catatônica quando arrancaram o filme plástico de seus braços e pulsos, Diana Wells não conseguiu andar. E quando retiraram a mordaça, as palavras não saíram. Preparado para aplaudir e celebrar, o clube, em vez disso, dispersou-se rapidamente naquela noite. Alguns fugiram, assustados e levando *coolers* a reboque, quando Diana caiu desacordada no chão e ninguém conseguiu despertá-la. Enfim, Casey a levou de volta ao bar e a deixou no estacionamento.

Agora, a situação de Diana Wells representava um problema. Havia rumores de que ela procuraria a polícia, e que seus pais sabiam do clube. Com o prazo se aproximando para entregar a próxima garota, Casey não podia chamar a atenção da polícia. Mas ele tinha de seguir adiante. Havia precauções que poderia tomar para apagar seus rastros se a polícia o procurasse e perguntasse de Diana Wells. A limpeza da antiga cervejaria foi o primeiro passo. A tarefa desse dia era o próximo.

Casey saiu da rodovia e virou à direita no fim da rampa. Um centro comercial surgiu ao longo do acostamento da estrada. Casey entrou no estacionamento e parou a uma boa distância da entrada de uma loja Goodwill.

— Aqui está a lista. — Ele entregou a Nicole uma folha de papel.
— Por que tivemos de vir até aqui para isso?
— Vá e compre o que tem na lista, ok? E pegue mais algumas coisas.
— Como o quê?
— Tanto faz. Compre qualquer porcaria.

Com a lista em mãos, Nicole percorreu quase todo estacionamento e entrou na loja. Comprou uma camisa de manga comprida, uma calça cargo e um horroroso par de tênis — todos os itens da lista de Casey que ele usaria na próxima captura. Ele queimaria tudo aquilo depois, mas se qualquer prova fosse deixada para trás — de fibras a pegadas —, asseguraria que não levaria consigo.

Como itens aleatórios, Nicole pegou um quebra-cabeça, uma planta de plástico repugnante e um conjunto de utensílios para churrasco que vieram acondicionados numa caixa de madeira gasta.

PARTE IV

*Sei que você acha que todos se esqueceram de Nicole.
Mas eu nunca esqueci.*
— Megan McDonald

28

Outubro de 2017
Treze meses após a fuga de Megan

NA MANHÃ DE SEGUNDA-FEIRA, SEU PRIMEIRO DIA NO necrotério depois da semana de acompanhamento, Lívia pôs o avental sobre a vestimenta cirúrgica e cobriu os sapatos com sapatilhas azuis descartáveis. Prendeu o cabelo num coque, e sobre ele a touca. O protetor facial completou seu equipamento de proteção pessoal, e ela se aproximou do corpo sobre a mesa de autópsia.

Carmen Hernandez era uma mulher de quarenta e cinco anos que morreu durante um incêndio em sua casa. Porém, como não havia uma única queimadura no corpo, Lívia já tinha um diagnóstico: asfixia secundária devido a inalação de fumaça. Ou seja, depois de inalar ar cheio de fumaça, os pulmões da vítima ficaram tomados de fuligem, o que resultou em sufocamento. Em seu primeiro caso após a semana de acompanhamento, Lívia tinha algo a provar ao doutor Colt depois do desastre referente à vítima de queda de dez dias antes. Ela bloqueou em sua mente tudo o que ficou sabendo na semana anterior a respeito de Nicole e Casey, do Clube da Captura, de Nancy Dee e da ligação da cetamina com Megan McDonald. Compartimentou tudo e foi trabalhar no corpo a sua frente.

Passados noventa minutos, Lívia concluiu a autópsia de Carmen Hernandez e entregou o cadáver ao técnico que começaria o processo de sutura, reparando a craniotomia e tornando o corpo apresentável para o agente funerário. Lívia terminou a manhã prestando ajuda em outros casos e fazendo observações no laboratório de dermatopatologia. Após o almoço, ela se dedicou a se preparar para a reunião. Às três da tarde, quando todos se reuniram na gaiola, Lívia foi a primeira a se apresentar.

— Descobertas, fatos e opiniões — o doutor Colt requereu, lendo a pasta diante de si.

— Mulher, quarenta e cinco anos, vítima de incêndio em sua casa ontem à noite. Declarada morta na cena por bombeiros. Encontrada escondida em seu quarto. Transportada pelos peritos ao necrotério ontem à noite. Autópsia realizada esta manhã às nove horas e quatro minutos.

— Tempo do exame?

— Noventa minutos.

O doutor Colt fez beicinho e aprovou com um gesto de cabeça.

— O exame externo não foi digno de nota em relação a ferimentos por queimadura. Observou-se congestão nos tecidos moles do rosto e na região periorbitária — Lívia ativou a lousa digital, e uma foto do rosto de Carmen Hernandez surgiu, mostrando bochechas e pálpebras inchadas. — Havia ferimentos por corte na mão e no antebraço direitos... — ela prosseguiu, e outra foto apareceu, revelando incisões irregulares na mão e no braço de Carmen Hernandez. — ...com 7,5 centímetros, 12,7 centímetros e 15,2 centímetros de comprimento. Todas com 12,7 milímetros de profundidade.

A nova foto de Carmen Hernandez mostrava a boca e as narinas.

— O exame interno revelou sinais clássicos de inalação de fumaça: vias aéreas sujas, com fuligem revestindo as membranas mucosas da boca, língua, garganta e nariz. A traqueia estava edematosa e listrada com fuligem. Os pequenos bronquíolos dos pulmões estavam estenosados, com ambos os pulmões contendo grande quantidade de cinzas. O QuickTox mostrou níveis de carboxiemoglobina superiores a setenta por cento.

— O incêndio ocorreu à noite — o doutor Colt afirmou. — Você considerou o nível de álcool no sangue para ver se a vítima se achava sob a influência durante o incêndio, o que pode ter impedido sua fuga e poderá ter implicações para a cobertura do seguro?

— Os resultados toxicológicos deram negativo para drogas ou álcool. A vítima era uma mulher saudável de quarenta e cinco anos e tomava remédios isentos de prescrição.

— E o ferimento na mão, doutora Cutty? Como isso se explica?

Outras fotos apareceram. Essas foram tiradas por Sanj e exibiam detalhes da cena. Em uma delas, havia uma janela quebrada e, em outra, via-se Carmen Hernandez deitada sem vida sobre o piso debaixo da vidraça.

— De acordo com as fotos do perito, parece que a vítima golpeou com o punho a janela de vidro na tentativa de escapar do quarto. Com base no padrão sanguíneo, quantidade de perda e coagulação, ela morreu pouco depois desse ato. O vidro coletado na cena corresponde ao tamanho e à forma dos ferimentos por corte na mão e no braço. No início da tarde, o bombeiro Marshall me informou que a casa foi pintada há pouco. Infelizmente, as janelas em todo o andar superior estavam lacradas pela tinta. Isso explica por que ela tentou quebrar a vidraça com um soco, em vez de abrir a janela para escapar.

A gaiola ficou em silêncio durante a leitura do resto do laudo pelo doutor Colt.

— Perguntas? — ele enfim indagou aos participantes.

Não houve nenhuma.

— Bem-vinda de volta, doutora Cutty.

LÍVIA FIZERA A CHAMADA TELEFÔNICA NO SÁBADO À tarde, e deixara uma mensagem na caixa postal. Nesse dia, mais cedo, enquanto ela estudava compêndios e publicações de ciência forense, pesquisando casos de inalação de fumaça, o celular tocou. Espantou-se com o nervosismo que sentiu, sem saber como dar vazão às suas emoções. Porém, a conversa foi rápida. De acordo com a verificação posterior de Lívia, durou apenas cinquenta e três segundos. Ela elaborara um longo relato sobre o porquê de elas precisarem se encontrar e o que esperava ganhar com a discussão. Mas foi desnecessário. A resposta veio imediatamente.

— Posso me encontrar com você hoje à noite — a voz tranquila lhe disse.

Então, livre das reuniões vespertinas apenas às cinco da tarde, Lívia voltou a conduzir o carro para o leste, na direção de Emerson Bay. Quase às sete da noite, parou na vaga do estacionamento do Montgomery County Federal Building. Dirigiu-se à praça na frente do prédio com o crepúsculo ainda no horizonte. Como prometido, Lívia a encontrou esperando num banco do lado de fora do tribunal do condado.

— Megan? — Lívia perguntou para se certificar, embora tivesse visto dezenas de fotos dela em sua leitura de *Desaparecida*, e, portanto, conhecesse bem o rosto de Megan McDonald da época imediatamente posterior à sua fuga.

Porém, essa Megan da vida real era bem diferente da garota das fotos e da tevê. Aquela jovem era feliz e vibrante, com olhos cheios de algo ausente nessa versão da vida real de Megan McDonald. Lívia precisou de um tempo para defini-la, mas quando ficou frente a frente com ela, foi capaz de enxergá-la. As fotos incluídas nas páginas do livro foram todas tiradas — e provavelmente escolhidas com muito cuidado — antes de Megan ser sequestrada. Nelas, os olhos de Megan tinham um efeito conquistador. Havia algo nas pupilas, nas íris e nas estruturas acessórias que anunciava que ela estava pronta para o mundo e para o futuro. No entanto, mais do que isso, aqueles olhos brilhantes nas páginas do livro estavam curtindo a vida presente que observavam. Esses novos olhos, no entanto, esses que agora eram as janelas através das quais essa garota testemunhava o mundo, eram vazios da paixão e ambição que tanto irritaram Lívia ao ler as palavras de Megan. Esses olhos da vida real eram tristes e solitários, e, sem dúvida, não tinham propensão para o otimismo. Estavam imobilizados no hoje, e o hoje não era tão brilhante quanto fora um dia.

— Oi — Megan a cumprimentou.

— Sou Lívia. A irmã de Nicole.

— Eu já vi você. Há muito tempo, quando Nicole e eu estávamos na escola primária. — Megan deu um sorriso tímido. — Você parecia muito velha naquela época.

Lívia tinha lembranças de seus primeiros dias no colégio, quando Nicole, na terceira série do ensino fundamental, corria com suas amigas ao redor do irrigador do jardim. Ela remontou àqueles dias de verão ensolarados, quando Nicole dançava com as amigas ao redor da água girando, com seus corpos magros e infantis cobertos por maiôs, os pés salpicados com lâminas de grama e os cabelos trançados pingando antes que o sol pudesse secá-los. Lívia imaginou uma dessas garotas como Megan McDonald, dançando com Nicole ao redor do irrigador. Ela teve um impulso poderoso de voltar àquele dia quente de verão e irradiar ao mundo o que estava por vir para aquelas duas meninas inocentes. Lívia quis voltar e preveni-las, protegê-las, recolhê-las e impedir o que estava por vir uma década mais à frente.

— Não lembrava que você e Nicole eram amigas.

— Até a oitava série. Depois, meio que perdemos o contato — Megan disse, evitando fitar Lívia. — No ensino médio nós nos afastamos — prosseguiu, forçando uma risada. — Acho que Nicole me considerava irritante, ou algo assim.

— Sério? Vocês não se davam bem?

— Não, não era isso. Apenas éramos de turmas diferentes.

— Jéssica Tanner me disse que Nicole sacaneava você. Tentou roubar seu namorado.

Megan deu outra risada forçada.

— Matt? Não. Nós nunca namoramos. Foi apenas um verão confuso.

— Podemos nos sentar? — Lívia perguntou.

As duas se acomodaram no banco, observando o movimento do lado de fora do tribunal do condado, que era pequeno duas horas após o encerramento oficial do expediente. Ainda assim, sob a luz pálida do crepúsculo, os advogados que trabalhavam até tarde caminhavam pelo bulevar com os paletós pendurados em suas bolsas a tiracolo, com as gravatas afrouxadas ou mangas dobradas.

— Eu li seu livro — Lívia revelou.

— Ah, sim? — Megan deu de ombros, num gesto de indiferença. — Não é de fato meu, mas obrigada.

— Como assim?

— Eu só escrevi uma parte dele. Não muito. Quase todo ele foi escrito pelo meu psiquiatra.

— Está escrito na primeira pessoa.

— Sim, o editor insistiu nisso. Para deixá-lo mais pessoal, ele disse. Mas o meu médico escreveu a maior parte. Ele me fez mil perguntas e, então, juntou tudo. Veja bem, eu li tudo o que ele escreveu e corrigi os erros. — Megan tornou a dar de ombros. — Descobri que é assim que muitos livros são escritos. Na capa, o nome do doutor Mattingly devia aparecer maior do que o meu, mas ele não é a estrela, sabe? — Ela respirou fundo e olhou para o céu noturno. — Lamento pelo livro. Sinto-me envergonhada do que você deve ter lido.

— Por quê?

Megan suspirou.

— O livro não foi ideia minha. Nunca quis escrevê-lo ou participar disso. Nunca quis que existisse. Mas muita coisa aconteceu depois daquele verão. Meus pais queriam sua filha de volta, e eu não tive coragem de lhes dizer que ela não existia mais.

Por um momento, Megan fez uma pausa.

— Sabe, fiquei desaparecida por duas semanas e estava completamente sozinha. Nunca me senti tão só. Então, quando escapei e voltei para casa, jamais tive um minuto para mim. Alguém sempre estava comigo naqueles primeiros meses, com muito medo de sair do meu lado. Meus pais me sufocaram. Meu psiquiatra ficou em cima de mim para escrever o livro. Aí, os editores me procuraram. Alguns agentes. Usei o livro como um jeito de tirá-los dos meus calcanhares. E para fugir, como forma de adquirir algum anonimato dos mais próximos de mim. Funcionou. Enquanto trabalhava nesse livro estúpido, todos me deixaram em paz. Meus pais o usaram como uma distração, tanto quanto eu. Minha mãe acreditou que eu estava escrevendo, e isso aliviou sua necessidade de me controlar a cada minuto do dia e querer saber se tinha decidido a respeito da faculdade e do que eu estava fazendo com minha vida e o meu futuro. Enquanto escrevia o livro, meus pais acreditavam que eu me achava em algum lugar mágico de cura. E agora, olhe para mim. O livro que deveria me trazer anonimato trouxe celebridade. O livro que deveria trazer cura apenas reabriu todas as minhas feridas.

Megan encarou Lívia.

— Eu quis falar mais de Nicole, mas todos me disseram que não. O doutor Mattingly preveniu contra isso, e meu agente e meu editor revisaram o que eu escrevera.

Nas palavras de Megan, Lívia ouviu a voz de uma garota presa e assombrada pelo passado. Era uma voz muito diferente daquela que sua mente ouvira ao ler *Desaparecida*.

— Seus pais leram o livro? — Megan quis saber.

— Não tenho certeza — Lívia mentiu.

— Não deixe que leiam, está bem? Não é justo com eles. É uma maldita celebração de minha vida e dos meus triunfos, que ignora totalmente que outra pessoa desapareceu naquela noite.

— Obrigada, Megan. Vou mantê-los longe do livro. Posso lhe fazer uma pergunta? Por que todos ao seu redor foram tão intransigentes na exclusão de Nicole?

Megan balançou a cabeça.

— A história de Nicole não é agradável. O editor disse que queria uma história triunfante. Ele foi bastante específico quanto a isso. Desejava detalhes perturbadores, brutais, porque isso é o que vende. Mas a história tinha de acabar com minha vitória, e não com a tragédia de Nicole. Fui apresentada a uma fórmula de autobiografias com temas sombrios: uma que acabava de maneira triunfante para a vítima, em contraste com uma que acabava em derrota.

— Com base nas vendas, eu diria que os editores sabem o que fazem.

— Que sorte a minha.

Houve uma pequena pausa.

— Megan, eu vim aqui esta noite preocupada, achando que te odiaria. Porque só te conheço do livro e de suas entrevistas. Mas tenho uma opinião muito diferente de você agora.

Megan voltou a dar de ombros.

— Você disse que queria conversar sobre o caso. O engraçado é que, além do doutor Mattingly, ninguém me falou a respeito do que houve. Durante muito tempo. Quero dizer, a polícia inicialmente, e isso envolveu em especial meu pai. Tempos depois, os detetives. Mas após aquela primeira onda... Nada. Tentei obter atualizações, mas não havia muitas. Ao menos foi o que me disseram. Suspeito que seja verdade em parte. Eles não têm muita coisa. Mas também sei que é esse grupo de samaritanos ao meu redor, liderados pelos meus pais, que quer me proteger e me ajudar a seguir em frente. O que ninguém entende é que não sou capaz de simplesmente enterrar essas duas semanas como se nunca tivessem acontecido.

— Sinto muito pelo que aconteceu com você, Megan. Eu quero fazer algumas perguntas sobre aquela noite, se você se sentir à vontade para conversar comigo.

— Sim, Lívia. Vou lhe contar o que sei. Quando me ligou você me disse que encontrou algo...

— Encontrei. Na noite em que você foi achada perambulando pela Rodovia 57, na noite em que fugiu... no hospital, uma grande quantidade de um anestésico chamado cetamina foi encontrada em sua corrente sanguínea.

— Sim, o doutor Mattingly me disse que devo ter ficado sedada a maior parte do tempo que passei no cativeiro, com base nos lapsos de memória e no que ele descobriu nas sessões de terapia. Nessas sessões, com a ajuda da hipnose, eu reconstituí algumas coisas acerca daquelas duas semanas. O que é outro motivo pelo qual o livro é uma piada. Sei muito mais agora do que quando o livro foi escrito. Mas, você sabe, é preciso aproveitar a oportunidade. Então, o que a cetamina tem de tão especial?

— Você sabe algo sobre a cetamina?

— Não.

— É um sedativo singular. É de ação rápida e, além da sedação e anestesia, seus dois principais usos, pode provocar diversos efeitos colaterais, como confusão, desorientação, perda de memória e coordenação motora prejudicada. Em dosagem correta, a cetamina causa sedação consciente, em que o paciente fica acordado, mas separado do corpo e do ambiente. Porém, em dosagem incorreta, se ingerida em quantidade muito grande e combinada com outras drogas, a cetamina causa insuficiência respiratória e morte.

Megan desviou o olhar do céu noturno e olhou para Lívia.

— O doutor Mattingly me falou algo disso. É por esse motivo que ele acha que a supressão de certos aspectos de meu cativeiro foi tão difícil de superar.

— A cetamina também é singular porque não a vemos muito na medicina convencional. Ela é usada principalmente por veterinários. Os médicos não a utilizam com muita frequência. Assim, quando a percebemos, ela se destaca. Ao menos para mim.

— Destaca-se como?

— Cerca de um ano antes de você e Nicole serem sequestradas, houve o caso de uma garota que desapareceu. Seu nome era Nancy Dee. Ela era de uma cidadezinha da Virgínia e sumiu depois de um treino de vôlei. Foi em março de 2015. Seu corpo foi encontrado seis meses depois e revelou uma história de cativeiro: contusões crônica nos tornozelos e nos pulsos geralmente encontradas quando alguém fica imobilizado por longos períodos. Abuso sexual, também. Um praticante de *jogging* encontrou seu corpo numa cova rasa, numa trilha de corrida coberta de vegetação. Dei uma olhada nos laudos de autópsia e toxicologia. Nancy morreu de angústia respiratória por *overdose* de cetamina.

Lívia deixou a implicação se estabelecer.

— Cetamina?! — Megan exclamou.

Lívia fez que sim.

— Você acha que meu caso tem ligação com o dessa outra garota?

— É uma possibilidade, Megan.

— Como se a mesma pessoa que me sequestrou tivesse sequestrado essa outra garota?

— Sim. A mesma pessoa que sequestrou você e Nicole.

Uma expressão de desconforto se apossou de Megan, e Lívia a reconheceu de imediato.

— Veja, Megan, sei que não tenho muitos elementos para basear minha teoria. Mas minha irmã se foi, e eu preciso de algumas respostas sobre o que aconteceu com ela. Alguma conclusão do caso. Ao menos, alguma atenção. Tenho a sensação de que esta cidade se esqueceu dela. Esta cidade, este condado, todo o maldito estado e país esqueceram que Nicole Cutty já existiu. Talvez, depois de todos esses meses, também eu esteja começando a esquecer — Lívia disse, emocionada. — Quero investigar essa ligação envolvendo a cetamina, e ver se existem outras semelhanças entre seu caso e o de Nancy Dee. Vou precisar de ajuda. Meus contatos incluem os detetives que trabalham comigo no Instituto Médico Legal, mas sei que não dedicarão muito tempo a minha teoria. Ainda mais porque Nancy era da Virgínia, que é fora da jurisdição deles e além do interesse deles. Assim, se você quiser colaborar, espero que peça ajuda a seu pai.

Megan olhou Lívia de relance e, em seguida, desviou o olhar, assentindo com um gesto de cabeça.

— Posso falar com ele. Eu vou colaborar, se for necessário. — Ela ficou calada por um instante. Então, prosseguiu: — É que meu pai enfrentou uma fase muito difícil por causa do caso. Sei que ele se culpa pelo que aconteceu comigo. Logo depois, antes que minha mãe se tornasse o zumbi que é hoje, tão focada no livro e no dinheiro, e pagando a faculdade que não faço, eu a ouvi dizer ao doutor Mattingly o quão desamparado meu pai se sentiu durante meu cativeiro. "Impotente" foi a palavra que ela usou. Meu pai é responsável pela força policial do condado, e sei que ele ainda carrega a culpa pelo que houve comigo. Papai ficou arrasado com meu sequestro, como qualquer pai ficaria. Porém, o que acabou com ele foi o fato de ele não ter me encontrado. Meu pai costumava me dizer, logo depois que voltei para casa, que não dormiu durante as duas semanas em que fiquei desaparecida porque sua mente trabalhava sem parar, pensando em maneiras de me encontrar. Sei que ele quer meu perdão, mas nunca o culpei pelo sequestro. Assim, não sei como dar isso a ele.

Megan enxugou os olhos antes que derramassem lágrimas.

— Ele não é o mesmo desde que isso aconteceu. Nenhum de nós é. Assim, eu vou pedir a ajuda dele. Eu vou, Lívia. Prometo. Mas se você quiser investigar o caso... eu começaria em outro lugar.

— Por onde?

— Eu trabalho no tribunal. — Megan apontou para o prédio. — Se você quer procurar uma ligação entre o meu caso e o de Nicole com o da garota da Virgínia, tenho acesso aos autos do meu processo. Sei exatamente onde encontrá-lo. Examinei-o por curiosidade. Não encontrei nada, mas você o examinará com um olhar novo. Vamos pegar esse caminho primeiro e ver o que encontramos. Se toparmos com algo relevante, que liga o caso com Nancy Dee, então pedirei ajuda ao meu pai.

— Tudo bem — Lívia concordou. — Como alguém tem acesso aos autos do processo e às provas?

— Consegui isso porque sou curiosa e todos se sentem muito embaraçados ao meu redor. Sou filha do xerife e, desde o sequestro, as pessoas têm medo de falar comigo. Antes, isso teria me ofendido. Agora, até prefiro. Ando de lá para cá no prédio, e os que me encontram desviam o olhar. No entanto, não terei o mesmo tratamento se procurar as provas tendo você ao meu lado. Para que você entre sem que ninguém veja, será preciso agirmos quando o supervisor não estiver, e eu vou precisar pedir um favor. Mas conheço um técnico que trabalha na seção de provas do tribunal que me deve uma. Vou tentar nesta sexta-feira. Está bem para você?

Lívia assentiu.

— Eu dou um jeito. A que horas?

— Encontre-me aqui ao meio-dia. Se eu não conseguir mexer os pauzinhos até lá, a gente reprograma.

Lívia se levantou do banco.

— Obrigada, Megan. Agradeço a ajuda.

— Estou feliz por alguém estar pedindo.

Lívia se virou para partir.

— Desculpe por nunca ter entrado em contato com você ou com seus pais depois de tudo isso. — Megan esboçou um sorriso triste.

— Você passou por poucas e boas. Teve de cuidar de si mesma antes que pudesse se comunicar com os outros. — Lívia tornou a se virar.

— Lívia?

Ela olhou para trás.

— Sei que você acha que todos se esqueceram de Nicole. Mas eu nunca esqueci.

29

MEGAN COLOCOU AS CARTAS NA MESA.

— Quinze com duas cartas, quatro maneiras distintas. São oito. Mais duas sequências com três cartas. São catorze. O valete de ouros me dá um total de quinze.

O senhor Steinman desceu suas cartas.

— Quinze, e você ganhou.

Megan sorriu.

— Te peguei! — E moveu seu pino para o fim do tabuleiro de *cribbage*. — É minha vitória contra o senhor.

— Mesmo um esquilo cego encontra uma noz de vez em quando.

— Não! Eu joguei muito bem! Tudo que o senhor me ensinou eu fiz durante o jogo. Não sair com uma carta de figura, sem pares no *crib*, tudo isso.

— Eu perderia todos os jogos se isso te fizesse sorrir desse jeito.

Megan ruborizou e cobriu o sorriso com a mão.

— Como está indo o livro?

Ela deu de ombros e baixou a mão. O sorriso tinha desaparecido.

— Subindo na lista.

— Você é uma celebridade.

— Sim, entre aqueles que gostam de histórias doentias.

O senhor Steinman recolheu o baralho.

— Eu já te conheço bastante bem, Megan. Há um motivo para esse livro. Algo que você não quer admitir.

— Admito isto: o livro tira meus pais do meu pé.

— E permite que você faça o quê?

— Respire. — Megan tirou os pinos do tabuleiro e os guardou. — E talvez encontre algumas respostas por mim mesma.

— Achei que estivesse fazendo isso na terapia.

— Estou. Só preciso... não sei... de respostas diferentes do que aquelas que todos ao meu redor querem me dar.

O senhor Steinman pegou o tabuleiro e o baralho e os colocou na mesa lateral.

— Não posso te dizer o que fazer, Megan. Uma garota jovem e independente como você não vai escutar um velho como eu. Apenas se lembre disso: às vezes, encontrar essas respostas resulta num novo conjunto de perguntas.

Megan assentiu como se compreendesse perfeitamente.

Então, um barulho veio de outro aposento. Soou como se viesse das paredes, talvez o gemido de uma torneira sendo ligada. Mas havia algo mais que deixou Megan tensa. Se alguém lhe perguntasse, ela descreveria como um lamento, mas o gemido da torneira era suficiente para esconder a origem exata.

O senhor Steinman também se sentou ereto quando escutou o ruído.

— Isso é para mim, minha adorável senhorita. Vejo você na próxima semana?

Megan ficou de pé, sentindo como se tivesse se excedido em sua visita.

— Claro. Tenha uma boa noite.

O senhor Steinman apressou-a até a porta, com o molho de chaves preso em um passador da calça chocalhando.

— Foi um bom jogo — ele disse rapidamente. — Nunca me senti melhor depois de perder no *cribbage*.

— Precisa de ajuda? — Megan ofereceu. — Com... você sabe... seja o que for. Ou companhia?

— Esta noite não.

— Tem certeza? Não me importo de ajudar. Não estou assustada.

— Algum dia. — Ele pegou as chaves. — Vou considerar sua oferta. — Fechou a porta de tela quando Megan estava no terraço. — Boa noite.

Megan sorriu com os lábios juntos, assentiu e se dirigiu a seu carro.

*

NO RINGUE, LÍVIA DANÇAVA NA PONTA DOS PÉS, COM UM protetor de cabeça cobrindo a mandíbula. Quinze centímetros mais alto e duas vezes mais largo, Randy a perseguia com cuidado em seu treino. Então, ele foi alvo de um chute lateral dela, que o acertou em cheio. Lívia o manteve acuado com fortes *jabs* de esquerda. Levando tudo em consideração, a técnica de Lívia era impecável, e Randy estava impressionado.

Randy tentou novamente diminuir a distância e pôr suas mãos nela, mas os *jabs* eram muito certeiros. Então, ele viu Lívia transferir o peso para a perna esquerda. Um chute lateral estava a caminho. A preparação tão óbvia do golpe foi o primeiro erro dela em nove minutos de treino. Quando o chute veio, Randy o recebeu em sua axila esquerda, absorvendo o impacto e agarrando a canela de Lívia. Num piscar de olhos, ele golpeou a perna esquerda dela, e os dois desabaram no chão — onde Randy queria que a luta de treinamento se desse desde o começo.

— Tempo! — o árbitro gritou, no exato instante em que os dois desabaram no chão.

— Droga! — Lívia exclamou.

Randy saiu de cima dela.

— Sou bem mais pesado. A física não está a seu favor, doutora.

Lívia sentou-se na lona do ringue e se encostou nas cordas, tirando seu protetor de cabeça. Ela respirava com força, expandindo o peito.

— Com um adversário maior do que você, mantenha os *jabs*. Eu não consegui chegar perto até você telegrafar seu chute. Quando são certeiros, são letais. Mas eles perdem a eficácia depois de um tempo, como eu lhe disse.

— Estúpida. — Lívia chacoalhou a cabeça.

— Não há nada de errado em ser agressiva. Só não abuse.

Randy ficou de pé, ofereceu a mão para Lívia e a ergueu. Saíram do ringue quando a próxima dupla entrou e começou o treinamento. Lívia sentou-se e tirou as luvas. Randy entregou-lhe uma garrafa de água.

— Parece que você se saiu melhor do que quando teve seu ataque de raiva.

Lívia sorriu.

— Não é possível se livrar de um arrependimento esmurrando um saco. Não foi isso o que você disse?

— Algo assim. — Randy se acomodou ao lado dela. — Toda essa frustração tem a ver com sua irmã?

Randy ouvia com mais atenção do que Lívia pensava.

— Não fiz coisa alguma durante um ano. Pelo menos agora sinto que estou fazendo algo.

— E isso está sendo bom para você, não é?

Lívia assentiu e tomou um gole de água.

— Só não sei até onde ir.

— Porque tem medo do que vai encontrar?

— Porque tenho medo de não conseguir fazer nada quando encontrar.

— Bem... — Randy enxugou o rosto. — Se você batalhar desse jeito, vai conseguir.

— E que jeito é esse?

— Com frieza. Se você quiser algo, deve se comprometer com isso e correr atrás. Sem desacelerar, sem parar para pensar. Apenas continue avançando.

Lívia se ergueu.

— E sem dar meus chutes laterais com tanta frequência.

— Isso também.

Lívia tampou sua garrafa de água.

— Tenho que correr, Randy. Obrigado pelo treino.

— Desculpe por ter jogado você no chão como uma boneca de pano.

— Desculpe por ter achatado seu nariz com aqueles *jabs*.

Randy projetou o queixo.

— Espero que você encontre o que procura, doutora. Em relação a sua irmã.

— Obrigada.

— Sabe, quando estava tentando me endireitar, meu pai costumava me contar uma história de como a vida funciona no Serengueti.

— O Serengueti africano?

— Isso. Você sabe como a vida funciona ali?

Lívia fez que não.

— Todas as manhãs, quando o sol nasce, erguendo-se no horizonte e estendendo sombras pela areia, todas as gazelas e todos os leões abrem os olhos. Todos entendem algo. Cada gazela acorda sabendo que, para sobreviver ao longo do dia, deverá correr mais rápido que a gazela mais lenta do bando. E cada leão acorda sabendo que, para sobreviver ao longo do dia, deverá correr mais rápido que o leão mais rápido do bando. Assim é a vida, mocinha.

Lívia olhou para Randy.

— Então, o leão mais rápido pega a gazela mais lenta? Esse é o ponto?

— Não. — Randy ficou de pé e começou a andar em direção aos chuveiros. — A questão é que, não importa quem você seja, deve acordar e correr.

30

ALÉM DE DUAS SEMANAS DE FÉRIAS, OS ALUNOS DO CURSO de especialização do Instituto Médico Legal da Carolina do Norte tinham direito a tirar quatro dias de folga. Lívia usou um deles na sexta-feira, e fez a viagem de duas horas de Raleigh a Emerson Bay.

Encontrou Megan a sua espera no mesmo banco do lado de fora do prédio do tribunal em que se encontraram na segunda-feira. No final de outubro, a temperatura estava na casa dos quinze graus centígrados. O sol ia alto, o céu mostrava um azul lindo, e a praça defronte o prédio se encontrava cheia devido ao movimento de pedestres da hora do almoço. Lívia avançou pelo piso de paralelepípedos e se sentou ao lado de Megan.

— Você conseguiu ajeitar tudo? — Lívia perguntou, sentando-se.

— Tudo em cima. — Megan assentiu e consultou o relógio. — Temos vinte minutos antes de o supervisor da seção de provas sair para almoçar. Então, teremos cerca de meia hora para nós.

Lívia estreitou os lábios e ficou em silêncio por um momento.

— Megan, quero te perguntar algo sobre a noite em que você foi sequestrada.

— Vá em frente.

Por um instante, Lívia desviou os olhos, criando coragem.

— Veja, Lívia, não vou surtar se alguém além de meu psiquiatra me perguntar a respeito daquela noite. No ano passado, tudo o que qualquer pessoa queria era me ver de volta ao normal. Me ver curada. Você é a primeira que me pergunta se sei algo da noite em que fui levada. É a primeira que se preocupa em me incluir na tentativa de descobrir o que houve naquela ocasião. Portanto, pergunte o que quiser. E acredite em mim quando lhe digo que penso em Nicole o tempo todo.

— Estou percebendo isso. E antes de nos conhecermos, nunca me ocorreu que poderia ser difícil para você o fato de ter voltado para casa, e Nicole não.

As lágrimas brotaram novamente nos olhos de Megan, como na noite de segunda-feira.

— Não estou feliz por ter escapado. — Megan chacoalhou a cabeça negativamente e respirou fundo. — Isso não é verdade. Estou feliz, sim. Mas parte de mim sempre vai chorar por Nicole. Durante meses os detetives não me deram nenhum fato novo. Quando você me ligou outro dia... Não sei, uma parte de mim voltou a despertar. Toda essa conversa sobre meu livro ajudar sobreviventes de sequestro é besteira. Mas *isso*... O que você me disse no outro dia... Se conseguirmos encontrar uma ligação entre meu sequestrador e a outra garota que foi levada... Isso significará algo.

Lívia concordou.

— Em seu livro, você descreve o dia do sequestro. Quão exata é a descrição?

— Não muito. Lembro mais agora do que quando o livro foi escrito.

— Mas você nunca viu o homem que a levou?

— Nunca vi seu rosto.

Lívia abriu a bolsa e tirou uma foto de Casey Delevan com o braço em torno do ombro de Nicole.

— Você conhece este rapaz?

Megan examinou o retrato.

— Não. Quem é?

— Ele estava namorando Nicole naquele verão. Seu corpo apareceu em minha mesa de autópsia há algumas semanas.

Megan semicerrou os olhos, esperando uma explicação, que Lívia logo forneceu:

— Ele foi encontrado nas águas da baía, em Emerson Bay. De início, ele foi dado como um suicida que saltou da ponte. No necrotério, determinamos que ele foi assassinado. Um pequeno trabalho de campo sugere que a última vez que alguém o viu foi no fim de semana em que você e Nicole foram sequestradas.

Megan permaneceu calada, tentando compreender a implicação.

— Isso quer dizer que, além de uma ligação com Nancy Dee, estou procurando por algo que me ajude a descobrir o que pode ter acontecido com ele — Lívia completou. — Se tem algo a ver com o seu caso e o de Nicole.

— Eu nunca o vi antes. E não sabia que Nicole estava namorando alguém. Ela... Bem, naquele verão, havia rumores de que Nicole e Matt Wellington estavam saindo juntos.

— O cara com quem você namorava?

— Éramos apenas amigos.

— Você ouviu falar de um grupo chamando Clube da Captura?

— Não. O que é isso?

— Um grupo de lunáticos que curtem simular sequestros. Eles leem a respeito, estudam e discutem o assunto, e até executam sequestros falsos.

— Isso é nojento.

— Concordo. Esse rapaz criou o clube. — Lívia indicou a foto de Casey. — Nicole fazia parte dele. Não sei o que isso significa. Talvez nada. Mas não fui capaz de tranquilizar meus pensamentos desde que seu cadáver apareceu em meu necrotério.

Megan tornou a consultar o relógio e apontou para o prédio do tribunal.

— Vamos ver se isso ajuda a responder a algumas perguntas. Estamos atrasadas.

Megan e Lívia mostraram suas identidades e passaram pelo detector de metais sem problemas. Percorreram os longos corredores enquanto a justiça era exercida além das pesadas portas duplas de carvalho das salas de audiência ao lado delas. Os advogados aconselhavam seus clientes em bancos do lado de fora das salas de audiência, e uma centena de réus acusados de dirigir embriagados ou acima da velocidade permitida, jogar lixo na rua e não pagar pensão alimentícia perambulava pelos corredores e procurava seus destinos.

Megan abriu a porta que dava numa escada, e Lívia a seguiu até o nível mais baixo, onde não havia janelas nem movimento de pessoas. Elas venceram outro longo corredor e alcançaram uma porta dupla sobre a qual se via escrito "Provas e Bens Apreendidos".

Megan usou seu crachá para destravar a porta. No interior, um vestíbulo com outra porta trancada e uma divisória de vidro ao lado dela. Um homem de trinta e poucos anos, num uniforme marrom muito feio, estava sentado num banco alto atrás do vidro, folheando uma revista de carros.

— Oi, Greg — Megan cumprimentou.

— Você está atrasada.

— Desculpe.

Greg olhou para trás, para se certificar de estar sozinho.

— Meu supervisor leva uma hora para almoçar. — Verificou o relógio. — Quarenta e cinco minutos agora. Eu vou lhe dar meia hora, por via das dúvidas.

Greg pressionou um botão atrás da divisória, e a porta se abriu.

— Obrigada, Greg. Eu te devo uma. — Megan sorriu.

Lívia seguiu Megan quando ela atravessou a porta e entrou na área de armazenamento do setor de Provas e Bens Apreendidos, onde quase todas as provas coletadas dos casos ocorridos no condado de Montgomery ficavam depositadas. No canto de trás da sala havia fileiras de prateleiras metálicas repletas de caixas de papelão. Megan caminhou determinada até a prateleira identificada com a letra "M" e tirou uma caixa. Ela já estivera ali antes, Lívia concluiu. No interior das ilhas, viam-se mesas na altura da cintura. Megan depositou a caixa de seu caso sobre uma delas e levantou a tampa.

— Então, o que estamos procurando exatamente, Lívia?

— Não tenho certeza.

Elas passaram dez minutos examinando o conteúdo da caixa de provas "McDonald, Megan", que continha diversas fotos de Megan relativas à noite em que entrou no carro do senhor Steinman na Rodovia 57. Na cama do hospital, Megan foi fotografada de todos os ângulos. A câmera isolou e destacou suas lesões, incluindo contusões nos tornozelos devido ao fato de terem ficado acorrentados por duas semanas; queimaduras por fricção nos pulsos causadas por fita adesiva; arranhões no rosto provenientes de sua corrida frenética pela floresta; e uma ferida aberta no calcanhar que requereu dezesseis pontos. Havia prontuários médicos e anotações dos médicos do pronto-socorro que cuidaram dela inicialmente. Lívia leu com interesse até que encontrou o exame toxicológico, com o qual constatou que a cetamina estava mesmo no organismo de Megan na noite em que ela escapou de seu sequestrador.

De pé, entre as fileiras de prateleiras, Lívia folheou as fotos do bunker do qual Megan escapara. Havia fotografias de impressões de pegadas e itens aleatórios encontrados nas proximidades do cativeiro. Entre esses itens, incluíam-se embalagens de barras de chocolate recheado e garrafas de cerveja, um cinto velho mofado e um único par de Converse All Star. O proprietário daquilo tudo era desconhecido. Impressões digitais aleatórias foram coletadas na maçaneta da porta e nos objetos encontrados no solo da floresta, mas não houve nenhuma correspondência mútua, nem levou a qualquer indivíduo em particular.

Nos sacos plásticos de provas, estavam armazenados os pedaços de fita adesiva que ataram os pulsos de Megan na noite em que ela atravessou a floresta em sua fuga. Outros sacos continham sua camiseta e seu short manchados de sangue. Os itens coletados na floresta também se achavam lacrados em sacos plásticos: as embalagens, as garrafas e alguns outros itens aleatórios que Lívia encontrou no fundo da caixa.

Lívia retirou a pasta que continha a análise e as descobertas do detetive nas semanas seguintes à fuga de Megan. Lívia tinha visto diversos desses relatórios em seus três meses no Instituto Médico Legal. Geralmente, a pasta continha interrogatórios conduzidos pelos dois investigadores designados para o caso. Lívia leu por alto o interrogatório de Megan, onde ela recordou para os detetives suas atividades no dia em que foi sequestrada e tudo o que se lembrou da noite em que foi levada. Lívia também leu rapidamente sobre o tempo de Megan no cativeiro e a noite em que escapou do bunker. A maior parte do depoimento era redundante, pois lera tudo isso no livro de Megan. Havia outros interrogatórios com alunos da Emerson Bay High School, incluindo Matt Wellington, mas eram enfadonhos e triviais, e não levaram os detetives a nenhum lugar importante.

Megan captou a expressão de Lívia.

— Já vi tudo isso, e não achei nada que fosse útil.

Lívia recolocou tudo dentro da caixa e fechou a tampa.

— Você já viu a caixa contendo o caso de Nicole?

Megan assentiu, constrangida por admitir que sim.

— Quero dar uma olhada — Lívia disse.

Elas se dirigiram a duas fileiras abaixo, para a prateleira identificada com a letra "C". Lívia leu a etiqueta na caixa: Cutty, Nicole.

Lívia puxou a caixa e a colocou sobre uma das mesas. Abriu a tampa e retirou uma pasta que continha interrogatórios e anotações semelhantes aos da caixa de Megan. Mais de um ano atrás, Lívia deu seu depoimento aos dois detetives que vieram a sua casa e conversaram com ela e seus pais. Nas primeiras semanas de investigação, ela e os pais receberam atualizações daqueles policiais, mas, após certo tempo, as ligações telefônicas diminuíram e as atualizações se tornaram mais aleatórias. Mais à frente, cessaram por completo. Ninguém jamais os procurou para dizer a Lívia e seus pais que o caso chegara a um impasse. Mas nesse dia, o caso de Nicole, posto em repouso sobre a prateleira no porão do prédio do tribunal, parecia tão frio quanto um corpo mantido durante a noite na geladeira do necrotério.

Na parte de trás da pasta, havia fotos que Lívia folheou. Eram do carro de Nicole, que foi encontrado abandonado numa estrada perto da praia onde aconteceu a festa pelo fim do verão, e de onde Megan confirmou a ocorrência de seu sequestro. Jéssica Tanner e Rachel Ryan confirmaram terem estado no carro naquela noite com Nicole, quando todas foram juntas para a festa.

As fotos do veículo causaram um aperto no coração de Lívia. Ele estava estacionado ao lado da estrada, virado um pouco para a direita, com os pneus do lado do passageiro repousando no acostamento de cascalho. O carro parecia agourento e solitário, e Lívia se esforçou muito para bloquear as imagens que sua mente tentava produzir sobre o que sua irmã passara naquela isolada estrada na orla do lago. Quanto tempo depois que Nicole ligou para Lívia, uma ligação que Lívia ignorou abertamente, o carro da irmã se tornou cena de um crime?

As imagens mostravam o exterior do automóvel de todos os ângulos. Então, com as portas e o porta-malas abertos, cada centímetro foi documentado, do lado de dentro e do lado de fora. A banda de rodagem dos pneus foi captada nas fotografias, e impressões digitais foram colhidas, tanto no interior do veículo como na maçaneta da porta, mas não correspondeu com nenhuma pessoa em particular, exceto Nicole. Fibras foram coletadas no piso, nos assentos e no porta-malas. Da área ao redor do carro, alguns itens foram recolhidos, incluindo uma lata de Coca Zero e uma de Red Bull, tocos de cigarro e a tampa de um tubo de batom. Pegadas de sapatos foram encontradas no estacionamento e coletadas com levantadores de gelatina. Um item aleatório foi descoberto debaixo do carro: um pedaço rasgado de tecido verde foi recuperado, bem debaixo do para-choque dianteiro direito.

No interior da caixa, Lívia localizou o saco lacrado contendo o tecido verde encontrado debaixo do carro de Nicole. Ela o retirou e segurou-o entre os dedos. Por alguns instantes, estudou-o, enquanto sua mente trabalhava.

— Se levássemos isto, quantos problemas iríamos arranjar, Megan?

— Muitos. O que é isso?

— Algo que encontraram debaixo do carro de Nicole. E se devolvermos antes de alguém descobrir que pegamos?

— Você é a médica-legista. Mas quebra a cadeia de custódia das provas — ela respondeu, falando como a filha do xerife que era.

Megan lançou um olhar para além da fileira de prateleiras iluminadas por lâmpadas fluorescentes, alcançando a porta fechada que Greg vigiava para ela. Elas estavam ali fazia quase meia hora, e Megan esperava que ele aparecesse a qualquer momento para ordenar que elas saíssem da sala. Então, apontou para a bolsa de Lívia.

— Pegue. Só me devolva o mais rápido possível.

Lívia enfiou em sua bolsa o saco de plástico transparente.

— Algo mais, Lívia? Greg vai nos mandar cair fora já, já.

Lívia levou um minuto para examinar o registro de provas e descobrir quais outros itens foram confiscados no carro da irmã. O moletom e a bolsa de Nicole estavam no assento dianteiro do passageiro. O resto do veículo estava vazio, exceto o porta-malas. Lívia parou quando leu o que foi encontrado ali.

Parada ao lado de Lívia, Megan se aproximou um pouco mais quando sentiu que ela estava interessada em outra coisa.

— Encontrou algo? — Megan quis saber.

Pondo o registro de provas sobre a mesa, Lívia voltou a pegar a caixa e tornou a retirar as fotos. Examinou-as rapidamente até encontrar o que queria. Documentada no registro, e captada nas fotos, havia uma caixa de madeira retangular com utensílios para churrasco. Ela olhou para Megan.

— Onde as peças de prova maiores, como esta, são guardadas? — Lívia mostrou a Megan a foto da caixa de madeira.

— Na seção de bens apreendidos. — Megan apontou para o outro lado da sala.

— Me leve lá.

Greg enfiou a cabeça pela fresta da porta.

— Chegou a hora. Mais um minuto. É meu pescoço que está a prêmio.

Elas recolocaram a caixa de Nicole na prateleira e se dirigiram às pressas para o outro lado da sala, onde os grandes itens eram guardados em sacos plástico e meticulosamente registrados.

Foi preciso um longo minuto para as duas encontrarem a seção "C" e mais alguns outros segundos para Lívia achar, embalada e lacrada num saco de plástico transparente, a caixa de madeira retirada do porta-malas do carro de Nicole. Ela abriu o zíper do saco e tirou a caixa.

Sem demora, Lívia examinou o conteúdo. Encaixados no interior, assentados dentro do molde de veludo contornado, incluíam-se uma espátula, pegadores e um contorno vazio onde outrora ficava um garfo trinchante e de cabo longo para churrasco.

— Filho da puta — Lívia murmurou para si mesma.

31

LÍVIA RETIROU SEU CASO DA GELADEIRA COM A AJUDA DE dois técnicos de autópsia, que posicionaram o corpo sobre sua mesa: uma mulher de meia-idade que morreu durante um procedimento esofagiano de rotina, quando o cirurgião lacerou acidentalmente a extremidade distal do esôfago e a desuniu do estômago. Sem que se conseguisse deter a hemorragia, ela morreu por perda de sangue. Lívia e os outros alunos foram prevenidos pelo doutor Colt que, quando essas mortes acidentais — denominadas complicações terapêuticas — ocorriam, o máximo empenho devia ser observado, já que havia uma boa chance de as descobertas da autópsia serem apresentadas na Justiça quando a família viesse a processar o cirurgião.

Nessa manhã, Lívia realizou o exame interno com muito cuidado e muita paciência, sem se preocupar com o tempo da autópsia, certificando-se de fazer tudo com esmero e como lhe era exigido.

Vinte minutos depois, ela dissecava os músculos infra-hióideos do pescoço para obter uma visão do esôfago quando Ted Kane, do laboratório de balística, entrou na sala. Era uma típica manhã de segunda-feira, com cada mesa de autópsia ocupada pela carnificina do fim de semana. Tim Schultz e Jen Tilly se ocupavam de seus casos, assim como os demais médicos-legistas que constituíam o pessoal do IML. A única pessoa ausente era o doutor Colt, que tirara um fim de semana prolongado para passar o tempo com sua filha, que viera da faculdade. Lívia aproveitou a ausência de seu chefe para chegar cedo e procurar Ted Kane para pedir sua ajuda.

— Olá, doutora. — Ted se postou do lado oposto da mesa de Lívia.

Ela levantou os olhos, protegidos pelo protetor facial, parou o serviço e ergueu as sobrancelhas, em sinal de dúvida.

— Alguma coisa?

— Obtive uma correspondência.

— Em qual?

— Nas duas. Quanto tempo você vai demorar?

— Mais um pouco. Irei ao laboratório assim que terminar. Nenhuma dúvida? — Lívia perguntou.

— Nenhuma. Venha me ver assim que possível.

Assim que Ted saiu da sala, Lívia retornou ao trabalho. Sua mente vagou em possibilidades, mas ela se recusou a lhes dar atenção, voltando a se concentrar no caso diante de si.

Lívia precisou de pouco mais de uma hora para concluir o exame. Então, entregou sua mesa para o técnico que suturaria e recolocaria o corpo na geladeira, onde aguardaria o transporte para a casa funerária. Mais uma hora completando anotações sobre o caso, confirmando que a paciente sangrara até a morte devido a uma grande laceração esofagiana com acumulação de sangue nos pulmões e no peritônio. Causa da morte: exsanguinação. Tipo de morte: complicação terapêutica. Em termos leigos: o médico a matou.

Lívia digitou a última de suas anotações, assinou o atestado de óbito e se dirigiu às pressas ao encontro de Ted Kane.

O LABORATÓRIO DE BALÍSTICA FICAVA NO SEGUNDO ANDAR

do IML. Era onde os técnicos analisavam tudo, desde pegadas de sapatos até cacos de vidro, determinando quem passou por uma cena de crime, com que tipo e tamanho de sapato, a direção pela qual uma bala penetrou numa janela e muito mais. No início daquela manhã, Lívia entregara a Ted Kane, o diretor do departamento de balística, o pedaço de tecido verde que na sexta-feira tirara da caixa com as provas do caso de Nicole.

Lívia entrou no laboratório e encontrou Ted ao computador.

— Ah, bom! — ele disse ao ver Lívia, girou sua cadeira e a moveu até uma mesa bagunçada à sua direita.

Ted entregou a Lívia uma folha de papel contendo a análise final da fibra encontrada na roupa de Casey Delevan algumas semanas antes. Ted pôs o olho no microscópio.

— Eis o que sabemos. A análise espectral nos diz que é o mesmo material. Mesmo fio de algodão. Mesma espessura de fibra. Mesma classe. A única diferença é que a análise da roupa que veio do cadáver estava empastada de barro. — Ted afastou o rosto do microscópio.— Essa amostra que você me deu aqui está limpa. Não há nela nem um pingo de barro.

— Então? — Lívia arqueou uma sobrancelha.

— As fibras vieram da mesma camiseta. Correspondência exata.

Lívia não teve tempo de levar em consideração as implicações daquela descoberta. Ela pensou no fato de um pedaço rasgado da camiseta de Casey Delevan ter sido encontrado debaixo do carro de Nicole, mas só fugazmente. Ted Kane estava literalmente numa maré de sorte. Ele afastou da mesa sua cadeira com rodízios e a moveu de volta para junto do computador.

— Mas isto é melhor. Veja. — Ted indicou a tela, que exibia a imagem tridimensional do crânio de Casey Delevan, que a doutora Larson, a neuropatologista, obteve durante seu exame.

Feita por um microscópio eletrônico de varredura, a imagem foi uma das coisas mais impressionantes que Lívia testemunhou durante seu curso de especialização. Como o aparelho produzia uma imagem do crânio tanto do lado de fora como da parte de dentro, era capaz de extrapolar pontos, oferecendo um "passeio virtual" pelo crânio e pela caixa interna do osso. O interesse de Ted Kane, porém, concentrava-se nas doze perfurações no crânio de Casey Delevan.

Quando Lívia encontrou a prova coletada do carro de Nicole, e em particular o conjunto de utensílios para churrasco, a ficha caiu na hora. Ao ver vazio o lugar do garfo, sua mente ligou os dentes daquele objeto ausente aos orifícios misteriosos no crânio de Casey Delevan.

Lívia passou o fim de semana examinando utensílios para churrasco em diversas lojas especializadas e descobriu que o conjunto encontrado no carro de Nicole não era mais fabricado. No entanto, o nome do fabricante era Weber, e com a ajuda de um jovem solícito da loja Burke Brothers Hardware, Lívia obteve o número de série do produto retirado da linha de produção. No início da manhã, ela trouxe esse número para que Ted Kane pudesse analisar o garfo.

— Eu voltei para as fotos originais da autópsia do crânio e das perfurações — Ted afirmou. — Em seguida, fiz algumas medições com base nos dados extrapolados. De início, todos pensamos que eram doze orifícios aleatórios no crânio. Agora, ao examiná-los levando em conta sua teoria, vejo que são na realidade um grupo de seis perfurações gêmeas. Olhe aqui.

Movendo o mouse, Ted desenhou um círculo em cada par de orifícios na tela. Em seguida, sobrepôs no crânio um transferidor de medição gerado por computador.

— Cada par de perfurações é separado pela mesma distância: três vírgula noventa e um centímetros. Sem variação. O padrão de distribuição de cada par é aleatório, mas os pares em si são idênticos. — Ted apontou para a tela. — Vou levá-la a um passeio virtual através de uma das perfurações.

Então, ele moveu o mouse, e a imagem na tela respondeu, de modo que Lívia pôde ver diretamente por dentro de um dos orifícios no crânio. Em seguida, a imagem tridimensional passou por uma mudança, e Lívia visualizou a cena como se uma pequena câmera estivesse se deslocando pelo canal no osso. Ela, então, lembrou-se das centenas de endoscopias que testemunhou na faculdade de medicina, quando a câmera da sonda percorria a traqueia.

— Podemos verificar algumas coisas — Ted afirmou. — Cada canal tem exatamente a mesma largura. Ou seja, suspeitamos que todos foram produzidos pelo mesmo instrumento. Porém, quando olhamos além da largura e analisamos as paredes desses canais, eis o que encontramos. Está vendo isto?

Lívia semicerrou os olhos, fitando a tela.

— O que é?

— Um pequeno sulco na parede do canal. Isso me diz que o instrumento usado tinha um defeito. Não era liso. Assim, durante a vida útil do garfo, ele caiu ou sofreu um desgaste. Esse detalhe é importante, porque cada par de orifícios possui um canal, o canal do lado esquerdo, com a mesma anormalidade. Portanto, sem dúvida, todas as perfurações são resultado do mesmo instrumento. Isso será relevante para os rapazes de Homicídios, se conseguirem recuperar esse garfo. Poderemos compará-los sem restar nenhuma dúvida. Mas aqui está o tiro de misericórdia. É aquilo que vai te interessar.

Ted alternou para algumas outras imagens até que a animação do crânio de Casey Delevan voltou a ficar visível.

— Havia doze perfurações. Seis conjuntos de duas, certo? Cada par está separado por uma distância exata de três vírgula noventa e um centímetros. Então, temos a largura do dente e a distância de separação um do outro. Fiz uma pesquisa em nosso banco de dados de análise de artefatos. Temos uma lista bastante completa. Assim, encontrei as medidas do garfo do seu interesse, com base no número de série fornecido por você. — Ted clicou no mouse, e a imagem tridimensional tornou a girar, mostrando o interior de uma das perfurações. — Cada canal atravessou toda a espessura do crânio. Assim, cada um partiu do lado de fora do crânio e chegou até a dura-máter. — Ele encarou Lívia. — Exceto um.

Ted apontou mais uma vez para a tela, onde a imagem os levou para um canal e, depois, para um beco sem saída.

— Há uma perfuração em que o instrumento não atravessou completamente o crânio, apenas lancetou o osso e, em seguida, foi removido. Esse canal nos fornece muita informação. Especificamente, revela o contorno exato da ponta do garfo. O contorno, a largura, a forma, o ângulo do ponto e o comprimento da extremidade do dente. O ângulo do ponto é fundamental, porque é específico da marca, do design e da linha do produto. Corresponde de modo idêntico ao garfo em que você está interessada. — Ele tocou no teclado para produzir uma nova imagem na tela. — Conclusão: o garfo desaparecido daquele kit para churrasco é o que matou o seu corpo flutuante.

Minutos depois, no estacionamento do IML, Lívia tirava as chaves da bolsa, dava a partida no carro e começava a longa viagem para o leste, em direção a Emerson Bay.

Foram duas horas de solidão, em que a especulação tomou conta de sua mente. Passava das oito da noite quando ela parou na entrada da garagem da casa dos pais. Lívia caminhou até a garagem, abriu a porta lateral e acionou o interruptor quando entrou. O automóvel estava estacionado nas sombras.

A mente de Lívia remontou à tarde de sexta-feira, quando olhou para a fotos daquele carro do caso de Nicole, com as portas e o porta-malas abertos para o fotógrafo captar todos os detalhes de todos os ângulos. Agora, sentou-se em silêncio naquela garagem, tão raramente utilizada desde o desaparecimento de Nicole.

Na bancada, Lívia encontrou uma fita métrica. Agachando-se, mediu a distância entre o chão e o para-choque. Sessenta e oito centímetros. A mesma medida da fratura do fêmur de Casey Delevan.

Lívia recolocou a fita métrica no lugar. Fechou os olhos.

— Que diabos, Nicole?!

32

ELE PERMANECEU SENTADO EM SEU CARRO POR UM LONGO tempo, sem saber o que a noite traria. A última vez que esteve ali, apenas alguns dias antes, foram os piores momentos juntos. Foi quando ele a encontrou presa na janela, a um passo da fuga. A um passo do final de tudo.

Como medir exatamente essa distância? Ele estava inseguro. Trinta centímetros? Trinta centímetros de distância da liberdade que ela achava que queria. Uma hora, talvez? Se ele tivesse recebido um telefonema ou se atrasado, uma hora provavelmente seria tudo do que ela teria precisado para se libertar. Ou esse intervalo para escapar foi medido pelo bom senso?

Uma parte dele queria acreditar que ela falhara porque não queria ter sucesso. O sucesso significava que ela iria deixá-lo, e ele sabia que havia uma ligação entre os dois, à qual ela se agarrava. Ela nem sempre a mostrou, mas estava lá, e era exibida de vez em quando; como quando ela permitiu que ele se deitasse ao seu lado e a segurasse depois. Ele sentiu essa ligação. Era real.

Mas ainda assim, ela chegou perto de deixá-lo. Perto da liberdade. Aquilo o perturbou. Não poderia voltar a acontecer. Ele sofrera o fracasso do ano anterior. O bunker, a floresta e a tristeza. Mas se essa escapasse, se essa voltasse ao mundo, a vida se quebraria ao seu redor. Por causa disso, porque ela esteve muito perto de arruinar tudo, ele não teve escolha e precisou ser brutal da última vez, quando a castigou. Ele se odiou por isso.

Assim, essa noite, sentado no carro, não imaginava como a noite acabaria. Era possível que as coisas voltassem a ser como tinham sido. Era possível voltar àquele ponto do relacionamento deles. Parte de sua hesitação vinha não apenas de sua preocupação de como ela o receberia após sua última reprimenda, mas também do que aquela reação significaria. O desafio e a rebelião, de acordo com as regras, resultariam no último ataque dela. Agora a relutância dele vinha do fato de saber que essa noite poderia marcar o fim do tempo deles juntos. Isso o afligia, porque, apesar de tudo, amava aquela garota. Ele amou todas elas, mas com essa o relacionamento foi tão longo na formação que ele se sentia deprimido por não ter sido capaz de convencê-la de seu amor. Sentia-se inadequado porque talvez ela fosse boa demais para ele; uma revelação desagradável, que deixou um gosto amargo em sua boca.

Ele respirou fundo e saiu do carro. Examinou a área ao redor. Estava escuro e silencioso. Perguntou-se quanto tempo as coisas permaneceriam assim.

Atravessou a porta da frente e foi até a escada para o porão. Assim que abriu a porta, sentiu o cheiro. Um cheiro doce e pungente, que conhecia muito bem. Imediatamente, soube que fora muito duro com ela na outra noite. Soube que deixara as emoções o dominarem. Passou os últimos dias preocupado com ela e ponderando se deveria se informar sobre seu bem-estar. Agora era tarde demais.

A escada estava escura. Então, ele ligou a lanterna. O cheiro ficava mais intenso à medida que ele descia. Finalmente, quando alcançou a base da escada, dirigiu a lanterna para a cama. Ela estava ali, a bela criatura a quem ele não conseguira convencer de seu amor, pálida, inchada e em estado cadavérico. Ele se sentou no degrau da escada e chorou. "Por que todas acabavam assim?", ele se perguntou. "O que mais elas queriam além de ser amadas e cuidadas?"

Ele se deu um minuto para gemer de maneira incontrolável e se balançar para a frente e para trás. Em seguida, se recompôs. Foi até o carro e pegou o que precisava no porta-malas. Ele mantinha as coisas sob o assoalho com o estepe. Meia hora depois, subia a escada do porão carregando o saco de vinil preto que continha o corpo dela. Do lado de fora, na noite, olhou ao redor de novo. Não havia ninguém para perturbá-lo. Assim, colocou o saco mortuário no porta-malas e fechou a tampa com tanta força que tropeçou para trás. Esse único gesto de raiva foi tudo o que ele se permitiu em razão de seu fracasso. O momento exigia eficiência e pensamento claro.

Sentou-se no carro, deixando a porta aberta enquanto passava as mãos pelo cabelo e fechava os olhos, que se encheram de novo de lágrimas. Mas ele não se permitiu chorar dessa vez. Absolutamente quieto, tudo o que ele ouviu foi sua respiração um pouco forçada pelo esforço de ter subido a escada carregando o corpo dela. Entre as respirações, o silêncio da noite foi interrompido por um ruído ao longe. Ele escutou por um momento. Em algum lugar na distância, um trem apitou através da noite.

VERÃO DE 2016

Vocês vão voltar aqui no ano que vem?
— Rachel Ryan

33

Agosto de 2016
Cinco dias antes do sequestro

– ELES TÊM UM SITE?

— Não — Terry McDonald respondeu. — Não consegui encontrar nenhum. Ela disse que o rapaz a encontrou na seção de comentários de um site que tem um fórum de discussões sobre pessoas desaparecidas. Ele a convidou para uma sala de bate-papo privada. As coisas progrediram a partir daí.

— Meu Deus! Tenho vontade de colocar meu filho numa bolha quando escuto essas coisas.

— Eu também — Terry afirmou. — Megan vai para a Duke em duas semanas. Ou seja, nenhuma bolha a protegerá por muito tempo.

Ele estava sentado à sua mesa no escritório do xerife do condado de Montgomery e falava com seu suplente. Diana Wells, arrastada por seus pais, relatara sua história no dia anterior.

— Nos velhos tempos, os pais costumavam se preocupar com os adolescentes cheios de testosterona querendo transar, ou com suas bebedeiras. Mas agora? Há tantos malucos que é difícil vigiar. A internet introduziu um predador totalmente novo. Como esse grupo de idiotas sequestrando gente nas ruas para que façam parte de um clube. — Terry mostrou uma folha de papel. — O que podemos fazer, Mort?

— Não muito. Você disse que ela escolheu certas preferências para o sequestro?

— Foi como Diana descreveu. Disse que poderia escolher entre ser capturada na rua ou colocada num porta-malas. De um modo rude ou delicado. Também podia escolher o tempo de duração do sequestro. De três horas a toda a noite.

— Lunáticos. — Mort Gleeson balançou a cabeça. — Quer dizer que temos uma garota menor de idade, com uma identidade falsa, num bar, sob influência do álcool, que voluntariamente entrou no carro do acusado antes que o sequestro falso começasse. Ela não sofreu danos físicos. No fim, eles a deixaram no bar. E, antes que quaisquer dessas coisas começassem, ela concordou com tudo. Poderia ser capaz de acusar essa garota de estupidez, mas correr atrás desse clube? Não há muito com que trabalhar.

Terry McDonald reclinou-se na cadeira, com os olhos fixos no bloco de papel diante de si. Houve uma longa pausa.

— Já vi essa expressão em seus olhos, chefe. Não se meta em confusão. Este é um ano de eleição.

— Só vou dar uma olhada nos links e nos endereços dessas salas de bate-papo.

Mort Gleeson ficou de pé e tamborilou os dedos no tampo da mesa.

— Mantenha-me informado. Sei que sua filha está numa idade difícil, mas use o bom senso antes de sair por aí derrubando portas.

Terry McDonald desviou o olhar de seu bloco de anotações, encarou seu suplente e concordou. Quando Mort saiu, o xerife, coçando o queixo, voltou a analisar suas anotações. Ele sublinhou duas vezes "Clube da Captura".

— EI, GAROTAS! — RACHEL DESCEU A ESCADA DA CASA DE praia e foi até o terraço da piscina. Como uma garçonete, ela carregava uma bandeja redonda com *smoothies*. — Minha mãe e eu acabamos de fazer. Estão cheios de morangos, bananas e uma dose daquela proteína em pó. Deve ajudá-las a perder até três quilos em uma semana.

Rachel pôs a bandeja numa mesa do terraço e distribuiu as bebidas, que ostentavam canudos longos e fatias de abacaxi fincadas nos lados.

— Nenhuma de nós precisa perder três quilos — garantiu Jéssica, deitada numa cadeira de jardim, tomando sol.

— Os quilos a mais do primeiro ano da faculdade estão chegando. — Rachel fez uma careta. — Vou combatê-los já, antes que me encontrem.

— Se você continuar pensando assim vai acabar gorda e feia — Nicole disse. — Profecia autorrealizável.

Rachel se sentou, e todas bebericaram seus *smoothies*, contemplando a baía, os barcos e os praticantes de *wakeboard*, que deixavam rastros brancos na água. Nuvens ocasionais em forma de bolas de algodão pontuavam o céu azul. O cheiro dos hambúrgueres grelhados era trazido pela brisa vespertina e se misturava com traços de grama recém-cortada, cloro e protetor solar com óleo de coco. Um cortador de grama zumbia na casa ao lado e, ao longe, um caminhão de sorvete buzinava atravessando a vizinhança. Era verão em Emerson Bay.

— Vocês vão voltar aqui no ano que vem?

— Voltar para onde, Rachel? Emerson Bay?

— Para minha casa, Jéssica. Será que vamos estar com alguém no próximo verão?

— Por que não?

— Não sei. Novos amigos. Talvez uma de nós fique na faculdade, durante as férias. Estudando ou algo assim.

— Eu não — Jéssica disse. — Irei para minha casa. E, se você não estiver, Rachel, vou passar todo o verão aqui com sua mãe. Mandarei fotos de nós duas para todas vocês. Mas não acho que você esteja preocupada comigo. — Olhou para Nicole.

— O que significa isso? — Nicole franziu as sobrancelhas.

— Você andou sumida durante todo o verão, ocupada com o cara que não nos deixou conhecer.

— Vocês não o entenderiam, e não tenho vontade de explicar.

Rachel e Jéssica pressionaram Nicole durante as férias todas, até que finalmente desistiram. O máximo que conseguiram sobre o namorado de Nicole foi uma foto que ela lhes mostrou: uma *selfie* dela e Casey. Certo dia, Nicole revelou que o irmão de Casey havia sido sequestrado quando eles eram crianças. A partir de então, a misteriosa aventura de verão passou a fazer mais sentido para elas, pois sabiam que Nicole tivera uma prima que também desaparecera.

— Antes de nos preocuparmos com o próximo verão, que tal nos concentrarmos neste fim de semana? Nós vamos à festa da praia, certo?

— Temos de ir, Jéssica. — Rachel ergueu as mãos. — É o fim não oficial do verão em Emerson Bay: uma tradição.

Elas esperaram até Nicole lhes dar atenção.

— O que foi?

— Você vai, Nicole?

— Acho que sim.

— O que fará quando Casey não for com você para a faculdade?

— Eu dou um jeito. — Nicole esboçou um sorriso amarelo.

Um barco desacelerou quando entrou na zona de velocidade limitada na frente da casa de Rachel. Todas protegeram os olhos do sol quando olharam para a água.

— É Matt — Jéssica o reconheceu. — Esse é outro assunto que precisamos discutir. Casey sabe que você está saindo com ele?

— Para quê? A princesa faz marcação cerrada em Matt, que não vai além de selinhos. Mas eu vou pervertê-lo. Ele é o cara. — Nicole se sentou numa cadeira do terraço e ajustou a parte de cima do biquíni. Tirou os óculos escuros e os segurou diante de si para admirar seu reflexo nas lentes.

— Tyler e Mike estão com ele.

— Ah... — Nicole fez charme. — Foi tão fofo no outro dia, quando eles emboscaram vocês no barco e as jogaram na água! As férias foram bem chatas para vocês, garotas. Mas agora... De um verão deprimente a um verão de muita gemeção!

— Que nojo! — Ficando de pé, Rachel acenou.

Tyler e Mike desembarcaram na doca e subiram a escada na direção da piscina.

— Senhoritas... — Tyler as cumprimentou, sorridente.

— E aí? — Rachel sorriu também.

Eles usavam sungas sem camisetas, exibindo os peitos bronzeados, sugerindo terem navegado na baía durante a maior parte do dia.

— Queríamos ter certeza de que vocês irão à festa, no sábado.

— Como se precisássemos de um convite de vocês... — Nicole deu de ombros.

— Vamos, sim — Jéssica afirmou. — Ela está de mau humor.

— Por que Matt não veio conversar conosco? — Nicole quis saber.

— Não sei. — Tyler torceu os lábios. — Ele está esquisito.

Nicole se ergueu e pôs seu *smoothie* na mesa.

— Vejamos qual é o problema dele. — De biquíni, Nicole desceu a escada com seu andar sedutor mais sedutor, sabendo que todos a observavam. Andou pela doca e pulou no barco. — Você não pôde subir para me dizer oi? — ela perguntou a Matt, que reorganizava os esquis aquáticos e as roupas de mergulho no compartimento do convés.

— Oi — ele disse, sem olhar para ela. — Parei por um instante só porque meus meninos têm uma coisa para suas amigas.

Nicole sentou-se no assento de comandante e chutou Matt de brincadeira na coxa, quando ele se ajoelhou no chão para soltar um esqui.

— Pensou na minha oferta?

Matt conseguiu liberar o esqui e alinhá-lo com os demais. Em seguida, fechou a escotilha e ficou de pé.

— Que oferta?

Nicole inclinou a cabeça.

— Aquela do outro dia, quando você e eu estávamos sozinhos... — Ela apontou para a cabine abaixo do convés. — Bem ali.

Matt pegou uma toalha e secou as mãos. Ele parecia totalmente desinteressado.

— Sabe de uma coisa, Nicole? Não consigo entender por que você precisa de tanta atenção. Mas se oferecer para transar é um jeito estúpido de conseguir isso.

Nicole engoliu em seco ao ouvir aquilo. Então, deu seu melhor sorriso persuasivo para disfarçar seu constrangimento.

— Achei que você não estivesse conseguindo nada com sua namorada. Assim, imaginei que poderia te dar uma mãozinha.

— Tentar me convencer a enganar minha namorada não é a melhor maneira de ser notada. Faça algo original, Nicole. Aí as pessoas prestarão atenção em você.

Ela se levantou.

— Achei que tivesse dito que não tinha namorada.

— As coisas mudam.

— Sério? Megan McDonald?

— O que te importa?

— Ela não é o seu tipo.

— Você não conhece o meu tipo.

— Costumava conhecer, porque *eu* era seu tipo.

— Nós namoramos no ano passado, Nicole. Vamos superar isso.

— Eu era o seu tipo naquele dia. — Nicole se aproximou dele e pôs as mãos ao redor da cintura de Matt. — Tenho certeza de que ela não vai te dar o que eu posso oferecer.

Matt agarrou os pulsos de Nicole e os apertou com força.

— Estou com medo de descobrir o que você me daria, assim como a maioria dos meus amigos.

Nicole fingia não estar sentindo dor.

— Me solta!

— Sabe o que todos pensam de você? Que você virou uma piranha que espalha DST. Todos te chamam de Slutty Cutty.

— Você é um babaca!

— E você é uma puta! — Matt a afastou. — Saía do meu barco!

Nicole dirigiu a ele um sorriso forçado e falso, pior do que o último.

— Sabe o que vai ser realmente engraçado? Quando eu tiver uma conversinha com a princesa sobre o que aconteceu entre nós bem ali. — Ela apontou de novo para a cabine abaixo do convés. — Tenho certeza de que seu romance na Duke vai florescer quando ela souber que você não consegue tirar as mãos de mim ou sua língua da minha boca.

Matt sorriu largo dessa vez. Seu sorriso foi melhor que o de Nicole, mais convincente. Ele caminhou devagar até ela. Num movimento rápido, como o que usara centenas de vezes no ringue de luta, agarrou Nicole pela nuca e puxou o rosto dela até quase encostar no seu.

— Fale com Megan, e você vai conhecer um lado meu que nem imagina que existe — ele ameaçou, voltando a afastá-la. — Agora saía do meu barco!

Nicole deu mais um sorriso amarelo e usou o dorso das mãos para enxugar as lágrimas.

— Você é um bundão.

Ela desembarcou na doca e subiu correndo a escada, cruzando com Tyler e Mike no caminho, que a olharam de um modo estranho.

PARTE V

Todos me conhecem como a garota do meu livro, ou como a garota de antes do sequestro. Não sou mais nenhuma das duas.
— Megan McDonald

34

Outubro de 2017
Treze meses após a fuga de Megan

LÍVIA SÓ CONSEGUIU VOLTAR PARA EMERSON BAY NA sexta-feira. Acompanhada de Megan, ela pegou a direção de West Bay, com o horizonte avermelhado devido aos últimos esforços do sol crepuscular.

— Quem é o sujeito? — Megan quis saber.
— Um osso duro de roer. — Lívia deu de ombros. — Mas pode ser útil.

No início da semana, Lívia pusera Megan em dia a respeito de suas descobertas relativas à sala de provas: o pedaço de tecido verde correspondia à roupa de Casey Delevan, e o garfo ausente fora identificado por Ted Kane como o instrumento usado para acabar com a vida do rapaz. As duas descobertas criaram um vínculo entre Casey e Nicole na noite em que ela foi levada. Por associação, as descobertas também fisgaram Megan.

Lívia avançou quando o semáforo ficou verde, virou numa rua lateral alguns minutos depois e parou o carro na frente da casa malconservada que tinha visitado duas semanas antes.

— Útil como? — Megan quis saber.
— É o seguinte. Quando formos ao seu pai, quero ter munição. Temos a cetamina, as fibras e o garfo ausente. Mas para que seu pai colabore, preciso de mais elementos. Tenho de convencê-lo de que Casey Delevan estava raptando garotas.
— Você se refere a Nancy Dee?
— Talvez outras também.
— Outras? Quem?

Lívia apontou para a casa.

— Espero descobrir esta noite.

Elas saíram do veículo e bateram à porta de tela bamba. Daisy de imediato começou a latir e arranhar a porta. Nate Theros mandou que a cadela ficasse quieta enquanto destrancava a fechadura.

— Nate. É Lívia Cutty.

Nate sorriu ao vê-la.

Lívia seguiu o olhar dele.

— Esta é Megan McDonald.

Nate arregalou os olhos e abriu um sorriso de fã conhecendo sua estrela de cinema favorita.

— Talvez você possa prender Daisy — Lívia sugeriu, interrompendo o momento de Nate, que encarava Megan totalmente hipnotizado. — Então, poderemos conversar.

— Sim. — Nate piscou, despertando para a realidade. — Já volto.

— E levou Daisy.

Lívia falou para Megan, acima dos latidos:

— Esse cara era membro do clube do qual te falei. Ele estudou casos de pessoas desaparecidas, e está encantado com sua presença. Você é muito famosa para Nate.

— Fico lisonjeada. — Megan fez ar de espanto.

— Tenha um pouco de paciência. Prometi a Nate que você viria junto para autografar um exemplar de seu livro e responder a algumas perguntas dele. Só assim ele concordou em falar.

Nate voltou um minuto depois.

— Vocês querem entrar? — ele convidou, esquecido dos muitos motivos que impediriam duas mulheres de entrar em sua casa. Como, por exemplo, que elas estavam em West Bay ao anoitecer, com um céu roxo turvo pouco antes do Halloween. Ou que a camiseta dele não fazia nada para conter as tatuagens que adornavam seus braços e seu pescoço. Ou que os imensos brincos de argola que pendiam dos lóbulos de suas orelhas expressavam más intenções e maldades.

— Não, obrigada. — Lívia prendeu uma mecha de cabelo atrás da orelha. — Vamos conversar na varanda.

— Sim, claro. — Nate pôs um cigarro na boca. — Oi — ele disse a Megan.

— Oi.
— Eu li o seu livro.
— Ah, sim? — Megan ainda não encontrara o jeito certo de responder a isso. — Obrigada.
— Nate, Megan e eu queremos fazer algumas perguntas sobre o clube.
— Vá em frente.
— Você disse que o Clube da Captura conversava de diversos casos, antigos e novos.
— Certo.
— Quem escolhia os casos?
— Qualquer um de nós. Se a pessoa estava curiosa de um caso, bastava apresentar um nome.
— Como Jeffrey Dahmer?
— Dahmer, Gacy, Bittaker, Norris e Beneke. Nós escolhíamos o nome. Mas não dedicávamos muito tempo a eles. Eram ligados a casos antigos.
— Vocês falavam sobretudo de casos atuais?
— Muitas vezes, sim.
— Qualquer um podia trazer um tópico ou um nome?
— Sim. Costumávamos acompanhar o noticiário.
Lívia concordou.
— Seu interesse principal seria sobre o desaparecimento de alguém que morasse nas proximidades?
— Certo.
— Nancy Dee, por exemplo.
— Sim, conversamos sobre ela.
— Você se lembra de como o grupo chegou à história de Nancy Dee?
— Não. Acho que foi Casey quem falou dela. Ele era o mais atualizado a respeito de novos desaparecimentos. Quando a notícia aparecia no noticiário, já estávamos discutindo o caso.
— Então, você diria que Casey sabia de alguns casos antes que qualquer outra pessoa soubesse?
— Creio que sim.
— Você se lembra de terem falado de outros casos mais recentes?

Nate mexeu a cabeça para a frente e para trás, com os olhos postos no céu.

— Claro. Lembro-me de muitos. — Ele acendeu o cigarro. — Tenho um fichário repleto dos casos dos quais falamos.

— Um fichário cheio de casos de garotas desaparecidas?

— Não apenas de garotas. De alguns caras também. Quem quer que o clube achasse interessante.

— Onde está esse fichário?

— Dentro de casa.

— Podemos dar uma olhada?

— Não sei. São coisas particulares minhas, do tempo em que o clube funcionava a pleno vapor.

Megan pigarreou.

— Eu gostaria muito de ver esse arquivo. — Ela sorriu para Nate. — Se você não se opuser.

Nate tragou, e a fumaça se alojou em algum lugar de sua traqueia, fazendo-o tossir como um adolescente que dá sua primeira tragada. Ele evitou o contato visual.

— Já volto. — Nate abriu a porta de tela e desapareceu dentro da residência.

— Cara interessante...

— Acho que ele é inofensivo. Obrigada por usar seu poder de estrela, Megan.

— De que adianta ser famosa se você não usa isso?

Alguns minutos depois, Nate voltou com um fichário preto, que entregou a Lívia.

— Aqui está a maioria dos casos de que falamos. Mantive muitos deles. Há mais alguns novos. — Então, ele olhou para Megan. — Tenho muita coisa sobre você. — Nate deu de ombros. — Se vocês quiserem examinar...

— O caso de Nancy Dee está no arquivo? — Lívia perguntou.

— Ah, sim. Há algumas páginas sobre ela.

Lívia as encontrou e deu uma boa olhada. Depois, folheou o fichário em busca de informações sobre Paula D'Amato, a outra garota da pasta de Casey Delevan. No meio das páginas, encontrou os recortes de jornal referentes.

— Você se lembra desta jovem?
Nate deparou com o rosto de Paula D'Amato.
— Claro que sim.
— Como o clube chegou a ela?
— Casey ficou na cola da garota. Falamos muito dela. Ele tinha certa fixação por Paula.
— Do que você se lembra sobre esta garota? — Lívia perguntou.
— Caloura do Instituto de Tecnologia da Geórgia. Os policiais encontraram sua jaqueta na mata, longe de uma trilha que os estudantes pegavam no caminho do *campus*. Prenderam seu namorado, mas o soltaram depois de certo tempo. Acho que o estão interrogando de novo agora. Além de alguns outros caras da confraria. Eu estava examinando esse caso de perto ainda outro dia, sabe?
— Ah, é? — Lívia segurava o fichário aberto. — O que aconteceu no outro dia?
Nate deixou um sorriso lento se formar em seu rosto, como se Lívia estivesse contando uma piada. Ele soltou a fumaça do cigarro pelo canto da boca.
— Encontraram o corpo dela. Há três ou quatro dias.
— De Paula D'Amato?!
Nate concordou.
— Onde?
— Vocês não ficaram sabendo? — Nate indagou com grande excitação. — Achei que tivessem vindo por causa disso.
— Não. — Lívia o encarou. — Nós não ficamos sabendo.
Ele apontou o cigarro para o fichário.
— Os detalhes ainda estão vindo à tona. Encontraram o cadáver numa floresta, no interior da Geórgia, dentro de um saco mortuário, ao lado de um buraco no chão. Como se alguém tivesse cavado a sepultura, mas nunca houvesse enterrado o corpo. Estranho demais! — Esticando os lábios, Nate deu uma tragada.
— Foi há alguns dias?
— Sim.
Lívia devolveu o fichário a Nate.
— Temos de ir.

Ele olhou de relance para Megan e perguntou a Lívia:

— Você não me disse que eu poderia fazer algumas perguntas para ela?

— Desculpe. Em outra oportunidade. — Lívia pegou Megan pela mão e a puxou de volta para o carro com passos rápidos.

— Que tal autografar meu livro? — Nate gritou.

— Outra hora. — Em segundos, Lívia pisava fundo no acelerador.

— Desculpe por colocá-la nessa situação, Megan. Você está bem?

— Lidei com coisas piores em minha primeira turnê de divulgação do livro. Quem é Paula D'Amato?

— Outra garota que acho que Casey sequestrou. Terei de ir até a Geórgia, e ver se consigo falar com quem fez a autópsia. Se estiverem presentes as mesmas descobertas que ligam você e Nancy Dee, será que poderemos contar com a colaboração de seu pai?

— Creio que sim. Mas não entendo, Lívia. Se você acha que o cara que namorava Nicole estava envolvido com essas garotas e teve algo a ver com seus desaparecimentos, e o meu... Bem, ele morreu, certo? Então, o que estamos procurando?

— Se o corpo de Paula D'Amato acaba se ser encontrado, quero saber quando ela morreu. Se foi recentemente, Casey não agiu sozinho. Alguém mais ainda está por aí.

35

ELE ABRIA A COVA, COM DUAS LÂMPADAS DE LED AJUSTÁveis, de mil watts de potência, iluminando a floresta. A terra molhada facilitava a escavação. A pá penetrava sem esforço na lama sob o peso de seu pé. À noite, a floresta estava silenciosa, com seus moradores enfiados em suas tocas com cobertura de folhas ou troncos. Naturalmente, os caçadores noturnos se achavam ao ar livre: corujas, morcegos e coiotes. No entanto, as lâmpadas que iluminavam seu trabalho os mantinham afastados, apesar da atração do cheiro amargo que o corpo dela exalava sobre o chão da floresta, protegido pelo vinil preto e esperando para ser coberto pela terra que ele retirava.

Quando ouviu o ruído, ele parou. Com seu pé sobre a pá, pôs-se a escutar. Ouviu de novo. Olhou para o saco preto e, então, cambaleou para trás quando o viu se mover. Enrugando-se no meio, o saco se dobrou num ângulo de noventa graus, como se ela tivesse se sentado. Ele deixou a pá cair e se afastou até cair na cova rasa que tinha cavado. Esforçou-se para ficar de pé, mas suas pernas estavam paralisadas de medo. Ela abrira o zíper do saco, deixara-o para trás e, com um olhar determinado, pegou a pá e jogou terra sobre os ombros dele. Arranhando a terra e implorando, ele, por um momento, conseguiu se colocar de joelhos, mas ela foi implacável em seus esforços. Por fim, o peso da terra se tornou tão grande que ele caiu deitado de bruços. Ela, sem se abalar, jogava mais terra sobre ele. Sob a pressão, os pulmões dele já não conseguiam mais se expandir. Ele olhou para ela pouco antes de um arremesso final de terra cobrir seu rosto. Então, sua visão escureceu.

Nesse momento, ele se sentou na cama, agarrando as cobertas do mesmo modo que enfiara as unhas nas laterais da sepultura em seu pesadelo. Respirando fundo, saboreou o ar que lhe faltara havia pouco. Os suores noturnos tinham ensopado suas roupas e os lençóis.

— O que houve? — veio a voz grogue ao seu lado.

Era incrível como até mesmo a preocupação dela o repugnava. Ela não o amava mais, e a atenção dissimulada dela virava seu estômago. Parte dele a culpava por aquilo em que ele se tornou. Culpava-a pelo vazio em seu íntimo, que ele tentava desesperadamente preencher com as garotas que mantinha cativas e a quem se oferecia para amar e cuidar.

— Nada — ele disse, sem ar.

— Um pesadelo?

Sem responder, ele saiu da cama e se dirigiu à cozinha para tomar um copo de água. A camiseta estava grudada em seu peito, e ele a afastou enquanto matava a sede.

No ano anterior, as coisas tinham dado errado. Muito errado. Ele não queria admitir que tudo podia estar degringolando. A derrocada do último ano — com o bunker e a fuga, a caça e a pressão, e a mídia — deveria ter sido suficiente para detê-lo, para acordá-lo, trazendo a percepção de que as coisas não poderiam continuar sem que ele topasse com uma grande destruição. No entanto, ele se sentia impotente. Não era mais capaz de se convencer a parar. Assim como não conseguia convencer as garotas a amá-lo como ele as amava. Nessa frente, porém, ele tinha certeza de que tudo estava mudando. Apenas precisava de mais tempo.

No entanto, sabia que não podia sustentar esse nível de incompetência e esperar sobreviver. Seu desleixo desde a fuga do bunker no ano anterior não podia ser ignorado. Passara a vida cuidando dos detalhes, e advertia seus subordinados sobre o trabalho de má qualidade. Ensinava àqueles a seu redor a necessidade de precisão e exatidão, de prestar atenção a todos os aspectos. Agora, fora vítima dos mesmos erros negligentes que exigia que fossem evitados. O corpo que apareceu boiando nas águas da baía foi resultado direto do pânico e da desatenção aos detalhes. Os nós que prendiam o corpo aos blocos de cimento não foram considerados com cuidado. As consequências desse erro ainda eram desconhecidas. A imprensa perdeu o interesse após a história inicial ser publicada, e as últimas semanas lhe deram esperança de que talvez fosse possível se safar.

Mas novos erros se seguiram. A aplicação descuidada da madeira compensada que fixava a janela do porão quase permitira outra fuga. E seu desejo de lhe oferecer mais conforto, pondo um estrado na cama box, foi um erro tão grave que ele ficava indignado toda vez que pensava nisso. Na sequência, a briga infeliz, e perder a paciência foi um sinal de incompetência.

O descuido em relação às suas ações era perigoso, e ele estava assustado. Na outra noite, seu medo o fez sair correndo da floresta, receoso de jogar o corpo dela na sepultura que cavou. E agora, pouco depois que o tempo deles juntos terminou, ela foi encontrada. Chamaram-na de Paula, e isso lhe causou náuseas. Assim como antes, quando o praticante de *jogging* e seu cão perturbaram o lugar de descanso que criou para seu último amor e os âncoras dos telejornais a chamaram de Nancy. Os nomes o insultaram. Sentiu-se ofendido com a maneira como a mídia falou de seus amores, como se as conhecesse, usando nomes estranhos para rotulá-las e exibindo fotos de seus rostos para todos verem. Sentados em seus estúdios e olhando para as câmeras, os jornalistas fingiam manter alguma ligação com suas garotas. A verdade, ele sabia, era que a mídia não fazia nada além de esquecer que essas criaturas existiam.

Ele subiu a escada e jogou sua camisa suja no cesto de roupa. Em vez de voltar para a cama, levou o travesseiro para o sofá e se deitou.

As coisas precisavam mudar, mas ele não tinha certeza de que seria possível. Sob a culpa e o medo, sob a imagem horrível do último rosto inchado, fechado com zíper e escondido por vinil preto, havia outra coisa. Ele tentou ignorar isso, mas sabia que não iria conseguir. Por mais sutil que fosse no momento, sua sede aumentaria. A mulher que estava no andar superior, inconsciente de suas necessidades, não poderia saciá-la. Era uma sede de ligação. De confiança e dependência. Ele sabia que algum dia encontraria isso. Talvez já tivesse encontrado.

Embora carregasse o pesado fardo da melancolia sobre os ombros por causa da maneira como tudo terminou com seu último amor, havia esperança arraigada sob essas emoções. Esperança e desejo. Ele sabia que as emoções dominantes se mostrariam vitoriosas. Por enquanto, ele resistiria a essa última tempestade e esperaria seu momento propício. Superaria esses passos em falso. Deixaria as coisas se acomodarem e se acalmarem. Então, iria se concentrar no que era importante.

Jogou-se no sofá e adormeceu, mas os suores noturnos se apossaram dele quando a imagem voltou: o saco de vinil preto irregular com os restos mortais dela.

36

LÍVIA PEGOU A ESTRADA ANTES DO AMANHECER, NO SÁBADO. Um ou outro caminhão de dezoito rodas aparecia aqui e ali em seu longo percurso desde o norte do país, mas em geral a rodovia era só dela.

Ao pensar em Casey Delevan, Nancy Dee, Paula D'Amato e Megan McDonald, Lívia se perguntava se conseguiria convencer a polícia de que existia uma ligação entre todas essas pessoas. Perguntou-se se Nicole teria lugar nessa ligação, e se a grandeza delirante de um clube demente tivera algo a ver com todas essas garotas desaparecidas.

Lívia lembrou-se da entrevista para o curso de especialização, durante a qual, em seus pensamentos reprimidos, desenvolveu a ideia do corpo de Nicole aparecendo da mesma maneira que os corpos de Nancy Dee e Paula D'Amato. Em sua imaginação, o cadáver de Nicole era transportado para sua mesa de autópsia, e então a Lívia-irmã pedia silenciosamente à Lívia-médica-legista para encontrar as respostas que ele continha e pôr um ponto final nas inúmeras perguntas que ela, a Lívia-irmã, e seus pais ainda faziam acerca da noite do desaparecimento de Nicole. Em vez disso, porém, foi o corpo de Casey Delevan que chegou ao seu necrotério. E, em lugar de respostas, o caso apenas provocara mais especulações, e Lívia viu-se viajando para estados vizinhos em busca de revelações sobre outras garotas desaparecidas.

Quando o sol nasceu no horizonte atrás dela e estendeu a sombra de seu carro em um espectro fino e preto ao longo da estrada adiante, Lívia se deu conta de que perseguia mais do que o fantasma de sua irmã perdida. Talvez isso tivesse trazido o corpo em decomposição de Casey Delevan para forçá-la a agir. Talvez um ano de negação e evitação tivesse finalmente atingido sua conclusão lógica. Se esquecer Nicole fosse a alternativa, a ação talvez fosse o único e próximo passo lógico. Independente do motivo, Lívia sabia que não poderia parar até obter as respostas que desejava. E se elas não lhe proporcionassem um ponto final, ou não sufocassem a culpa por seu relacionamento sofrível com Nicole, quem sabe oferecer uma conclusão para as famílias Dee e D'Amato lhe trouxesse algo mais? Um bálsamo necessário para curar feridas que, de outra forma, permaneceriam expostas e escancaradas.

Usando a precária influência oferecida por sua posição de aluna de patologia forense, Lívia conseguiu convencer a médica-legista de Decatur, na Geórgia, a recebê-la num sábado.

O sol estava a pino quando ela encontrou a sede do Georgia Bureau of Investigation. O estacionamento estava quase vazio. Lívia atravessou a porta da frente e deu seu nome para o segurança sentado atrás da mesa. Ele pegou o telefone e avisou da chegada da doutora Cutty. Alguns minutos depois, uma mulher na casa dos cinquenta anos entrou no saguão.

— Olá — ela cumprimentou. — Denise Rettenburg.

— Lívia Cutty. Obrigada por me receber hoje.

— Eu teria de vir de qualquer jeito, pois tenho um caso. — A doutora sorriu. — Siga-me. Obrigada, Bruce — ela agradeceu ao segurança antes de levar Lívia para o interior do prédio.

Diante do elevador, a doutora Rettenburg apertou o botão para subir.

— Então, por que o IML de Raleigh está tão interessado em Paula D'Amato?

As portas do elevador se abriram, e elas entraram.

— Bem, tudo o que posso dizer é que vimos alguns casos semelhantes envolvendo mulheres jovens. Por isso, quero dar uma olhada para ver se podemos estabelecer algumas ligações.

— Isso parece trabalho da polícia.

— Neste momento, não é mais do que suspeita. Preciso de alguns fatos antes de entregar algo à polícia.

A doutora Rettenburg tornou a sorrir.

— Você fala como uma aluna do doutor Colt. Os fatos em primeiro lugar.

As portas do elevador voltaram a se abrir, e elas passaram a caminhar pelo corredor vazio.

— Trata-se de uma inquirição pessoal ou o doutor Colt tem conhecimento disso?

— O doutor Colt está familiarizado com o caso que despertou minhas suspeitas. Um homicídio no fim do verão. No entanto, no que se refere ao caso D'Amato, estou aqui por minha própria conta.

A doutora Rettenburg pareceu ponderar sobre essa última afirmação.

— Quais são os outros casos? — ela perguntou. — As outras garotas a que você acha que o caso D'Amato está ligado.

— São dois. Um envolve uma garota chamada Nancy Dee. A senhora sabe algo a respeito?

— Não. É um caso de Raleigh?

Lívia balançou a cabeça negativamente.

— Da Virgínia. Mas é o mesmo *modus operandi* do caso D'Amato: seu corpo foi achado numa cova rasa na floresta. Ela morreu de *overdose* aguda de cetamina.

Sem parar de caminhar, a doutora Rettenburg olhou para Lívia.

— Cetamina?

— Sim. Diga-me: o laudo toxicológico de Paula D'Amato revelou a presença de cetamina?

— Revelou.

— Foi a *causa mortis*? *Overdose* de cetamina?

— Não. — A doutora parou e apontou para a porta de seu escritório. — Ela foi espancada até a morte.

AS FOTOS DA AUTÓPSIA FORAM ESPALHADAS SOBRE A mesa da doutora Rettenburg, e Lívia dedicou algum tempo para estudá-las. Elas mostravam o corpo de Paula D'Amato sobre a mesa do necrotério, com a pele pálida, azulada e esticada da mesma maneira inchada que ela vira em tantos outros cadáveres nos últimos meses. Com certeza, Paula D'Amato morrera recentemente. Seu corpo não estava em decomposição, e a morte acontecera pouco antes do exame de autópsia.

— Que período a senhora sugeriu? — Lívia perguntou.

— Cerca de quarenta e oito horas no momento do exame. Na floresta por duas noites, suspeitamos. Só o que retardou a ação dos carnívoros foi o saco mortuário.

A seguir, Lívia folheou as fotos da cena do crime, que mostravam um saco mortuário de vinil preto posto sobre uma área arborizada bastante coberta por folhas. Os cantos da bolsa estavam despedaçados por causa da ânsia dos animais em alcançar a carne em putrefação ali contida. O corpo estava na beira de uma cova rasa, com um monte de terra ao lado.

— Quais são as ideias a respeito da cena do crime?

— Essa é a pergunta de um milhão de dólares — a doutora Rettenburg afirmou. — Ninguém sabe muito bem o que concluir. Os detetives acham que o perpetrador foi interrompido no meio da escavação da sepultura. O lugar não ficava muito no interior da floresta. Assim, pode ser que alguém tenha assustado o criminoso, que precisou abandonar o descarte. Atualmente, essa é a teoria de trabalho. O problema é que o pessoal de Homicídios acha que o sujeito tinha um equipamento de iluminação.

— Iluminação?

— Sim, como se estivesse se livrando dela à noite. Encontraram marcas na terra que sugeriam holofotes de alta potência ou para serviço pesado, que funcionam com bateria ou gerador a gás.

— Por que isso é um problema?

— Porque desmontar esse equipamento e movê-lo exige esforço. E tempo. Se ele acabou se assustando por causa de alguém que passava por ali, é difícil imaginar que tenha dedicado preciosos minutos a desligar os holofotes e desmontar o equipamento, mas não tenha se preocupado em enterrar o cadáver.

— Sim. — Lívia ainda folheava as fotos. — Isso não faz sentido.

— O pessoal de Homicídios vem trabalhando para localizar qualquer um que possa ter estado na área na última semana, mais ou menos. Ainda não encontrou ninguém. Mas o que se teme é: se encontramos Paula D'Amato só e unicamente porque o sujeito interrompeu a escavação de sua sepultura, quantas garotas mais poderão estar ali?

Lívia assentiu. Ela fingiu continuar olhando para as fotos, mas sua visão desvaneceu quando a doutora Rettenburg verbalizou seus pensamentos. A única coisa que Denise Rettenburg não mencionou foi que uma dessas garotas seria Nicole.

— Você está bem, doutora Cutty?

Lívia piscou, afastando a imagem da mente.

— Desculpe. Fale-me da autópsia.

A doutora Rettenburg pôs uma pasta sobre a mesa e falou de memória, enquanto Lívia folheava o laudo.

— Achamos que ela morreu dois dias antes de ser encontrada. O corpo mostrava sinais de contenção, sobretudo uma escoriação no tornozelo esquerdo. Sinais de abuso sexual, provavelmente repetidos e crônicos.

— Quando ela desapareceu?

— Há três anos.

— Meu Deus! — Lívia exclamou.

— Abuso físico agudo — a doutora Rettenburg prosseguiu. — Contusões no rosto, na cabeça, nos braços e no torso. Lesão nos músculos da garganta devido a estrangulamento manual. Ela também lutou. Dedos dos pés quebrados por causa de chutes. Contusões nos dedos das mãos. Ferimentos defensivos nos antebraços.

— Havia sinais de abuso crônico?

— Infelizmente, sim. Ela tinha uma fratura de fíbula mal cicatrizada de cerca de um ano atrás. Além disso, apresentava uma costela quebrada em fase inicial de cicatrização. Também possuía diversas abrasões e cicatrizes de várias idades. O abuso sexual era claramente crônico.

— Então, durante três longos anos, o desgraçado agiu livremente com ela até que decidiu que já tivera o suficiente?

— Vou deixar os detetives determinarem isso, doutora Cutty.

Lívia virou a página.

— A senhora pode me falar do laudo toxicológico?

— Encontramos cetamina em seu organismo, junto com Diazepam, ministrados não muito antes de sua morte, com base no nível do metabolismo. Parece que foi ingerida com limonada.

Lívia balançou a cabeça, pesarosa.

— O caso da Virgínia foi uma *overdose* direta de cetamina; tanto ingerida oralmente como injetada por via intramuscular. Nenhum abuso físico grave. Assim, por acaso ou com intenção, ele matou Nancy Dee ministrando muita cetamina. Por que não fez o mesmo aqui? Por que deu a ela os medicamentos e, depois, bateu nela e a estrangulou?

— Talvez os dois casos não tenham relação. Só podemos contar a história que o corpo nos conta, doutora Cutty. Deixe a especulação para os detetives. — A doutora Rettenburg compreendia a frustração de Lívia com as limitações de sua profissão. — Quais são as ligações com os outros casos?

— A cetamina é a ligação mais forte — Lívia respondeu.

— Sim, foi uma descoberta estranha. Em geral, a droga é usada em medicina veterinária.

— Certo, e posso ligá-la com outros dois casos.

— A garota da Virgínia e quem mais?

— Megan McDonald.

— Megan McDonald, de Emerson Bay?

Lívia concordou.

— Na noite em que ela escapou, encontraram grande quantidade de cetamina em seu organismo. — Lívia desviou os olhos do laudo. — Esse sujeito ministrou uma dose elevada de cetamina em Nancy Dee. Talvez tenha tentado fazer o mesmo com Paula D'Amato, mas, depois, tomou providências com as próprias mãos. E encheu Megan McDonald de cetamina pouco antes de ter tido a intenção de matá-la. Ela escapou do bunker e correu para salvar a vida. Então, Arthur Steinman a encontrou na Rodovia 57.

Denise Rettenburg suprimiu um sorrisinho.

— Esse é um bom trabalho de detetive de uma aluna de Gerald Colt.

Lívia voltou a folhear o laudo da autópsia.

— A outra ligação resulta das fibras encontradas nos cabelos das garotas. As mesmas fibras descobertas no cabelo de Nancy Dee foram achadas no de Megan McDonald na noite em que ela foi levada ao hospital. Pelo relato de Megan da noite em que fugiu, tomamos conhecimento de um saco de algodão que foi colocado em sua cabeça. Esse saco foi recuperado do bunker. A análise das fibras do material no cabelo de Megan não só correspondeu ao saco recuperado como também às fibras encontradas no corpo de Nancy Dee. Era do mesmo algodão, no mínimo.

— Bem, agora isso ficou interessante. — A doutora Rettenburg manuseou as fotos na frente de Lívia e tirou uma da pasta. — Paula D'Amato foi encontrada com um saco na cabeça.

Lívia olhou com mais atenção para a foto. Ela não tinha notado da primeira vez.

— Um saco sobre a cabeça e dentro de um saco mortuário?
— Correto.
— A senhora analisou esse saco?

A doutora Rettenburg folheou a pasta e tirou uma análise da fibra, que colocou sobre a mesa.

De sua bolsa, Lívia tirou uma cópia das análises das fibras encontradas em Nancy Dee e Megan McDonald e pôs as três diante de si para comparação.

— Todas vieram de uma mesma procedência. A mesma largura de fibra, a mesma classe. — Lívia olhou para Denise Rettenburg, que ergueu as sobrancelhas, espantada.

— Eu diria que você tem um caso convincente, doutora Cutty.

Lívia ajudou Denise Rettenburg a reorganizar a pasta de Paula D'Amato. Depois, seguiu-a no corredor e esperou diante das portas do elevador.

— Gerald Colt estava um ano na minha frente na faculdade de medicina — a doutora Rettenburg comentou.

— Ah, sim? O doutor Colt é um grande mentor.

— Ouvi dizer que ele está fazendo maravilhas em Raleigh.

As portas do elevador se abriram, e as duas entraram. A doutora Rettenburg apertou o botão para o saguão, e Lívia esperou as portas se fecharem.

— Foi Gerald que fez a ligação com a cetamina? — a doutora Rettenburg perguntou.

— Não. Eu a encontrei.

— Foi uma grande descoberta, doutora Cutty. Achei que talvez a mulher de Gerald tivesse ajudado.

Lívia começou a dizer algo, mas parou. Confusa, acabou afirmando:

— Esse caso não estava no radar do doutor Colt. Do contrário, tenho certeza que ele teria detectado isso.

— É claro. — A doutora Rettenburg pressionou o botão para apressar o processo de fechamento das portas do elevador. No saguão, ela acompanhou Lívia até a porta da frente.

— Obrigada por me dedicar seu tempo num sábado.

— Boa sorte para você. — A doutora Rettenburg observou a aluna de Gerald Colt se afastar e, em seguida, voltou ao seu escritório.

Achou que poderia ter cometido uma gafe no elevador sugerindo que a mulher de Gerald o ajudara a fazer a ligação referente à cetamina. Em seu computador, a doutora Rettenburg digitou sua consulta no mecanismo de busca e esperou pelos resultados. Ela rolou a tela para baixo e leu. Sim, estava correta.

A mulher de Gerald Colt era veterinária e tinha uma grande clínica em Summer Side, alguns quilômetros ao norte de Raleigh.

37

ADJACENTE AO ESTADO DA VIRGÍNIA, NA DIVISA NORTE DA Carolina do Norte, Tinder Valley consistia de oitenta e duas cabanas de troncos de madeira que acomodavam de duas a oito pessoas, dependendo do modelo, posicionadas ao longo de um afluente do rio Roanoke. Situadas nas margens do rio, todas as cabanas proporcionavam vistas maravilhosas da paisagem.

Construído na década de 1980, Tinder Valley foi, durante curto espaço de tempo, um resort majestoso, para onde as famílias escapavam para passar fins de semana prolongados. Era onde as crianças pilotavam pedalinhos em águas muito límpidas, com seus pais a observá-las de suas espreguiçadeiras. Onde os casais caminhavam pela praia com seus cachorros, gravando pegadas na areia. Porém, Tinder Valley não permaneceu majestoso por muito tempo. Ao longo dos anos, a má gestão levou o resort à beira-rio à decadência. A propriedade mudou de mãos diversas vezes, com cada novo dono acreditando que poderia recuperar o lugar.

O proprietário anterior — um grupo de investimentos de Nova York — nunca conseguiu ganhar dinheiro, e para não perder só cuidou das questões de manutenção mais urgentes. Assim, em seus últimos anos como proprietário de Tinder Valley, o grupo deixou que as cabanas e os jardins perecessem lentamente à medida que a tinta das paredes descascava; as janelas se quebravam e não eram reparadas; a doca se deformava por causa das colunas que afundavam e das tábuas que se soltavam; as ervas daninhas e a relva cresciam sem restrições; e a praia acumulava uma quantidade inacreditável de lixo. Enfim, o grupo de Nova York manipulou as leis de falência para se livrar do resort, e, após um surto de negociações de idas e vindas, o banco confiscou a terra e as cabanas, leiloando-as para o condado. Um plano de remodelação de três anos foi esquematizado pelo conselho do condado para devolver ao resort Tinder Valley a condição de majestoso local de férias familiares que sempre esteve destinado a ser. No entanto, até que a remodelação pudesse começar, a clientela atual era constituída basicamente por pescadores. E eles se importavam muito pouco com a estética, desde que as antenas parabólicas funcionassem e as privadas tivessem descarga.

Muito tempo antes, Kent Chapple deixara de acreditar que um Tinder Valley remodelado e reformado poderia ajudá-lo a restaurar sua família. Ele já não tinha a expectativa de que algum dia traria sua mulher e seus filhos para pescar e andar de caiaque, rir e jogar jogos de tabuleiro. E muito menos para beber vinho com sua esposa no terraço da frente da cabana, enquanto o sol se punha do outro lado do rio. Essa era uma imagem que ele mantivera, mas estava tão longe agora que não conseguia mais evocar. Em vez disso, veio ao real Tinder Valley — arruinado e repleto de ervas daninhas — para encontrar algo que não conseguia encontrar em casa. Veio para preencher o vazio que crescia cada vez mais à medida que permanecia ligado ao seu casamento falido.

Mas havia outra pessoa agora. Alguém em quem ele se permitiu pensar. Era possível. A ideia não era tão louca. Ele era digno dela, convenceu-se. Ela era nova. Tinha gostos e interesses diferentes, e era única em seus hábitos. Pegou-se pensando nela muitas vezes. Talvez fosse hora de fazer a mudança de vida que ele estava tão desesperado por fazer. Tinha certeza de que agindo assim poderia se concentrar em sua felicidade. Quem sabe parasse de tomar decisões ruins... Ela aparecera na hora certa.

Kent estacionou o carro diante da cabana 48. Ficava no canto da margem do rio, recuada da água e mais isolada do que as outras. Estava escuro. Apenas três ou quatro postes de luz se encontravam acesos. Ele preferia que estivesse escuro e quieto. Fora do automóvel, tirou a bolsa de pano do assento traseiro junto com um recipiente de comida e suprimentos. Dirigiu-se à cabana e sentiu, como sempre sentia, o peso do mundo deixar seus ombros ao se aproximar da porta da frente. Os vasos sanguíneos se dilataram e a pele corou com o calor. Esses sentimentos poderiam ser parte regular de sua vida?

Ele subiu a escada da frente e abriu a porta.

38

— **VAI FICAR TUDO BEM, LÍVIA. É UMA QUESTÃO DE TEMPO.**
Acho que isso vai nos ajudar. — Megan dirigia seu Wrangler por Emerson Bay, com Lívia a seu lado.
— Como assim?
— As pessoas não me conhecem de fato. Algumas conheceram a garota de antes do sequestro. Por causa do livro, muitos passaram a saber algo da garota das páginas e das entrevistas. Mas não sou nenhuma delas. Meu pai, antes que tudo isso acontecesse, era o único que me entendia totalmente, mas perdemos essa ligação ao longo do ano passado. Acho que isso vai nos ajudar.
— Espero que sim, Megan.
Em minutos, elas pararam diante do departamento de polícia de Emerson Bay, onde Terry McDonald atuava como xerife nos últimos doze anos. Juntas, Lívia e Megan subiram a escada e entraram no prédio. Alguns daqueles que normalmente teriam protestado contra duas mulheres caminhando sem restrições pela sede acenaram ao reconhecer Megan. Quando elas chegaram ao escritório de Terry McDonald, encontraram-no ocupado com sua papelada.
— Oi, papai — Megan cumprimentou.
Surpreso, Terry levantou os olhos.
— Ei! O que está fazendo aqui?
Ao olhar por sobre o ombro de Megan, Lívia captou a expressão do xerife, que se levantou devagar.

— Papai, esta é Lívia Cutty — Megan apresentou. — Ela é irmã de Nicole Cutty e médica-legista em Raleigh.

Lívia seguiu Megan e entrou no escritório.

— Estou concluindo meu curso de especialização.

O xerife McDonald saiu de trás de sua mesa e se aproximou de Megan e Lívia.

— Com Gerald Colt? — ele perguntou.

— Exatamente.

— Conheço o doutor Colt. Trabalhamos juntos em alguns casos. — Terry apertou a mão de Lívia. — Sinto muito por sua irmã — ele disse baixinho, segurando os dedos dela.

Inesperadamente comovida pela tristeza que detectou na voz do xerife McDonald, Lívia engoliu em seco.

— Obrigada.

Terry virou-se para a filha.

— O que está acontecendo?

— Lívia e eu revisamos detalhes do meu caso, desde a noite em que desapareci até aquela em que escapei.

— Querida... — Terry respirou fundo. — Nós concordamos que esse era um assunto que seria mais bem tratado em suas sessões com o doutor Mattingly.

— E foi, papai. Mas Lívia, por meio de seu trabalho em Raleigh, encontrou algumas coisas que precisamos contar para você.

— Que coisas?

— Lívia achou alguns vínculos entre o meu caso e o de duas outras garotas que desapareceram. E pode haver mais. Ela me procurou com suas descobertas e, em conjunto, juntamos forças e fizemos alguns progressos. Mas precisamos de ajuda, papai.

Terry McDonald olhou para a filha e, então, desviou o olhar para Lívia. Havia algo nos olhos dele que Lívia necessitou de um instante para definir. Então, ela entendeu. Lívia fez a ligação com seu próprio pai, dando-se conta de que todo pai que perdeu uma filha num sequestro devia transmitir uma expressão semelhante de susto e culpa nos olhos. Porém, em relação a Terry McDonald havia algo mais. Algo enraizado, Lívia tinha certeza, no fato de que sua filha fora encontrada, enquanto

Nicole e aquelas outras garotas tinham desaparecido para sempre. Se seu pai aparecesse na porta, Lívia poderia jurar que o xerife McDonald cairia em prantos.

— Outras garotas desaparecidas? — ele enfim perguntou.

Lívia concordou.

— É bastante provável.

— Você está trabalhando com detetives em Raleigh a respeito disso?

— Não, senhor. Apenas eu e... Megan também ajudou muito.

Terry McDonald mais uma vez olhou para a filha e de novo para Lívia.

— Vejamos o que você tem em mãos.

Todos se sentaram à mesa, e Lívia tirou da bolsa os documentos que coletara nas últimas semanas.

Os três passaram uma hora cruzando informações que ligavam Nancy Dee e Paula D'Amato, e, depois, dedicaram algum tempo para as ligações com o caso de Megan: a cetamina e as fibras de algodão. Por fim, Lívia revelou o que sabia acerca de Casey Delevan, cujo corpo chegara a sua mesa de autópsia no fim do verão. Ela revelou os perfis de Nancy Dee e Paula D'Amato descobertos na gaveta da mesa abandonada de Casey, e contou tudo o que sabia sobre o Clube da Captura. Apresentou sua suposição de que Casey desempenhou um papel no desaparecimento das garotas e que também estava presente na noite em que Megan e Nicole foram levadas da festa na praia. Informou sobre a fratura da perna e do pedaço de tecido de sua camisa encontrado sob o carro de Nicole. Lívia expôs sua teoria a respeito da bizarra descoberta do kit para churrasco com o garfo ausente e as perfurações no crânio de Casey. Ela falou por uma hora, e Terry McDonald escutou pacientemente. Quando Lívia terminou, ele fez a mesma pergunta que sua filha fizera:

— Mas esse rapaz está morto, certo? — Terry apontava para a foto de Casey Delevan. — Ele apareceu em seu necrotério. Então, o que você está procurando, doutora Cutty?

— Casey morreu há mais de um ano. A última vez em que foi visto foi no fim de semana em que Megan e Nicole desapareceram. O corpo de Nancy Dee foi encontrado seis meses antes do sequestro de Megan e Nicole. Mas o corpo de Paula D'Amato, que estava desaparecida havia mais de três anos, acabou de ser achado na Geórgia. De acordo com a médica-legista local, Paula fora morta cerca de dois dias antes. Se todos concordamos que esses casos têm ligação, quem manteve Paula em cativeiro, abusou dela e a matou continua por aí. Não tenho todas as respostas, xerife. Apenas perguntas suficientes para me fazer suspeitar de que algo está acontecendo e precisa ser esclarecido, e para me impedir de dormir à noite. E suspeito fortemente de que há alguém que continua sequestrando garotas: outras irmãs e filhas.

Terry McDonald ficou em silêncio, estudando os documentos postos diante de si.

— Como você descobriu esse clube? Esse que faz sequestros falsos.

— Nós conversamos com um antigo membro do clube. Ele confirmou que Casey e minha irmã eram membros.

— Quando você diz "nós", quem isso inclui?

Lívia olhou para Megan.

— Nós conversamos com ele juntas, papai.

Terry cruzou os braços e respirou fundo.

— Megan, há quanto tempo você está fazendo isso sem o meu conhecimento?

— Papai, está tudo bem. É bom para mim.

Ele balançou a cabeça.

— Veja, eu analisei todas essas bobagens sobre o Clube da Captura durante a investigação. Nunca levou a lugar nenhum. Tudo o que encontramos foi um grupo de jovens que fingiam sequestrar uns aos outros, falavam de gente desaparecida e gostavam de se divertir com a desgraça alheia. Infelizmente, não há crime nisso. Naquele verão, doutora Cutty, eu tentei encontrar minha filha. Tentei como louco encontrar sua irmã. Estudei esse clube de todos os ângulos. E se você quiser que eu abra meus registros, mostrarei uma centena de outras pistas que levamos em consideração, e que são muito mais sólidas do que um grupo de estudantes do ensino médio num clube secreto. Vou lhe mostrar os agressores sexuais que ainda vigiamos. Os três condenados postos em liberdade condicional dois meses antes de Megan e Nicole terem sido levadas. Um deles é suspeito de um assalto fora de Raleigh. Eu lhe mostro os interrogatórios com os informantes que temos dentro das prisões e que nos falam de qualquer um que se vanglorie de crimes importantes.

— Mas agora temos mais elementos para seguir em frente — Lívia afirmou. — Temos a investigação forense. Temos a ciência, que mostra que há ligações entre essas garotas.

— Você está falando de ter três estados diferentes envolvidos na mesma investigação reabrindo casos antigos, com todos falando a mesma língua e se movendo na mesma direção. Quando cruzamos as divisas estaduais, o FBI é envolvido. Trata-se de uma tarefa de muito vulto. E você diz que quer minha ajuda? Depois que os agentes do FBI fossem acionados, não haveria mais nada que eu pudesse fazer. Na verdade, uma vez que os detetives da Geórgia e da Virgínia se envolvessem, eu seria posto para escanteio. Já passei por esse processo antes e não gostei.

— Papai, é por isso que estamos pedindo que nos ajude. Sabemos que você não pode fazer tudo sozinho. Eu sei que, se você pedir a ajuda dos detetives e dos agentes federais, eles o colocarão de lado, como fizeram antes. Mas não foi sua culpa, papai. Não foi sua culpa eu ter desaparecido por duas semanas. Não foi sua culpa o fato de que ninguém conseguiu me encontrar. Nicole não é sua culpa. Eu sei disso, e Lívia também. Mas você pode colaborar. Você pode fazer a diferença. Tudo o que Lívia quer é que seja dada alguma atenção a esses casos: de Nancy e Paula, e de Nicole.

Megan correu a mão pelas informações sobre a mesa.

— Todas estas provas vão gerar essa atenção. E sei que também vão virar os holofotes para mim. Não tenho problemas com isso. De fato, é isso o que quero. Desejo ser mais do que a garota que voltou para casa, papai. Quero ser a garota que encontrou o homem que a levou, e que ajudou as outras garotas. Tenho de ajudá-las de verdade, e não do jeito como todos nós fingimos que meu livro está ajudando.

Terrence Scott McDonald passou as mãos pelo cabelo ruivo-claro, assentiu lentamente com um gesto de cabeça e olhou para as informações e as fotos espalhadas sobre o tampo. Finalmente, encarou sua filha.

— Vou dar alguns telefonemas. Veremos o que posso fazer e quem posso convencer.

Megan sorriu e apertou a mão de Lívia, em sinal de vitória.

— Obrigada. — Lívia sorriu também.

— Não me agradeça ainda, minha jovem. Vamos ver como as coisas caminham, primeiro. Você fez um bom trabalho.

Lívia enrubesceu de leve, juntou suas coisas e as guardou. Em seguida, ela e Megan se dirigiram à saída. Terry McDonald permaneceu sentado à mesa.

— Doutora Cutty? Se tivesse havido um modo de trazer sua irmã de volta para casa naquele verão, eu a teria trazido. Fiz tudo o que pude para encontrá-la.

— Eu sei disso.

Terry McDonald deu um sorriso sem alegria.

— Entrarei em contato.

39

SENTADA EM POSIÇÃO DE LÓTUS NA CADEIRA DO CONSUL-
tório do doutor Mattingly, Megan mantinha os olhos fechados e os braços apoiados nos encostos estofados. Num estado de hipnose profunda, ela mal ouvia a voz do doutor Mattingly.

Megan tomava cuidado para não se aventurar muito sozinha. A voz do doutor era sua tábua de salvação, sua rede de segurança para o caso de as coisas darem errado e ela precisar escapar rapidamente dessa parte do cérebro onde suas memórias reprimidas se achavam enterradas. Mas parte dela, Megan sabia, queria se libertar do limite da voz dele. Parte dela desejava a liberação que vinha de se aventurar sem a influência do doutor Mattingly para orientar seus movimentos, controlar seu destino ou limitar seu progresso.

Na última sessão, Megan se frustrou quando ele a puxou de volta à consciência no exato instante em que ela se viu pronta para descobrir aquilo que a incomodava fazia tanto tempo. Megan não gostou de ser contida estando tão próxima de esclarecer o mistério enterrado em suas memórias. Se fosse capaz de remover a camada de repressão que as escondia, aquele segredo seria descoberto. Megan só precisava chegar lá.

Por um momento, nessa sessão, a voz do doutor Mattingly desapareceu. Megan se sentiu como uma astronauta numa caminhada espacial que abandonara a visão familiar que emoldurava a Terra e saíra para passear pelo lado escuro da estação espacial. No entanto, sem poder avançar mais além devido ao cabo que a prendia, ela soltou-se dele para se deslocar livremente pelo espaço. Um movimento errado a mandaria para longe, impedindo-a de retornar à segurança. Em seu estado hipnótico, Megan se viu no porão de seu cativeiro, liberada da rédea da voz reconfortante do doutor Mattingly à qual ela sempre se agarrara durante as sessões.

Megan se levantou da cama, cujas molas rangeram ao se expandir sem a compressão de seu peso. Caminhou até as janelas cobertas com tábuas de madeira compensada com os pés raspando o chão de concreto e a corrente ressoando à medida que se estendia. Cada ruído, Megan percebeu, era amplificado, agora que não havia mais a voz do doutor Mattingly: as molas da cama, os passos arrastados, a corrente.

Ela passou uma das mãos na tábua e escutou a pele roçar as fibras da madeira. Ouviu o som familiar dos motores a jato de um avião voando alto, terminando de fazer a longa travessia do Atlântico e se preparando para pousar no aeroporto de Raleigh-Durham.

Depois que o som do avião desapareceu, Megan ficou em silêncio e tornou a se concentrar, imóvel e expectante. Então, ouviu aquele apito longo e grave. Após horas de pesquisa, descobrira que o ruído pertencia a um trem de carga que atravessava o condado de Halifax. Quando o som do apito se foi, consumido pela escuridão de meia-noite do porão, Megan deu as costas para as janelas cobertas com tábuas e andou às cegas para o único móvel capaz de alcançar: a mesinha perto da escada onde ele deixava suas refeições. Correu a mão pela superfície, ouvindo suas unhas não cortadas arranharem a madeira. Chegou a associar a comida e a bebida deixadas para ela com o sono profundo que vinha depois. O alimento era onde ele colocava a cetamina, Megan concluiu. A droga que a fazia dançar acima de seu corpo adormecido. O preparado que produzia alucinações e experiências fora do corpo naquele porão escuro e solitário. O remédio de que, após duas semanas de ingestão, ela achou que iria se tornar dependente.

Arrastando os pés, afastou-se da mesinha e voltou para a cama, deitando-se no colchão fino e ouvindo a compressão das molas sob seu peso. Ergueu as pernas sobre a cama e escutou a corrente dos grilhões retinindo contra o estrado. Fechou os olhos, o que teve pouco efeito na escuridão.

Uma vez deitada em silêncio, todos os barulhos desapareceram. Nenhum avião. Nenhum apito. Nenhuma caminhada. *Ouça a respiração deixar seus pulmões, mas nada mais. Sem grilhões, sem correntes.* A voz do doutor Mattingly não estava em parte alguma nesse lugar que Megan encontrou. O lugar de seu cativeiro. Era um novo local sem o doutor Mattingly. Ela sabia, enquanto esperava na cama, que tinha de ser assim. Apesar do desejo de alcançar a voz familiar que poderia facilmente puxá-la para a segurança, que poderia resgatá-la num instante, Megan precisava dessa separação de seu terapeuta. Precisava do isolamento e da solidão das duas semanas de seu cativeiro. Megan sabia que tinha de ficar vulnerável, de voltar ao lugar onde estivera sem ninguém para ajudá-la, exceto ela mesma. Era necessário que encontrasse seu espírito agonizante e o revivesse. Era, ela decidiu, a única maneira de encontrar o que procurava.

Então, através dos sons sutis de sua respiração lenta e calma, ela ouviu. Um motor de carro. Longe no início e, depois, mais perto. Pneus esmigalhando o cascalho. Freios deixando escapar um pequeno chiado quando o veículo parou. A pancada do fechamento da porta do motorista. Os passos subindo a escada do lado de fora. A porta se abrindo e se fechando atrás dele.

Megan chegara a essa situação antes, mas fora puxada pelo chamado do doutor Mattingly, traída por sua frequência cardíaca acelerada e por seus pulmões hiperventilados. Ela se preparou para esse momento, ao estudar na sala de arquivos vazia do tribunal as nuances da meditação e os métodos utilizados para acalmar seu pulso, desacelerar sua frequência cardíaca e estabilizar seus pulmões. Mesmo sem escutar a voz do doutor Mattingly, sabia que, se seus sinais vitais enlouquecessem, o bom médico tinha maneiras de entrar em contato com um paciente perdido em hipnose. Assim, a fim de evitar ser resgatada pelo doutor Mattingly, Megan pôs em uso todos os recursos de meditação que aprendera durante as longas e entediantes horas passadas no tribunal.

Agora, apesar do medo que a dominou por causa dos passos dele ressoando acima de sua cabeça, da porta do porão se abrindo e da escada rangendo, Megan agiu para manter o coração num ritmo lento e controlado, a respiração, num padrão cadenciado, e suas pálpebras, num estado razoável de tremulação.

As idas e vindas dele revelaram a Megan que a escada para o portão tinha treze degraus. Ela escutou cada ruído, cada som que ia e vinha durante a descida dele, chegando cada vez mais e mais e mais perto.

Dez, onze, doze... Treze.

Então ele estava ali. Mas Megan também, encontrando depois de tanto tempo o que vinha procurando. Descobrindo o que precisava. Ela abandonou todas as técnicas de respiração. Abandonou todos os métodos que utilizou para impedir que o coração disparasse. Deixou os olhos correrem soltos sob as pálpebras. Isso teve o efeito desejado por ela. Megan ouviu a voz do doutor Mattingly, não aquela serena e controlada de seu psiquiatra, mas a voz apressada e perturbada de um hipnotizador que perdera controle de sua paciente.

— Imediatamente, Megan! Quero que você venha para minha voz!

Porém, o retorno não era mais tão simples como fora. Ela estava presa no porão. Indiferente à influência da voz do doutor Mattingly. E seu raptor se encontrava ali, na escuridão. Colocando a comida sobre a mesa. Pronto para assediá-la depois que ela estivesse devidamente sedada.

— Venha para minha voz, Megan!

Ela balançou a cabeça negativamente e tentou mexer os braços ao se sentar na cama do porão.

Ouviu estalos de dedos e aplausos.

— Megan! Venha para minha voz!

Seu raptor permanecia na escuridão. Um fantasma preto contra um fundo preto.

De repente, Megan abriu os olhos. De terno feito sob medida, deparou com o doutor Mattingly ajoelhado diante dela, estalando os dedos e batendo palmas. Sua testa apresentava os mesmos pontos de suor que cobriam o rosto avermelhado de Megan.

— O que você está fazendo?! — ele perguntou. — Você tinha de responder ao meu chamado!

No entanto, Megan não estava prestando atenção a seu médico. Ela teve um vislumbre daquilo que procurava havia tanto tempo. Aquela coisa evanescente que Megan sabia estar em sua memória, mas até então não fora capaz de alcançar. Ela se ergueu da cadeira e passou pelo doutor Mattingly, esbarrando nele.

— Você está bem? — ele quis saber.

Megan esfregou a mão na boca, arregalou os olhos e começou a perambular pela sala. Engoliu em seco, com a saliva áspera contra a garganta seca.

— Preciso ir. — Ela se dirigiu para a porta.

— Megan, temos de discutir isso. Não é saudável abandonar uma sessão sem examinar o que foi aprendido.

Mas, sem se virar para trás, ela partiu.

ELA ARRANCOU DO ESTACIONAMENTO DO HOSPITAL E topou com um coro de buzinas. O assombro injetou-lhe adrenalina, mas o para e anda dos carros aproximou Megan da consciência.

Ela não se lembrava da fuga do consultório do doutor Mattingly. Não recordava se tinha alcançado o saguão pela escada ou pelo elevador. Não tinha nenhuma imagem mental do embarque em seu carro. Porém, as buzinas e os carros costurando no trânsito trouxeram o foco de volta para o presente. Megan se esforçou para reter o que descobriu na sessão de terapia, mas, apesar dos esforços, as imagens iam escapando da memória quanto mais o mundo ziguezagueava ao seu redor.

O estímulo do trânsito e a rodovia viraram algo excessivo para a mente hipersensível de Megan tolerar. Sem cuidado, ela atravessou duas faixas de trânsito, gerando mais freadas bruscas e buzinas estridentes. Então, pegou o acesso para a ponte Points. Depois de cruzar o rio Roanoke, seguiu para West Bay. Sentia-se frenética e decidida, lembrando-se do porão escuro de momentos atrás e dos seus ruídos. Combateu isso, recusando-se a voltar para lá, embora, ao mesmo tempo, relutasse em abandonar as imagens, os sons e os cheiros descobertos.

A batalha durou trinta minutos, até Megan chegar a West Bay. Quando as imagens e o sons girando em sua cabeça a levavam de volta à sessão de terapia e ao porão, ela moveu o carro lentamente para a esquerda e mudou de faixa. Um veículo que se aproximava freou de repente e desviou para o acostamento para evitar a colisão. Megan girou o volante para a direita e, por um instante, perdeu o controle do carro, derrapando de forma perigosa. O quase desastre enfim a trouxe de volta.

O transe passou de vez, tornando-a inteiramente consciente do ambiente, o que fez Megan conduzir o veículo para o acostamento de cascalho e pisar firme no freio, provocando uma nuvem de poeira. Então, o carro parou depois de uma ligeira derrapagem.

Respirando fundo, Megan olhou ao redor e se perguntou como chegara a West Bay. Uma placa informava que ela estava do lado de fora de um condomínio chamado Stellar Heights. Eram quase quatro da tarde, e sua sessão com o doutor Mattingly tinha começado às duas. Quase duas horas perdidas.

Megan reconstituiu o que lembrava depois de ter se desconectado da voz do doutor Mattingly e caminhou sem restrições através do porão de seus pesadelos. Reunir essas memórias foi mais difícil do que imaginara, e, passados dez minutos, começou a chorar. Achou que havia encontrado um jeito de localizar o que procurava, e, por um momento, conseguiu recordar-se de ter feito um progresso enquanto estava sozinha no porão de seu cativeiro. Mas naquele momento, estacionada no acostamento do lado de fora de um condomínio em West Bay, Megan não se sentia mais próxima da verdade do que na véspera.

40

Outubro de 2017

MAIS UMA VEZ, LÍVIA ENCOSTOU O CARRO NO MEIO-FIO DA casa malconservada e bateu na porta de tela. E de novo, furiosa, Daisy começou a latir e arranhar a porta da frente. Lívia ouviu correria e gritos até a rottweiler ser encurralada. Então, Nate Theros surgiu diante dela.

Lívia mostrou-lhe o livro, como se apresentando dinheiro para resgate.

— Autografado? — Nate perguntou.

Lívia abriu a capa de *Desaparecida* para mostrar a assinatura de Megan.

— Ela até escreveu uma dedicatória para você.

Nate empurrou a porta de tela, pegou o livro e leu a dedicatória.

Nate,
Foi ótimo conhecer você.
Espero que possa ajudar Lívia com tudo o que ela precisar.
Megan McDonald

— Legal — disse Nate, lendo e relendo as palavras.

— Então, você vai me ajudar?

Nate fechou o livro e passou a mão pela capa, que retratava a floresta escura e o bunker de onde Megan escapara.

— Sim. Sem dúvida.

No interior da casa de Nate, Daisy ofegava e rosnava andando em círculos em seu engradado, com as unhas arranhando o revestimento de plástico. A mesa da cozinha ficava no meio de uma explosão épica de resíduos e lixo. As bancadas eram invisíveis sob pratos sujos, caixas velhas de pizza, embalagens vazias de leite, caixas de cereais e sacos de ração para cães. A mesa onde Lívia pôs sua pasta estava grudenta, e ela teve a sensação de que Nate acabara de abrir o espaço.

Não houve desculpas nem constrangimentos. Para Lívia, Nate achava que era assim que a maioria das pessoas vivia. E se não era, ele não se importava. Aquele era o jeito dele. Era pegar ou largar. Toda a cena confirmou para Lívia que Nathaniel Theros pertencia a uma espécie diferente. Ela esperava que isso pagasse dividendos.

Nate puxou uma cadeira, virou-a ao contrário e se sentou, apoiando os braços no espaldar.

— Vejamos o que você tem aí. — Ele sorriu.

Lívia abriu sua pasta, que continha tudo o que conseguiu reunir nas últimas semanas sobre Nancy Dee e Paula D'Amato, e pôs o conteúdo diante dele.

Os detetives que cuidam de casos como esses podem contar com a colaboração de perfiladores — especialistas que analisam os detalhes e propõem conclusões acerca do perpetrador. Lívia não teve regalia alguma com os detetives desses casos, e nenhum respaldo de perfiladores. Nem tinha certeza de que dispunha da cooperação total de Terry McDonald. No entanto, ela contava com Nate Theros. Tatuado e arrepiante, ele não era o par perfeito para o trabalho. Porém, tinha o estranho fetiche de acompanhar casos de gente desaparecida e estudar os homens dementes que sequestravam mulheres. Nate era dono de um fichário repleto de casos que acompanhou ao longo dos anos, e Lívia sabia que ele adquirira um vasto conhecimento — muito maior do que o seu próprio — a respeito das mulheres de seu interesse e do homem que ela acreditava tê-las sequestrado.

Eles passaram duas horas revisando os desaparecimentos de Nancy Dee e Paula D'Amato, e cruzando informações de tudo o que Lívia coletara acerca das duas garotas com o que Nate acumulara em seu arrepiante fichário preto. Então, Lívia, para grande prazer de Nate, revelou tudo o que descobriu sobre as cenas dos assassinatos das garotas: a cova rasa em que Nancy foi enterrada e a suposta sepultura preparada para tragar o corpo de aula, mas que permaneceu vazia, com seus restos mortais esperando na beira do buraco. Lívia notou Nate salivando, literalmente passando a língua nos lábios e engolindo a excitação que se manifestava na hipersecreção de suas glândulas salivares, enquanto ela exibia as fotos das cenas dos crimes e das autópsias. Ela lhe deu algum tempo para curtir e examinar o material.

Depois de certo tempo, Nate, pensativo, passou as mãos pelo cabelo desgrenhado. Em seguida, inclinou-se para a frente, pressionou o peito contra o espaldar da cadeira, descansou os cotovelos na mesa e mexeu nos imensos brincos de argola nos lóbulos das orelhas.

Lívia, ao perceber que Nate estava num estado profundo de concentração, decidiu deixá-lo imerso em suas conjecturas. Ela resolveu se arriscar com o café que estava preparado e esperando na cafeteira. Encontrou o que parecia ser uma caneca limpa em um dos armários e se serviu do café sem que Nate sequer notasse que ela havia se movido.

Nate Theros estava ausente. As fotos, Lívia esperava, transportaram-no para a mente do homem que levara aquelas garotas. O homem que talvez tivesse levado sua irmã. O monstro que continuava por aí, quem sabe tramando o sequestro de outras jovens. Que possivelmente enterrara muitas outras, cujos corpos se achavam à espera de serem descobertos por outros praticantes de *jogging* e seus cachorros.

— Aqui está o que consegui — Nate finalmente disse.

Lívia tomou um gole do café rançoso antes de abandonar a caneca na pia transbordante de Nate e se sentar à mesa diante dele.

— Sou toda ouvidos.

Ainda passando os dedos pelo cabelo, Nate falava como se tivesse uma garota retida em seus pensamentos:

— Em Nancy... — Ele pôs uma das mãos sobre uma foto da cena do crime que retratava o cadáver de Nancy Dee. — ...o cara ministrou uma *overdose* de Special K, certo? Acontece que não acho que ele tenha tido intenção. Para mim, foi um acidente.

Lívia olhou para a foto junto com Nate.

— Por que diz isso?

— Porque ele nunca a machucou. Está vendo? Nancy jamais sofreu danos físicos. Ele cuidou dela. Amava a garota. Ou queria amá-la. Talvez quisesse reciprocidade. É uma emoção muito comum nesses caras. Eles têm fome de afeto e não conseguem obtê-lo no mundo real. Assim, criam seu próprio mundo para encontrá-lo. O problema é que não existe ninguém nesse mundo. Então, eles têm de encontrar pessoas, como Nancy e Paula, e torná-las parte de seu mundo. Na maioria das vezes, isso não funciona. No entanto, da perspectiva dele, tudo deve estar bem. Elas devem adorar estar nesse novo mundo dele. Devem estar dispostas e ansiosas para se entregar a ele porque ele acredita que está lhes propiciando algo que não existe no mundo exterior, que era tão cruel para ele. O cara acredita estar preenchendo para essas garotas a mesma lacuna que tenta preencher para si mesmo. O problema é que o mundo real não é assim para a maioria de nós. Nosso mundo real e o mundo real dele são experiências distintas. Nós temos amor, afeto e relacionamento. Ele não. Assim, quando o cara captura essas jovens e as remove para seu mundo imaginário, elas lutam e retaliam. E ele fica chocado com a resistência delas. Não consegue entender por que não gostam de estar com ele. Não compreende por que elas não o amam do jeito que ele as ama.

— Você disse: "Na maioria das vezes, isso não funciona".

— É. Porque de vez em quando... funciona. Em geral, com pessoas que são mantidas em cativeiro por longos períodos. Elas acabam cedendo aos seus raptores, e desenvolvem um vínculo com eles. E acontece até de acabarem amando esses caras em algum nível estranho, muito ferrado. Acho que foi isso o que aconteceu com Nancy Dee. Ela estava desaparecida havia apenas seis meses, mas, como o sequestrador nunca a machucou fisicamente, creio que Nancy estava se submetendo a ele. E para que ela continuasse assim, ele começou a dopá-la com cetamina. Certo dia, errou na mão e acabou ministrando uma quantidade exagerada. Uma *overdose*.

Lívia permaneceu em silêncio, examinando as fotos de Nancy Dee. Por fim, perguntou:

— E Paula?

— Um caso totalmente diferente. — Nate tornou a passar as mãos pelo cabelo. — Paula ficou desaparecida por mais tempo, não é? Três anos? Mas ela nunca cedeu a ele. Ela era agressiva. Queria escapar. Jamais aceitou o mundo desse sujeito. O cara tentou convertê-la, convencendo-a de que ele a amava e que ela devia amá-lo. Porém, sem a droga e a sedação, Paula jamais se entregou a ele. Ela lutou contra o sujeito, certo? É o que mostra a autópsia. Paula deve tê-lo socado, porque a pele das falanges das mãos está com manchas pretas. Dedos dos pés quebrados: provavelmente por tê-lo chutado. Lesões mais antigas também foram encontradas durante o exame. Lesões sofridas há muito tempo, mas cicatrizadas na época em que ela morreu. Um osso quebrado na perna e uma fratura na costela? Então, ele tentou destruí-la, para convertê-la em uma das garotas que se entregava a ele. Mas Paula não cedeu. Era uma lutadora. E o que ele acabou fazendo? Estrangulou-a e a espancou até a morte. Nancy foi morta com uma *overdose*; mas em Paula o cara usou de violência física. Duas vítimas totalmente diferentes. Há uma coisa, entretanto.

Nate arranjou as fotos de cada uma das garotas para que ficassem lado a lado.

— As duas tinham sacos na cabeça. Ele as matou, cada uma de um jeito diferente, mas ensacou a cabeça de ambas. Por quê? — Nate olhou para Lívia e repetiu: — Por quê?

Perdida na narrativa que lhe era oferecida, Lívia levou um tempo para finalmente erguer o olhar e encará-lo.

— Não sei.

— Porque ele as amava. Porque não conseguiu ficar olhando para elas depois do que fez. Enfiando suas cabeças em sacos, ele não via seus rostos.

Nate voltou às fotos e achou aquela em que o corpo de Paula D'Amato estava escondido no saco de vinil preto à beira da sepultura vazia.

— E aqui? Por que ele não a jogou naquele buraco? Porque ele foi interrompido? Besteira! Esse cara é muito inteligente. Ele não se livraria do corpo dela em um momento em que alguém pudesse flagrá-lo. Foi porque ele não conseguiu fazer isso. Ele amava essa garota. O cara amava tanto Paula D'Amato que a manteve por três anos antes de desistir dela. E quando ele teve de se desfazer de seus restos mortais, sentiu-se devastado. O cara já tinha feito isso muitas vezes antes, mas não conseguiu fazer de novo. Esse homem está cheio de culpa. Ouça o que lhe digo! Ele não suporta mais.

Lívia escutou Nate, que falou tanto que ela se esqueceu das tatuagens, dos *piercings* e dos brincos imensos. Nate era um homem com um fetiche por vítimas de sequestro e seus raptores, um homem que possuía inconscientemente uma mente de perfilador, que conseguia traçar um quadro do tipo de homem capaz de raptar, esconder, estuprar, matar e descartar mulheres.

— O remorso dele é imenso. Está escrito em todas essas fotos — Nate prosseguiu. — Ele está no limite. E em relação a Megan, vemos isso de novo. Culpa. Dor. Arrependimento. Por que o cara não a matou? Ela estava dopada, certo? Os médicos constataram que Megan fora drogada com Special K. Ele a mantinha chapada, sem capacidade para se defender. Por que não a estrangulou, como veio a fazer com Paula? Porque ele hesitou. — Nate pegou seu exemplar recém-autografado de *Desaparecida*. — Leia isto e você verá. Ele dopou Megan e a transferiu para o bunker. Talvez tenha sido lá que ele matou as outras duas garotas. Pode ser que haja mais garotas por ali que ele levou para o bunker e depois matou e enterrou. É possível que as encontremos daqui a semanas, meses, sei lá. Mas por que ele não matou Megan? Porque hesitou. Ele adotou as medidas necessárias: dopou-a, amarrou-a, transportou-a, e então... Ele vacilou. Quando chegou a hora de matá-la, ele parou e pensou. E nessa hesitação, ela fugiu. A garota correu como louca até que aquele homem a encontrou vagando pela Rodovia 57.

Nate respirou fundo, como se a noite o tivesse esgotado.

— Quer dizer que temos um cara que está desprovido de afeto no mundo real. Um sujeito que quer amor das garotas que sequestra porque não consegue encontrá-lo em outro lugar. Um homem que é muito cruel e estupra repetidas vezes as jovens que sequestra, mas se arrepende quando as mata. — Olhando para Lívia, Nate tornou a respirar fundo. — Isso te ajuda?

Foi a vez de Lívia passar a mão pelo cabelo.

— Não tenho certeza. Mas sei muito mais do que sabia duas horas atrás. Suas teorias vão ajudar quando eu falar com os detetives ou os agentes federais. — Ela reuniu as fotos e os relatórios e os recolocou em sua pasta. — Obrigada por dar uma olhada nisso tudo e dedicar tanto tempo a elas.

— Sem problemas. Obrigado por me trazer um exemplar do livro de Megan.

Lívia assentiu e se dirigiu à saída.

— Ah, outra coisa — Nate disse antes de ela partir. — Algo que ninguém mencionou em nenhum desses relatórios, mas acho estranho. Quem sequestrou essas garotas tem acesso a sacos mortuários. É meio esquisito ele ter se importado de colocá-las num saco de vinil após matá-las.

41

À MESA EM SEU QUARTO, LÍVIA SE ALTERNAVA ENTRE O computador e suas anotações. Na semana seguinte, ela começaria um curso de patologia pediátrica, e estava bem atrasada em suas leituras. Em julho, os alunos receberam fichários grossos e compêndios durante a semana de orientação, que delineavam as subespecialidades às quais ficariam sujeitos durante o curso de especialização forense de doze meses. Os primeiros três meses, de julho a setembro, constituíram o período de adaptação, no qual eles se concentraram apenas em ciência forense geral. No entanto, a partir de novembro, começariam a integrar suas habilidades em ciência forense com outras subespecialidades, que, para Lívia, incluíam patologia pediátrica, neuropatologia e dermatologia.

Nas últimas semanas, preocupada que estivera com sua investigação extracurricular, Lívia ainda não tocara em seu material de leitura. Essa noite, porém, utilizou os compêndios como distração, para desviar a mente de seu encontro mais recente e um tanto perturbador com Nate Theros. À meia-noite, achava-se imersa nas complexidades do desenvolvimento ósseo pediátrico quando escutou uma batida na porta. Levantou-se da cadeira, com o quarto iluminado apenas pela luminária de mesa e o resto da casa lançado nas sombras. Fechou o compêndio. Ainda de jeans e camiseta, esperou até escutar uma nova batida. Acendeu as luzes no caminho para a porta da frente, observou pelo olho mágico e viu Kent Chapple no terraço da frente.

Lívia soltou a fechadura de segurança e abriu a porta.

— Lembra do favor que você me deve? — Kent perguntou através da porta de tela.

Lívia se lembrou de que Kent a deixara sair mais cedo na sexta-feira de sua semana de acompanhamento.

— Sim. — Ela esboçou um sorriso sardônico.

— Preciso de um sofá para passar a noite.

— Está tão assim ruim?

— Pior. — Kent deu de ombros. — Até as crianças irem para a faculdade, não haverá jeito de eu sobreviver.

Através da porta de tela, Lívia sentiu um aroma forte no ar.

— Perito Chappel, o cheiro que estou sentindo é de uísque?

Kent ergueu a mão, com o dedo indicador no ar.

— Culpado.

Lívia abriu a porta de tela.

— Entre.

Kent passou por ela, adentrou a sala de estar e desabou no sofá.

— Quer me falar disso?

Kent tornou a dar de ombros.

— Tentei explicar isso a mim mesmo de mil maneiras diferentes, e fazer com que parecesse algo diferente do que é. Algo que talvez fosse recuperável. Quero dizer, quando estamos com alguém desde o ensino médio, fica difícil admitirmos que acabou. É duro dizer isso para a primeira pessoa por quem nos apaixonamos, que também é a primeira pessoa que deixamos de amar.

Lívia entrou na cozinha.

— Café, água ou refrigerante?

— Tomaria um uísque se você tivesse.

Lívia abriu a geladeira.

— Não tenho uísque, mas acho que tenho uma velha... — Ela se agachou para verificar a prateleira inferior. — Sim. Uma velha vodca aromatizada.

Lívia estendeu a mão e a pegou. Quando se levantou, Kent estava bem atrás dela.

— Nossa! Você me assustou!

— Desculpe. — Kent sorriu-lhe.

Lívia leu o rótulo.

— Com sabor de manga e morango. Não é uísque, mas é todo o álcool que tenho em casa.

Kent pegou a garrafinha da mão dela, olhando-a nos olhos.

— Obrigado.

Lívia virou-se e fechou a geladeira, pegando uma caneca no armário. Ela a encheu com água quente e mergulhou nela um saquinho de chá.

Kent abriu a garrafinha e tomou um gole.

— Fale-me desse caso com que você está tão preocupada — ele pediu.

Lívia arqueou as sobrancelhas, fazendo ar de espanto.

— Estou preocupada?

Kent sentou-se.

— Jen Tilly participou da última semana de acompanhamento, e foi o que ela disse. Falou também que você está investigando os casos de algumas garotas desaparecidas, ou algo assim, e que você acha que podem ter alguma ligação. É por esse motivo que Colt te ferrou na gaiola pouco antes de sua semana de acompanhamento.

Lívia não se lembrava de ter comentado muito com Jen sobre aquilo em que vinha trabalhando. Dissera apenas que tinha a ver com seu corpo em decomposição do verão. Porém, Lívia conhecia bem as fofocas que rolavam no necrotério, e podia imaginar Sanj e Kent instigando Jen a extrapolar sobre os detalhes.

— Para ser franca... — Lívia se acomodou diante de Kent à mesa da cozinha. — ...acho que pode-se dizer que tenho tanta merda rolando na minha vida quanto você tem na sua. São tipos diferentes de merda e diferentes problemas, mas...

Kent semicerrou as pálpebras. Olhou para a garrafinha de vodca e, em seguida, ofereceu-a para Lívia.

Ela riu.

— Vamos colocar desta forma: se você tivesse me oferecido uísque mais cedo hoje, acho que teria aceitado.

— Não... — Kent disse, enrolando a língua. — Os médicos não podem se embebedar assim numa noite qualquer de segunda a sexta. Tudo o que tenho que fazer é sentar no furgão com Sanj amanhã. Se eu estiver com uma puta ressaca, ele cuidará de toda a cena para mim. Nós protegemos um ao outro desse jeito. Mas você terá de cumprir seu papel amanhã. Terá de se manter ligada. Certo? Não pode ficar confusa com o que você faz.

Lívia sorriu.

— Vou lhe preparar um café. Acho que você precisa.

— Não se preocupe. Se você não tiver nada contra, vou desabar.

— O sofá é todo seu.

Lívia viu Kent tomar outro gole de vodca.

— Seu trabalho é muito importante. Você não deve tratar com desprezo aquilo que faz.

— Não é isso. Eu amo meu trabalho. Só que tenho respaldo, se precisar. Isso é tudo o que estou dizendo. — Depois de uma pausa, Kent prosseguiu: — Mas é isso o que faço. Entendo cenas de crime. Documento o que aconteceu quando alguém morre. — Fez uma nova pausa, como se relutasse em continuar. — Por isso perguntei em que você está trabalhando. Talvez eu possa ajudar.

— Na realidade, não estou trabalhando em nada. Não oficialmente, e, sem dúvida, sem a supervisão de ninguém.

— A doutora Cutty virou uma mercenária?

— Nada disso. É apenas algo pessoal que tenho de investigar.

Kent tomou outro gole de vodca.

— Tem a ver com sua irmã?

Foi a vez de Lívia semicerrar os olhos. Projetando o queixo para a frente, lentamente concordou.

— Sim.

— Quer falar disso?

— Não sei.

Kent deu uma risada. Pareceu forçada, e Lívia não soube dizer se era real ou falsa.

— Ei, eu te fiz ouvir meus problemas durante uma semana inteira no furgão. Posso pelo menos retribuir o gesto. — Ele arqueou uma sobrancelha.

Lívia tirou o saquinho de chá da caneca e o pôs sobre a mesa. Tomou um gole.

— É justo — ela disse. — Algumas garotas desapareceram neste estado e de dois outros nos últimos três anos. Acho que o mesmo cara as sequestrou, incluindo minha irmã. Se eu expandir a busca para além dos estados vizinhos, deverei encontrar outros casos.

Kent a fitava com um olhar vidrado, respirando pela boca do jeito forçado de um bêbado. Lívia não tinha certeza se ele se lembraria dessa conversa no dia seguinte, mas, durante meia hora, ela contou o que sabia e o que suspeitava. Kent fez poucas perguntas, permanecendo sentado e escutando.

Por fim, ele afirmou:

— São acusações sérias. Você falou com a polícia?

— Estou tentando. Mas é complicado, porque as garotas são de estados diferentes. Significa reunir forças policiais diferentes, detetives rivais se unindo e compartilhando informações... É pedir demais para alguém sem contatos. Mas conversei com o xerife de Emerson Bay. Ele esteve envolvido no caso de minha irmã e pareceu disposto a ajudar.

— Conheço alguns caras do Departamento de Homicídios. Bebemos juntos no fim de semana. Posso pedir uma mão a eles.

— Obrigada, Kent. Vou informá-lo do que acontecer com Terry McDonald primeiro. — Lívia se sentia exausta; afinal, já era uma da manhã. — Por que você simplesmente não diz a sua mulher que acabou?

Isso trouxe Kent de volta do lugar em que estivera nos últimos trinta minutos escutando o relato de Lívia sobre suas descobertas.

Como ele se manteve em silêncio, Lívia seguiu adiante:

— Essas últimas semanas me ensinaram muito. Sobretudo que guardar as coisas, não expressar nossos sentimentos, não ajuda em nada. Na maioria das vezes, acaba prejudicando aqueles que tentamos proteger. Eu ainda não disse a meus pais como me sinto culpada por ter ignorado minha irmã nos meses que antecederam seu desaparecimento. Ou que ignorei o telefonema dela naquela noite. Eles ainda não me disseram o quão difícil é viver na casa que continua idêntica ao que era antes de sua filha ter sido sequestrada. Megan McDonald não quer dizer aos seus pais que a garota que ela era antes de desaparecer não existe mais.

Lívia encarou Kent.

— Se você acha que nada vai mudar entre você e sua mulher, simplesmente conte a ela, Kent. Não para mim, nem a Sanj. Conte a sua mulher. Nós podemos escutá-lo, não me interprete mal. Mas conte para sua mulher, Kent.

Lívia ficou de pé, pegou a garrafinha de vodca vazia e a jogou no lixo.

— Acordei muito cedo.

— Sim. Desculpe por atrapalhar.

— Sem problemas. Obrigada por me ouvir.

— Você também. Ah, outra coisa... — Kent mudou de posição no assento e enfiou a mão no bolso da frente. — Estou seguindo seu conselho. — Tirou o isqueiro e o jogou para Lívia. — Guarde-o como uma lembrança por salvar minha vida. Arrumei uma bola antiestresse.

Lívia olhou para o isqueiro Bic.

— Parabéns!

QUASE DUAS DA MANHÃ. KENT SE INSTALARA NO SOFÁ com um travesseiro e um cobertor, mas Lívia não conseguia dormir. Em dado momento, ela achou ter ouvido as tábuas do assoalho rangerem fora de seu quarto. Então, ouviu o ronco de Kent no sofá.

O sono de Lívia parecia distante. Talvez fosse porque nenhum homem passara a noite em sua casa desde que ela começou o curso de especialização. Ou quem sabe porque as imagens íntimas de Paula D'Amato e Nancy Dee insistissem em assombrá-la. Ou a culpa fosse das descrições arrepiantes e as sacações de Nate, que insistiam em voltar a sua mente.

Independente do motivo, Lívia não conseguiu dormir.

42

O VIDRO DA JANELA ESTAVA EMBAÇADO PELO FRIO DA meia-noite. Sob as cobertas, Megan contraiu as pernas enquanto sua mente lampejava — escura e, depois, brilhante — com imagens do porão.

Havia motivos para não se aventurar demais na hipnose. Suas sessões anteriores, que acabavam sem percalços no consultório do doutor Mattingly, sob sua orientação e tutela, nunca foram além da poltrona elegante que era sua casa durante os momentos em que sua mente explorava as memórias profundamente enterradas de seu cativeiro. Porém, desde a última sessão, quando ela se livrou da voz dele e viajou sozinha, sua mente se tornou agitada com imagens do porão.

Com habilidade, o doutor Mattingly impedira que essas memórias reprimidas viessem à tona fora do ambiente controlado do consultório e do período isolado de uma única sessão de hipnose. Mas agora, desde a sessão de terapia anormal, toda vez que a mente de Megan entrava no estado inconsciente de sono, seus pensamentos e seus sonhos se mostravam extravagantes e saturados dos acontecimentos de seu cativeiro: pensamentos desconexos e fantasmagorias vagamente presas nos fatos que tinha estabelecido com o doutor Mattingly, mas também ricas em imagens exóticas e personagens fictícios.

Em seu sonho atual, Megan ainda tinha o tornozelo acorrentado na parede, mas as tábuas haviam desaparecido das janelas, e o sol brilhava quando ela se levantou da cama, com as molas ecoando seu movimento. Do lado de fora, ela ergueu os olhos e deparou com o céu listrado pelos rastros dos aviões a jato que se entrecruzavam. Era como se eles fossem arranhões brancos contra um céu azul. Um apito estridente a assustou quando um trem de carga se aproximou do porão. Megan sentiu sua vibração e viu os vagões passando num borrão, um após o outro, até que se transformaram num trem urbano de passageiros, com as janelas revelando o brilho azulado da iluminação interior.

O sol se pusera agora em seu sonho, e estava escuro, exceto pelo trem que passava e as janelas iluminadas. Numa delas, Megan notou uma figura isolada perfilada pela luz. Cada vagão exibia a mesma imagem da mesma pessoa. Megan se aproximou da janela do porão e semicerrou os olhos. A pessoa no trem se virou, como se sentindo a presença de Megan.

Na cama, Megan movia a cabeça e o pescoço de um lado para o outro, seguindo o movimento do trem em seu sonho. Ela deixava escapar gemidos, com a mente se esforçando para identificar a pessoa no trem. Então, uma mulher ergueu a mão num aceno cordial, e Megan viu claramente o rosto na janela do trem, realçado pela luz suave. Era Lívia Cutty.

— Não vá! — Megan gritou.

Mas o trem prosseguiu viagem. Os vagões desapareceram, e a noite ficou negra e silenciosa, sem aviões, sem estrelas e sem lua. Quando Megan pôs a mão na janela do porão, a tábua de madeira compensada estava de volta.

— Não me deixe!

Megan escutou uma voz e abriu os olhos.

— Querida! — Seu pai a acordava, sacudindo-lhe os ombros. — Megan, acorde. É só um sonho.

Megan enfim despertou e olhou para o pai, desorientada.

— Está tudo bem, querida. Eu estou aqui. Seu pai está aqui. — Ele a puxou para mais perto, enquanto Megan arfava. — É por esse motivo que não quero que você comece isso de novo. Era disso que eu queria salvá-la.

Megan passou os braços em torno do pescoço do pai, apoiou a cabeça em seu ombro e chorou quando a imagem do trem trepidante passando pela janela do porão pulsou em sua mente. O aceno cordial de Lívia Cutty quando o último vagão passou. Mais uma vez, o sentimento de estar sozinha no porão escuro. E outra coisa também, que cavava no recôndito de seu cérebro, algo difícil de tocar e identificar, enquanto sua mente travava uma batalha entre fato e ficção.

Mas no fim, quando seu íntimo se acalmou e as imagens de seu sonho se desvaneceram, algo permaneceu. Um som. Não estivera presente em seu sonho, mas sem dúvida esse ruído era o elo perdido que Megan se esforçara para identificar por tanto tempo. Estivera ali, na sua última sessão de terapia. Ela o escutara apenas por curto tempo, antes que o doutor Mattingly a forçasse a retornar à consciência. E agora, uma semana depois, finalmente se manifestou. Não estava mais dançante e evanescente nas memórias obscuras de seu subconsciente, mas sim claro, vibrante e ressonante em seus ouvidos.

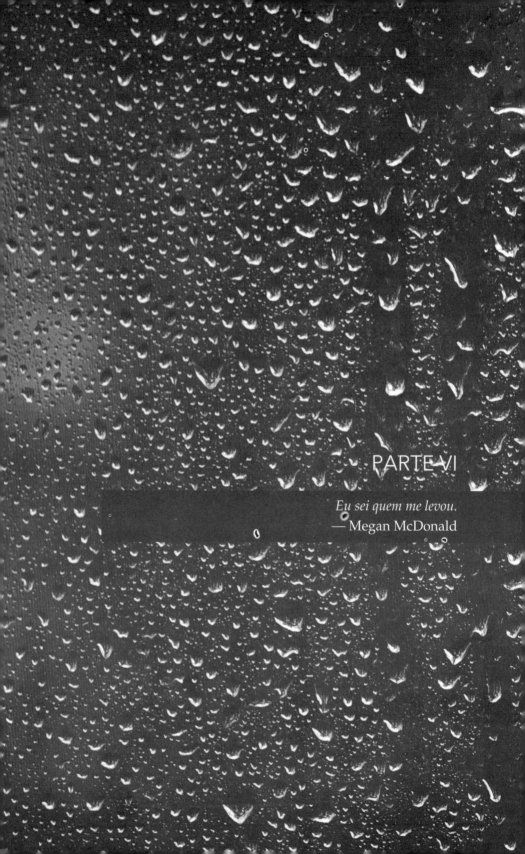

PARTE VI

Eu sei quem me levou.
— Megan McDonald

43

Novembro de 2017
Catorze meses após a fuga de Megan

DEPOIS DE DUAS SEMANAS SEM RESPOSTAS AOS SEUS TELE-fonemas, Lívia usou seu segundo dia de folga do curso de especialização e foi para Emerson Bay. Parou no estacionamento do Montgomery County Federal Building e entrou no escritório do xerife. Na recepção, pediu para ver Terry McDonald. Não, ela não tinha hora marcada. Lívia nem sequer sabia se ele estava, mas iria esperar, se fosse preciso. O dia todo, se necessário.

Após alguns minutos, a secretária a conduziu até o escritório onde Lívia encontrou Terry McDonald acomodado atrás de sua mesa.

— Por favor, sente-se. — Ele indicou a cadeira a Lívia.

— Obrigada por me receber, xerife.

— Eu ia ligar para você. Simplesmente, não tive tempo.

— Compreendo. Megan está bem? Não consigo falar com ela há duas semanas.

— Estou feliz por tê-la aqui. Minha filha é outro motivo pelo qual eu queria falar com você. Desde que vocês duas embarcaram nessa pequena aventura... Veja, não estou desdenhando dela, de modo algum... Mas desde que Megan começou a investigar por conta própria, seu psiquiatra me falou de algumas coisas preocupantes acerca de seu progresso. Parece que ela teve uma recaída. Pesadelos. Regressão na memória durante as sessões de terapia. Retraimento. Depressão. Todos os sintomas que ela mostrou logo depois de sua provação.

— Quando aconteceu, xerife? Quero dizer, lamento que ela esteja passando por isso, mas quando conversamos pela última vez Megan se mostrou bem e ansiosa para ajudar. Tive conversas longas com sua filha, senhor, sobre o que ela quer e o que ainda precisa para pôr um ponto final no caso.

— Doutora Cutty, reconheço a perícia forense que você traz ao caso de Megan e de sua irmã, mas você não é psiquiatra.

— Claro que não.

— Então, por favor, peço-lhe que deixe Megan fora do que você está fazendo. Entendo sua necessidade de respostas, e também a de sua família. No entanto, você não conhece minha filha, não sabe o que ela passou. Não tem ideia da longa jornada que Megan percorreu para recuperar algum senso de normalidade. Vou apoiar você da forma que meu cargo ou influência permitirem. Mas eu lhe peço que deixe minha filha fora disso. Ela chegou tão longe sob a proteção do doutor Mattingly que não permitirei que o esforço seja desperdiçado. Até recentemente, Megan era uma pessoa diferente do que era ao retornar daquele inferno. Ela estava... sua mãe e eu notamos... voltando a ser a garota de que lembrávamos. Quero aquela garota de volta, doutora Cutty. E, ao ver os saltos para trás que ela deu nos últimos dias ao seu lado, me convenci de que você está prejudicando seu progresso.

Lívia olhava para Terry McDonald sem saber o que responder. Tinha conhecimento de certos pormenores sobre a filha do xerife que ele ignorava. Mas Megan ficou inacessível por dias e não retornou nenhuma de suas ligações. De fato, a regressão era possível, mas Lívia se perguntava o que teria provocado isso de forma tão repentina.

— Desculpe se causei algum problema, xerife. Não era minha intenção.

— Claro que não. Só estou deixando você a par da situação. Não é saudável para Megan ir atrás disso. Vou te ajudar, como disse, de todas as formas possíveis. Desde que você mantenha Megan fora disso. Podemos chegar a um acordo a esse respeito?

— Sim. — Lívia assentiu lentamente com um gesto de cabeça.

— Ótimo. — O xerife McDonald virou o rosto em direção à parte inferior de sua mesa. Então, abriu uma gaveta e tirou uma pasta. — Fiz alguns telefonemas. Falei com detetives da Virgínia e da Geórgia, e também com os rapazes daqui que cuidaram do caso de Megan e Nicole. Eu os atualizei sobre suas descobertas e suspeitas. Eles vão analisar tudo. Não espere resultados imediatos. Eles não trabalham desse jeito. Mas ficaram interessados. Muito interessados. Apesar de minhas ressalvas sobre sua avaliação envolvendo Megan, é mesmo um bom trabalho, doutora Cutty.

— Consegui mais coisas.

Nas últimas noites, Lívia documentara e expandira tudo o que aprendera com Nate Theros sobre os possíveis traços de personalidade do homem responsável pelas mortes de Nancy Dee e Paula D'Amato, e também pelo sequestro de Megan e pela transferência fracassada na noite em que ela escapou do bunker. As teorias de Nate, organizadas pela meticulosa mente científica de Lívia, ocuparam três páginas. Ela empurrou o trabalho sobre o tampo, colocando-o bem diante do xerife.

Terry McDonald dedicou alguns minutos para ler o relatório.

— Essas são as suas conclusões?

— Não, senhor — Lívia respondeu. — Tive ajuda.

— De um perfilador?

Lívia balançou a cabeça de um lado para o outro.

— Não exatamente, mas alguém que tem um... passatempo estranho. Ele prefere permanecer no anonimato.

— Posso ficar com isto?

— Claro.

— Vou mostrar para os nossos rapazes e comparar isto com aquilo que eles produziram. — Terry pôs o relatório em sua pasta e a recolocou na gaveta. — Então, as coisas estão avançando agora. Fiz os telefonemas, e vamos ver o que acontece a seguir. Os detetives precisarão de algum tempo para limpar seus registros a fim de justificar o investimento de horas num caso arquivado. Farei o que puder por minha própria conta enquanto esperamos. Eu a manterei informada de qualquer novidade.

— Existe uma maneira de eu falar com Megan? Ela não tem retornado minhas chamadas.

— Com todo o respeito, doutora Cutty, prefiro que você deixe Megan em paz, por enquanto.

Lívia concordou.

— É justo. O senhor pode dizer a Megan que tenho pensado muito nela?

— Digo sim.

Lívia se pôs de pé.

— Obrigada mais uma vez pelo que está fazendo, xerife. Sei que é difícil para o senhor e para sua família.

— Assim como para a sua, doutora Cutty. Manterei contato.

44

Agosto de 2016
A noite do sequestro

NICOLE CUTTY ENCOSTOU O CARRO NO ESTACIONAMENTO de Emerald Cove, onde a festa acontecia, uma tradição de fim de verão para os jovens de Emerson Bay.

Eram sete da noite, e o sol morria na água enquanto Nicole e suas amigas davam os últimos retoques na maquiagem: Jéssica e Rachel brigavam pelo uso do espelho retrovisor externo, enquanto Nicole, que se via no retrovisor interno, estalava os lábios após aplicar uma camada final de batom.

— Sem drama esta noite, certo? — Jéssica disse.

— Você parece minha irmã. — Nicole ligara para Lívia após o incidente no barco de Matt. Sentindo-se péssima, ela perguntou para a irmã se poderia ir para Miami por uma semana. Claro, Lívia estava ocupada demais com sua residência para levar em consideração o pedido. Nicole queria contar para ela todas as coisas que a vinham perturbando. Queria, por apenas uma semana, ser a irmã caçula e obter a atenção que outrora tivera de Lívia.

— Apenas fique longe dele — Rachel pediu. — O cara é um idiota.

Nicole não respondeu. Tornara-se retraída, Jéssica e Raquel notaram, desde o incidente entre ela e Matt. Nicole se recusou a dizer às amigas o que acontecera no barco de Matt, mas elas presumiram que ele pusera um ponto final no casinho com Nicole, agora que estava com Megan. Jéssica e Rachel sabiam que, nessa noite, o papel delas seria o de soldados das tropas de paz. Trabalhariam duro para manter Nicole longe de Megan e Matt.

As três atravessaram o estacionamento e se dirigiram à praia, onde uma grande fogueira combatia os primeiros avanços do anoitecer.

Cinquenta outros jovens se reuniam em bandos ao redor do fogo. Uma partida de vôlei estava no auge. Alguns garotos jogavam bola na água, esperando o sol se pôr e a escuridão tomar conta da praia antes de tirar as cervejas e demais bebidas alcoólicas dos esconderijos.

Jéssica e Rachel se juntaram a um grupo de garotas perto do fogo. Nicole decidiu perambular na beira da água. Tirou o celular do bolso traseiro do jeans e o consultou de novo. Casey não respondera a sua mensagem de texto.

Ao ouvir gritos vindos de um grupo de garotos ao lado da fogueira, Nicole olhou para trás. Com o auxílio do brilho das chamas, viu que Matt chegara, e era saudado por seus amigos. Ele e Megan estavam de mãos dadas.

Nicole voltou a olhar para seu celular e enviou outra mensagem de texto.

45

APÓS ENTREGAR O RELATÓRIO BASEADO NA CONVERSA
com Nate para o xerife McDonald, Lívia se ocupou do trabalho, fugindo da ansiedade de esperar por conclusões e se refugiando nos cadáveres que chegavam ao necrotério. Não mais considerava aqueles corpos como uma maneira de alavancar sua carreira ou como uma oportunidade para exibir suas habilidades e superar seus colegas, como ela mesma admitira que fizera um dia. Os últimos três meses lhe ensinaram que cada vida merece o devido respeito da descoberta das respostas que deixaram para trás. Para a doutora Lívia Cutty, a única maneira de encontrar essas respostas era por meio do exame dos corpos que chegavam para ela. Respeitosa e honradamente, sem segundas intenções referentes à ascensão profissional ou ao ganho pessoal, mas com o objetivo único de prestar informações à família sobre a causa da morte de seu ente querido. Se fizesse isso com honestidade, no limite de sua capacidade, as recompensas colaterais viriam.

As últimas semanas foram necessárias para o plantio da semente dessa epifania. E os últimos dias, após ela ter entregue toda sua investigação e seu trabalho árduo para as autoridades, confiando nelas para a obtenção das respostas que quase conseguira sozinha, lembraram-na de que outras pessoas também esperavam, exatamente como ela. Outros aguardavam respostas e tinham depositado sua confiança nela para pôr um ponto final no caso. Lívia daria o melhor de si para servir aquelas pessoas, e não a si mesma. Talvez fosse uma metamorfose pela qual todos os médicos-legistas passavam. Ou quem sabe esse *insight* fosse a coisa evanescente que o doutor Colt sugerira que viria em algum momento durante sua formação. Qualquer que fosse o motivo, Lívia era uma pessoa diferente hoje do que quando chegou ao Instituto Médico Legal, em julho.

Lívia se preparou para mergulhar nos enigmas que repousavam em sua mesa de autópsia enquanto as autoridades analisavam suas descobertas preliminares e as convertiam em algo mais substancial — e também para esse longo período. Mas, às dez da noite, enquanto folheava um compêndio, um telefonema mudou seus planos. Foi com surpresa que ouviu a voz de Megan:

— Preciso ver você.

— Você está bem?

— Não.

— Desculpe não ter ligado, Megan. Seu pai disse que eu devia lhe dar algum espaço.

— Não me importo com nada disso. Preciso ver você hoje à noite.

— Hoje à noite? O que aconteceu?

— Eu sei — Megan afirmou. — Eu finalmente sei.

MEGAN SE FORÇOU A SE MANTER IMÓVEL DEBAIXO DAS cobertas depois que terminou de falar com Lívia. Ultimamente, já que seus pesadelos tinham recomeçado, sua mãe voltara a ficar à espreita e readquirira o hábito irritante de aparecer em seu quarto para verificá-la. Se ela começasse a se agitar na cama, isso chamaria a atenção da mãe. Essa noite, mais do que em qualquer outra, Megan teria de evitar isso. Lívia precisaria de duas horas para vencer a distância entre Raleigh e Emerson Bay, mas Megan sabia que não seria capaz de ficar quieta por muito tempo. Seria impossível tolerar a palpitação da carótida por um longo período.

De repente, ela solucionou o último ano e pouco de sua vida. Os tumultuosos catorze meses que se desenrolaram desde o momento em que viu os faróis do carro do senhor Steinman na Rodovia 57 e embarcou nele. Desde então, por mais de um ano, o mistério se estendeu ao longo da estrada de sua existência. Agora, finalmente, tinha tudo muito claro.

Com a revelação, porém, surgiu um medo irracional de que os segredos que descobriu enterrados em sua mente seriam difundidos para o mundo. Que, se ela passasse mais um dia tentando amarrar os detalhes, sua descoberta se revelaria para todos, mas seria muito tarde. Pensou naquelas garotas — Nancy e Paula — e nas outras que ainda podiam estar por aí. Uma dor nauseabunda virou seu estômago. Megan não podia correr o risco de esperar. Tinha de ser essa noite.

Passaram-se quarenta e cinco minutos, e então a pulsação em seu pescoço ficou intensa demais para suportar. Por instantes, ela considerou que sua catarse talvez estivesse provocando um ataque de pânico. Porém, Megan sabia que os vasos sanguíneos latejantes e a transpiração eram seu sistema nervoso simpático dizendo para ela se mexer. Sua mente preparava seu corpo para lutar ou fugir. Não havia ninguém em sua casa para lutar. Então, ela correu.

Megan pôs três travesseiros sob as cobertas para enganar quem talvez a verificasse essa noite, vestiu um jeans e pôs o celular no bolso. Tomou bastante cuidado quando se esgueirou pela porta dos fundos, desceu a escada sem fazer ruído, atravessou o gramado com passos ágeis e caiu na noite. A solução do mistério de sua vida não respondeu a todas as suas perguntas. Não conseguia entender por que aquilo tinha acontecido com ela. No entanto, seu sonho daquela noite, quando viu Lívia na janelinha do trem urbano passando pela janela do porão, disse-lhe que ninguém mais poderia ajudá-la essa noite. Ela precisava de Lívia.

Megan chegou ao cruzamento com uma antecedência de mais de quarenta minutos. Permaneceu nas sombras e tratou de respirar. Tentou afastar a ideia de que, a cada minuto que passava, o monstro chegava mais perto de tomar conhecimento de sua descoberta.

46

Agosto de 2016
A noite do sequestro

EM SUA ESPERA, ELA TEVE DE SUPORTAR TRÊS HORAS DE tédio. Conversou com gente que não lhe interessava e riu do humor estúpido típico dos colegas do ensino médio. Viu Matt ignorá-la deliberadamente e ouviu Megan dar risadinhas falsas sempre que Matt abria a boca. Numa ocasião normal, teria sido insuportável. Mas essa noite era tudo, menos normal. Era especial. Épica, mesmo.

Ficou com Rachel e Jéssica ao redor da fogueira e fingiu beber cerveja. Fingiu também estar interessada nelas. E se importar com a faculdade em que cada uma estaria no outono. Seu celular vibrou no bolso e ela o apanhou depressa.

Finalmente, Casey estava pronto.

47

JÁ ERA QUASE MEIA-NOITE QUANTO LÍVIA ENCOSTOU NO cruzamento e avistou Megan parada na sombra de um prédio. A luz da rua iluminou seu rosto quando ela começou a se mover, e, apesar da distância, Lívia reconheceu a diferença. Quando Megan se acomodou no assento do passageiro, o brilho mortiço da luz no teto do carro confirmou a surpreendente transformação. Mais de duas semanas se passaram desde o último encontro delas, quando Megan apertou a mão de Lívia no escritório de seu pai, depois que ele concordou em ajudá-las. Naquele momento, os olhos de Megan estavam cheios de esperança e júbilo. Agora, Lívia notou olhos inexpressivos, errantes, pesados.

— O que houve, Megan?

— Eu sei onde ele me manteve em cativeiro. Eu descobri.

Lívia precisou de um momento para decifrar as palavras de Megan.

— O bunker?

— Antes do bunker. Sei onde ele me manteve durante aquelas duas semanas. O porão. Preciso ir lá, Lívia. Preciso que você me leve.

Estacionada no acostamento de uma estrada deserta, escura e silenciosa, no meio da noite, Lívia entendeu que algo catártico estava acontecendo. De repente, deu-se conta da fragilidade da garota, e sentiu a pesada responsabilidade do bem-estar de Megan sobre seus ombros.

— Talvez devêssemos conversar com seu pai, Megan. Ele me disse que você estava passando por problemas com tudo isso.

— Não. Só você.

De seu breve curso de psicologia durante o ano de estágio, Lívia se familiarizou com distintos estados de psicose. Por isso tinha certeza de que Megan estava enfrentando um.

— Talvez devêssemos ligar para o doutor Mattingly e informá-lo a respeito disso.

Megan balançou a cabeça. Então, virou-se e olhou para Lívia.

— Por favor, me leve lá. Ajude-me.

Ao encarar Megan, Lívia presenciou outra metamorfose. Megan não era mais a garota que frequentara a escola com Nicole. Não era mais a outra jovem que fora levada naquela noite. Megan era, naquele momento, uma amiga que precisava de ajuda.

— Tudo bem. — E Lívia pôs o carro em movimento. — Aonde estamos indo?

— West Bay. Não é longe. Não é longe mesmo.

48

Agosto de 2016
A noite do sequestro

CASEY DIRIGIA UM ENFERRUJADO BUICK REGAL, QUE MAN-
tinha coberto e guardado num armazém em West Bay. Era com esse carro que ele sequestrava as garotas. A última vez que Casey o dirigiu foi quando viajou para a Virgínia no ano anterior, para raptar Nancy Dee. Agora, essa noite, quase um ano depois, ele voltou ao armazém mais uma vez. Suas entranhas explodiam de medo e excitação.

Essa noite, Casey estava tão exposto quanto sempre estivera, planejando uma captura em Emerson Bay. Mas ele tinha certeza, com a facilidade das outras como referência, que alcançaria sucesso. Era a maneira perfeita de atrair Nicole para seu mundo, de apresentá-la ao barato. Os dois tinham passados muito semelhantes para que ela não tivesse as mesmas necessidades que ele. Assim, quando Nicole veio com a ideia de assustar uma de suas colegas de classe, aliciando Casey para pegá-la e jogá-la no galpão atrás da cervejaria Coleman's, ele imediatamente percebeu a oportunidade. Casey abandonou o plano original de pegar Stacey Morgan, a garota que trabalhava no colégio três vezes por semana e se encaixava perfeitamente na descrição do último pedido, porque ainda mais perfeita era a oportunidade de trazer Nicole para o seu maravilhoso mundo sombrio. Era um mundo em que ela floresceria, e ele precisava dela ali. Inesperadamente, Casey caíra sob o feitiço dela nesse verão. Nicole era seu par perfeito, sua primorosa cúmplice.

Casey levaria a colega de classe de Nicole aonde tinha levado as demais garotas. Ele a entregaria ao porão sob forte sedação, da mesma maneira como entregara as outras. Mostraria a Nicole os seus métodos essa noite. Ele mostraria a ela seu trabalho e observaria a reação em seu rosto, em seus olhos e no lago negro em que também constituía sua alma, tão parecida com a dele. Observaria a transformação dela. E então, em algum momento do futuro, quando outro pedido viesse, Casey não estaria sozinho em seu mundo sombrio, mas acompanhado pela única pessoa que o entendia.

Casey entrou no estacionamento vestindo as roupas que Nicole comprara na Goodwill: vestuário e sapatos comuns que não deixariam fibras e pegadas rastreáveis. Escutou a música que vinha da praia e vozes do grupo reunido ao redor da fogueira. Estacionou atrás do Wrangler, com os faróis baixos contra o estepe preso na traseira. Desligou as luzes e esperou.

Seu coração batia num bom ritmo, e ele achou que estava mais agitado do que o normal. A mensagem de texto de Nicole chegou quinze minutos depois. Casey pegou o saco no assento ao lado e também as abraçadeiras de náilon. Examinou o estacionamento para ter certeza de estar sozinho. Havia dois banheiros químicos num canto, que ficaram vazios nos últimos cinco minutos depois que três garotas saíram deles.

Na entrada da praia, Casey viu a jovem entrar no estacionamento, se dirigir ao Wrangler e abrir a porta do motorista. Com o saco e as abraçadeiras de náilon na mão, Casey acionou o motor, e os faróis banharam Megan McDonald e seu carro com um brilho ofuscante. Ela protegeu os olhos da forte luminosidade e não viu a aproximação dele, até que as luzes desapareceram quando o saco cobriu sua cabeça.

49

O TRAJETO ATÉ WEST BAY LEVOU MEIA HORA. MEGAN DEU indicações de memória, e Lívia teve a impressão de que, enquanto ela trabalhava na semana anterior no necrotério, Megan também havia trabalhado duro. Os últimos dias propiciaram uma grande descoberta, e Megan estava disposta a compartilhá-la apenas com Lívia.

— Aqui — Megan se inclinou para a frente no assento e avaliou sua localização. — Encoste aqui.

Lívia a obedeceu, desviando o automóvel para o acostamento ao lado de um condomínio abandonado. Duas colunas de tijolos vermelhos se achavam perto uma da outra, com uma longa placa de pinheiro pairando entre elas. O nome do condomínio estava entalhado na madeira e iluminado por um único refletor remanescente dos três originais — "Stellar Heights".

Lívia estacionou no mesmo lugar em que Megan derrapara e parara seu jipe no outro dia, ao fugir do consultório do doutor Mattingly. Ela ouviu Megan contar a história daquele condomínio abandonado:

— A construção começou durante a bolha imobiliária. Stellar Heights deveria ser a expansão para o oeste de East Bay. Casas grandes, varandas, entradas de garagem em semicírculo. Primeiro, vieram as escavadeiras, as pavimentadoras de asfalto e os compactadores de aterro. Em seguida, fizeram essa berma gigante.

Através do para-brisa, Lívia deu uma olhada na berma, que cercava o condomínio Stellar Heights e era pontilhada por árvores abandonadas e tomada por ervas daninhas até onde a vista alcançava.

— Depois, foram erguidos os portões — Megan prosseguiu —, altos, pretos e de ferro fundido, que manteriam longe os moradores indesejados de West Bay, até que eles se mudassem, despejados pela especulação imobiliária. Aí, construíram esse caminho sinuoso, que serpentava pelo belo condomínio. Setenta e nove casas personalizadas deveriam ocupar este lugar. Setenta e nove estruturas suntuosas, cada uma com quinhentos metros quadrados. O construtor conseguiu erguer seis casas antes do estouro da bolha. Ninguém mais estava comprando casas imensas. A contração do crédito ferrou todos que compravam imóveis com dinheiro dos bancos. E, quando os bancos pararam de emprestar, o construtor ficou sem capital. Assim, Stellar Heights, escondido do mundo pela berma gigante, foi esquecido por todos e ficou abandonado nos últimos anos. Até que, há alguns meses, uma decisão do condado passou a exigir a demolição das seis casas abandonadas e da cidade fantasma.

Lívia viu Megan abrir a porta do lado do passageiro, passar sob a placa de madeira e se encaminhar para os portões altos e pretos. Iluminada pelos faróis do carro, Megan parecia um fantasma flutuando na direção da cidade assombrada. Ela empurrou os portões, que se abriram rangendo. O efeito foi dramático e estranho, como se algo sinistro tivesse sido liberado. Além dos portões, através da abertura da berma, a escuridão esperava.

Megan voltou a se sentar no assento do passageiro e fechou a porta do carro.

— Vamos, Lívia. Preciso saber com certeza.

— Megan, talvez devêssemos chamar alguém... seu pai, por exemplo... para nos encontrar aqui, se você acha que este é o lugar em que ficou.

— Não acho. Eu sei.

Megan apontou para a frente, para a escuridão do condomínio abandonado. Lívia pensou em telefonar para Kent Chapple, para que ele fosse encontrá-las ali. Sabia que ele viria num instante se ela pedisse. Cogitou ligar para a emergência, mas desistiu, pois não saberia o que dizer ao atendente.

Após um instante, pôs o carro em movimento, elas atravessaram lentamente os portões e entraram no condomínio Stellar Heights.

50

Agosto de 2016
A noite do sequestro

NICOLE SEGUIA O CARRO DE CASEY, QUE SE AFASTAVA DO estacionamento da praia, experimentando uma emoção estranha se apossar dela com o que acabara de testemunhar. Sabia que, naquele momento, Megan McDonald estava aterrorizada. E aquilo era um castigo merecido. Tudo na vida de Megan fora ganho de mão beijada. Nunca nada a desafiou ou sabotou a cadência perfeita de sua vida. Megan foi a estrela da escola primária e a princesa da escola secundária, e, em breve, seria a aluna genial da universidade, a sábia da faculdade de medicina e, finalmente, a médica que salvou o mundo. Ninguém deveria ter tudo o que quisesse.

Nicole adoraria estar no carro de Casey, ouvindo Megan chorar e implorar, mas ambos concordaram que seria muito arriscado. Sem dúvida, Megan identificaria Nicole, mesmo com o saco de algodão na cabeça. Se Nicole falasse ou risse, como certamente faria, o estratagema seria arruinado. Seguir Casey até a antiga cervejaria, onde as reuniões do clube aconteciam, era a melhor opção. Ali, Nicole poderia observar de longe e abafar suas risadas enquanto Casey jogava Megan no galpão e deslizava a pesada trava pela porta. O mesmo galpão que o clube usara para a iniciação de Nicole algumas semanas antes.

Quando Casey enfim soltasse Megan, a princesa levaria uma hora para encontrar a saída de Cove. Embora Nicole nunca fosse ter a satisfação de dizer a Megan que fora ela quem lhe pregara a peça, sem dúvida apreciaria as consequências. Matt poderia confortá-la por todo o caminho até a Duke.

— Aonde diabos você está indo? — Nicole franziu a testa ao ver Casey virar à esquerda na Junction Avenue e se dirigir para o outro extremo de West Bay. O antigo prédio de Coleman's Brewery ficava na direção oposta.

Nicole pegou o celular e ligou para ele. Casey não atendeu.

51

LONGE DA ILUMINAÇÃO PROPORCIONADA PELOS POSTES de luz da estrada circundante, o interior de Stellar Heights estava tão escuro que as luzes do carro mal conseguiam penetrar. O veículo seguia lentamente pelo longo e sinuoso caminho que serpenteava o coração do condomínio abandonado. Seus faróis iluminavam estruturas vazias em ambos os lados do asfalto liso, deixando entrever a brita, os pedregulhos e os grandes buracos escavados que se destinavam a ser a fundação de casas nunca construídas. A cada minuto que passava, Lívia sentia o mundo exterior além da berma se distanciar cada vez mais.

Ela estava pronta para abandonar a jornada, levar Megan para casa, entregar aquela garota perdida aos pais e pedir ajuda. Até para admitir seu erro ao envolver aquela jovem frágil em sua busca por respostas. No entanto, quando Lívia ergueu o pé para pisar o freio, os faróis iluminaram uma casa — uma única casa no fim do caminho tortuoso que elas percorreram nos últimos minutos. Então, sob um luar pálido, cinco outras estruturas surgiram. Com cada construção ocupando oito mil metros quadrados de terreno abandonado, essa série de seis casas constituía o conjunto de Stellar Heights.

Lívia parou o carro e examinou a casa capturada pelo brilho dos faróis. Poderia ter sido, Lívia admitiu, uma residência incrível se a construção não tivesse parado. A parte externa do imóvel de dois andares compunha-se de tijolos avermelhados. Acima da bela entrada treliçada ficava o vidro emoldurado que dava para o vestíbulo, refletindo as luzes do automóvel de Lívia. Ela conseguia imaginar a luz quente de um lustre brilhando lá dentro. Além da entrada, onde uma porta de pinho deveria estar, havia um plástico de construção pesado, cinza, empoeirado e desgastado nas bordas.

Megan saiu do veículo e tirou uma lanterna da bolsa. Lívia a seguiu para a frente do carro, e observou quando ela apontou a lanterna profissional para a casa e depois para a construção vizinha. Então, Megan correu o feixe intenso de luz pelos tijolos, inclinou a cabeça para trás e fitou o céu noturno. Lívia sabia que não devia interferir. Megan se achava em sua própria jornada, e Lívia estava junto apenas para dar apoio.

Megan só quebrou o silêncio depois de alguns minutos:

— Ali! — Ela apontava para o firmamento.

Ao erguer os olhos, Lívia viu, bem alto acima da cabeça, as luzes de um avião piscando contra a escuridão. Megan cerrou as pálpebras e ficou ouvindo, balançando a cabeça. Ela voltou a olhar para o céu e observou o avião até que ele saiu do alcance da visão e da audição. Então, sentou-se no capô do carro e fechou os olhos de novo. Após vinte minutos, Lívia sentiu a ansiedade crescer pelo fato de permanecer num condomínio escuro e abandonado.

Lívia reunia coragem para fazer algumas perguntas quando Megan abriu os olhos e deu um sorriso tímido.

— Está ouvindo, Lívia?

— O quê?

— Espere. Vai voltar.

E voltou. Fracamente, a distância, Lívia escutou o apito de um trem. Megan a encarou com uma expressão triunfante.

— Aqui foi onde ele me manteve presa. Em uma dessas casas abandonadas.

— Como sabe, Megan?

— Eu procurei por meses em meu horário do almoço. Busquei a distância certa do aeroporto. O padrão correto da rota dos aviões. A altura exata da aproximação. O som exato dos motores. E investiguei esse apito. Ele pertence a um trem de carga que atravessa o condado de Halifax. Naquela noite, apesar da confusão mental provocada pela sedação, sei que ele precisou de cerca de uma hora para me transportar do porão para o bunker. Com essas pistas, visitei local após local, mas nenhum deles se encaixou perfeitamente. Stellar Heights, porém... É o lugar que reúne todas essas pistas.

Novamente, Megan correu a lanterna em torno das casas; uma fonte pontual de luz num abismo escuro.

— Tenho certeza, Lívia. É aqui.

52

Agosto de 2016
A noite do sequestro

CASEY OBSERVOU OS FARÓIS NO ESPELHO RETROVISOR, certificando-se de que Nicole o seguia. Ignorou o toque do celular. Tinha certeza de que Nicole ligava para questionar por que eles não estavam indo para a antiga cervejaria. O toque do celular — *Sweet Home Alabama* — fazia um contraste melodioso com os gritos e as súplicas da garota no assento traseiro, amarrada e encapuzada, que entrou em histeria por causa do pai. Casey aumentou o volume do rádio.

Quando Casey chegou ao seu destino, desceu do veículo e abriu os portões de ferro fundido. Nicole gritou algo pela janela aberta do automóvel, mas ele não respondeu. Em vez disso, embarcou de novo no Buick e ingressou na escuridão, seguindo o caminho sinuoso por vários minutos. Enfim, banhado pelo negrume e isolamento, Casey parou o carro, com Nicole atrás de si. Os gritos da garota, naquele momento, arrefeciam, pois o sedativo começava a fazer efeito. Rapidamente, ele fechou a porta do carro com força e caminhou até o automóvel de Nicole.

— Onde estamos? Que lugar sinistro!

— Confie em mim. — E Casey se acomodou no assento de passageiro do carro de Nicole. — O que eu planejei é melhor do que o galpão da Coleman's.

Nicole olhou ao redor, observando as casas abandonadas e escuras.

— Você acha que ela vai conseguir se virar para sair daqui? Quero dizer, onde diabos nós estamos?

Casey ignorou a pergunta. Precisava dar um pouco mais de tempo para a cetamina agir. Ele aumentou o volume do rádio.

— O que você acha da minha técnica?

— Acho que você é sádico — Nicole afirmou. — Ela está pirando?

Casey não queria falar da garota. Então, deslizou a mão sobre a coxa de Nicole.

— Quer dizer que isso a excita?

— Mais ou menos — ela respondeu. — Quando vamos sacanear com ela?

Casey consultou seu relógio.

— Daqui a vinte minutos.

Ele inclinou-se e mordeu o lóbulo da orelha de Nicole. Os dois se divertiam no carro, alheios ao sedã estacionado no caminho, com as luzes apagadas e seu motorista observando, imerso na escuridão. O homem se impacientava à medida que sentia seu corpo se excitar com a expectativa. Sua entrega chegara. Uma nova garota. Uma que ele planejava amar mais a que qualquer outra. No entanto, seu barato dessa noite era ofuscado pelo vaso pulsante em seu pescoço.

O Buick Regal não viera sozinho. Um segundo carro adentrara em seu mundo secreto de Stellar Heights.

53

LÍVIA OLHOU PARA MEGAN. OS FARÓIS DO CARRO AS ILU-
minavam ao nível da coxa, e insetos flutuavam em seu feixe.

— Megan, fale-me do que você descobriu.

— Sei que você acha que meu sequestro está relacionando com os de Nancy Dee e Paula D'Amato. E que você tentou encontrar maneiras de ligá-los e achar todas as semelhanças entre nós. E existem sim, Lívia. Muitas coisas são iguais. Mas só quando você apontou essas semelhanças eu percebi as diferenças. Os jeitos surpreendentes em que nossos casos não são parecidos.

— Não entendo. Do que está falando, Megan?

— O livro. — Megan deu uma risada de desprezo. — É tanta besteira! Minha celebridade é falsa, baseada numa mentira. E quanto a todas as jovens que o livro ajudou: total absurdo. Eu costumava ajudar garotas na época em que dirigia aquele retiro de verão. Também as ajudava a se adaptar ao ensino médio. Aquilo era real. No entanto, nada do que está contido naquele livro ajuda alguém. É tudo uma mentira.

— O que é mentira, Megan? Do que você está falando?

— Nancy e Paul sofreram maus-tratos. Foram sexualmente atacadas, por meses e anos. Isso me enoja. Paula foi espancada até a morte.

— Eu sei. É horrível.

— Sim. Mas por que eu nunca fui tocada?

Atenta, Lívia semicerrou os olhos na escuridão.

— Ele nunca me atacou, Lívia. Nunca me tocou fisicamente. No começo, o doutor Mattingly acreditou que eu suprimia o abuso, ocultando-o sob os efeitos da cetamina. Mas não é isso. Os médicos que me examinaram confirmaram que não houve abuso sexual. Nenhum intercurso. O doutor Mattingly especulou que eu reprimia a memória de outros abusos sexuais, e trabalhou com muito cuidado comigo durante as sessões de terapia para provocar essas memórias enterradas em mim. O problema é que elas não existem. Ele nunca encostou um dedo em mim, Lívia. Muita coisa é igual entre o meu caso e os de Nancy e Paula. Mas muita coisa é diferente.

— Acredito em você, Megan. Ele nunca a atacou. Acredito nisso. Mas você nunca disse que ele a agrediu. Não em seu livro, nem em suas entrevistas. Nunca foi parte de sua história. Você não precisa se defender. Não houve mentira, Megan. Você não mentiu.

— Sim, menti. Não a respeito do abuso. Mas isso ajuda a explicar tudo o mais, faz com que tudo se alinhe. Expõe minha mentira pelo que ela é: uma farsa maldita que ganhou vida própria. Por um tempo, até eu acreditei.

Lívia se aproximou.

— Conte-me. Que mentira é essa, Megan?

— Sobre o bunker.

Lívia esperou enquanto Megan continuava a apontar a lanterna para as casas fantasmas ao redor delas. Sem dúvida, sua mente estava confusa e sobrecarregada, processando muitas informações ao mesmo tempo.

— Não, Megan. Você *ficou* naquele bunker. Há provas de que ficou lá.

— Eu *fiquei* lá. Ele me levou para lá. Mas eu nunca escapei.

Lívia a encarou. Tentou ler seus olhos através da escuridão e diagnosticar se aquela pobre jovem tinha enlouquecido por causa dos recentes acontecimentos e da possibilidade de seu sequestro estar ligado ao de Nancy Dee e Paula D'Amato, duas garotas que apareceram mortas.

— Claro que escapou, Megan. Você está aqui agora. Está segura. Não há mentira.

— Não. — Megan finalmente desviou os olhos das casas e fitou Lívia. — Você não entende. Eu estou aqui. Estou viva. Nancy e Paula, não. Porém, não sobrevivi porque escapei daquele abrigo. Mas porque ele me deixou ir.

54

Agosto de 2016
A noite do sequestro

OS FARÓIS DO CARRO DE NICOLE ILUMINAVAM O ASSENTO traseiro do Buick Regal. A garota se acalmara, enfim. Não chutava mais a porta nem batia o ombro na janela. Casey tinha certeza de que ela estava deitada no banco, dormindo em um sono parecido com o estado de coma. Ele já vira isso antes.

— Vamos, Nicole. Chegou a hora.

Casey saiu do carro dela e abriu a porta de trás do Buick Regal. De fato, a garota estava inconsciente, deitada como uma bêbada no banco traseiro, com o saco na cabeça, as abraçadeiras de náilon prendendo os pulsos às costas, uma perna estendida no assento de vinil rasgado e a outra pendendo sobre o piso do automóvel.

— O que há de errado com ela? — Nicole quis saber.

Ela e Casey estavam iluminados pelos faróis do carro de Nicole, que também destacavam o corpo inconsciente de Megan.

— Só está tirando uma soneca.

Nicole hesitou.

— Você a dopou?

— Em cerca de uma hora, ela estará como se fosse nova.

Casey pegou Megan, retirou-a do carro e a pôs sobre o ombro, como uma boneca de pano. Ele acendeu uma lanterna e se dirigiu para uma das casas.

— O que estamos fazendo com ela? — Nicole perguntou.

Sem responder, Casey continuou caminhando. Após um momento de hesitação, Nicole o seguiu.

Para além dos faróis, havia somente trevas. Casey apontou a lanterna para o número da casa acima da porta da frente: 67. Ele entregara Nancy Dee, no ano anterior, na casa vizinha. E dois anos atrás, trouxera a garota do Instituto de Tecnologia da Geórgia chamada Paula D'Amato para a casa duas portas abaixo. Casey nunca teve coragem de revisitar essas casas para ver o que restara. Ele sabia que a garota Dee havia desaparecido. Mas as outras... Nunca foi capaz de verificar.

Casey entrou pela porta da frente com a garota inconsciente sobre o ombro e Nicole logo atrás.

— O que são todas essas casas vazias, Casey?

Ele continuou andando. Dirigiu-se ao porão, abriu a porta com o pé e, em seguida, começou a descer a escada.

— Casey, pare! O que você está fazendo?

Mas ele desapareceu um momento depois, engolido pela escuridão.

55

APONTANDO A LANTERNA, MEGAN SE DIRIGIU A UMA DAS casas vazias. Lívia a acompanhou na direção da casa escura, caminho acima de onde estacionara, adjacente à casa banhada pelos faróis do carro.

— Você fugiu daquele bunker, Megan. A polícia sabe que você estava lá. Suas impressões foram encontradas na maçaneta da porta. O saco que o sequestrador pôs em sua cabeça foi encontrado no bunker. Seus folículos pilosos estavam no saco. Foi uma coisa real, Megan. Você escapou naquela noite. Você atravessou a floresta até o senhor Steinman encontrá-la na Rodovia 57.

Alguns passos na frente de Lívia, Megan falou, olhando por sobre o ombro:

— Sim. O bunker era real. Tudo era real. A floresta, a estrada... O senhor Steinman, também. Mas não a fuga. A mídia criou isso, Dante Campbell e todos os outros, porque queriam o sensacionalismo. Todo o país aceitou aquele mito e se deixou levar. Eu também. Em meu livro, embelezei os detalhes até acreditar na história. Mas não é verdade.

À medida que Megan seguia em direção a casa, o feixe de sua lanterna se alargava na parte externa de tijolos. Ela acelerou o passo e se dirigiu aos fundos da construção. Apontou a lanterna para as janelas do porão, e o feixe as atravessou e iluminou o espaço vazio. Não havia nenhuma tábua de madeira compensada. Megan redirecionou o feixe para a casa vizinha, através de oito mil metros quadrados de construção, barro e entulho. E correu até lá.

Lívia se esforçou para acompanhá-la, tropeçando no entulho, até que finalmente alcançou Megan.

— Fale-me do bunker, Megan. O que não é verdade em sua história?

— Eu não escapei. Ele deixou a porta do bunker aberta. Ele fez isso para eu fugir.

— Por quê? Por que ele faria isso?

— Porque não tinha outro jeito.

— Fale mais devagar e me ajude a entender.

Megan chegou aos fundos da casa vizinha e apontou a lanterna para as janelas na base da fundação. O feixe parou nas tábuas de madeira compensada que cobriam as janelas. Lívia as viu vedadas com tábuas e se lembrou imediatamente da parte do livro em que Megan as descrevia. Um sentimento estranho se apossou dela.

— É isso — Megan afirmou, com perplexidade. — Achei. — Então, ela encarou Lívia. — Eu sei quem me levou, Lívia. E foi aqui que ele me manteve.

56

Agosto de 2016
A noite do sequestro

A LANTERNA DE CASEY ILUMINOU A CAMA NO CANTO, E ele colocou a garota sobre o colchão. Uma corrente se estendia ao longo do piso de concreto sem acabamento, com uma extremidade presa à parede e a outra a um grilhão grosso de couro, que ele fixou no tornozelo de Megan. Tirou um canivete do bolso e cortou as abraçadeiras de náilon que amarravam os pulsos dela. Megan estava deitada de lado, com a respiração profunda, sibilante e pesada, expandindo o peito a cada poucos segundos por causa da sedação.

Quando Casey se virou, Nicole, ao pé da escada, o encarava na escuridão.

— Antes de dizer algo, quero te mostrar uma coisa — ele disse. — Prometo que então conversaremos. É que não temos muito tempo.

Nicole balançou a cabeça negativamente.

— Isso é muito doentio. Ela vai surtar aqui. — Nicole olhava para as janelas fechadas com tábuas, que eram pouco visíveis no brilho residual da lanterna de Casey.

Ele pegou a mão de Nicole, e a beijou com intensidade. Estava inebriado com o processo; a captura, que fora tão fácil e fluida de novo. Isso o encheu de uma energia que não encontrava em nenhum outro lugar.

— Venha comigo.

— Aonde?

— Para o meu mundo. Garanto que vai adorar. Você é a única que sentiria isso.

Ele arrastou Nicole escada acima. Então, eles atravessaram a casa e saíram para a noite quente de verão, deixando Megan McDonald sozinha e inconsciente no porão que assombraria seus sonhos.

Enquanto corriam, Casey a puxava, com o feixe da lanterna saltando na noite. De mãos dadas e dedos entrelaçados, os dois passaram correndo pela casa onde ele colocara Nancy Dee no ano anterior. Casey sabia que estaria vazia. A casa vizinha surgiu. Acima da entrada, o número 63. Ele passou pela porta e parou no vestíbulo da entrada, escutando. Seu pulso estava acelerado, e se sua mão não estivesse tão apertada na de Nicole, tinha certeza de que estaria tremendo. Casey sabia que não devia se precipitar. Apenas dar uma olhada. Mostrar para Nicole. Provar para ela que era real. Deixá-la ver o poder que ele possuía, e permitir que o que eles tinham acabado de fazer com a garota da festa da praia amadurecesse completamente.

Casey abriu a porta do porão e, juntos, eles desceram a escada, orientados pele feixe estreito de luz da lanterna. Quando chegaram ao porão, Casey espreitou ao redor da parede e ergueu um pouco a lanterna, apontando para o canto. Lá estava ela. A garota do Instituto de Tecnologia da Geórgia chamada Paula D'Amato, que ele tinha depositado há muito tempo.

Foi uma autêntica surpresa. Quando Nicole gritou, quase todos os músculos da parte superior do corpo de Casey latejaram. Ela encarou a garota no canto, em posição fetal na cama e olhando para eles com olhos brilhantes cegados pelo feixe de luz que Casey apontava para ela. De imediato, Nicole soltou sua mão e subiu a escada correndo.

ELA CHEGOU AO TOPO E ALCANÇOU O VESTÍBULO. ENTÃO, Casey a enlaçou pela cintura. Nicole deixou escapar um grito feroz quando ele agarrou seu braço com força e a ergueu do chão, com suas pernas ainda batendo. Finalmente, ele a encurralou, passando os braços ao redor dela, de modo que seu peito pressionou-lhe as costas.

— Quieta... — ele murmurou no ouvido dela. — Esse sentimento de sujeira e culpa vai embora. Vai deixar você, prometo. E, com o tempo, tudo o que restará será a necessidade de fazer de novo. Você também vai sentir isso. Sei que sim.

— O que é aquilo lá embaixo?! — Nicole tinha lágrimas rolando pelo rosto. — O que você fez?!

Casey recolocou Nicole no chão, mas manteve os braços em torno dela.

— Aquela é uma das garotas que peguei — ele disse ao ouvido dela. — Não foi uma captura para o clube. Não foi uma iniciação. Foi de verdade. — Houve um momento de silêncio. — Paula D'Amato. Falamos dela no clube. Você se lembra?

Chorando, Nicole chacoalhou a cabeça de um lado para o outro.

— Não, Casey. O que você fez?

— Em breve, todos vão falar da garota que pegamos hoje, as pessoas desta cidade e de todo o estado. Todo o país vai falar de nós, Nicole. De você e de mim!

Finalmente, Casey aliviou o abraço e a soltou. Nicole se virou devagar e viu as pupilas de Casey cintilantes de malignidade. Era um olhar tóxico que mirava direto sua alma. Num movimento rápido e violento, ela o empurrou e correu. Abriu a porta e atravessou o pátio da frente, coberto de barro e cascalho. Sem a ajuda da lanterna, a noite escura a desorientou, e ela deu diversos passos na direção errada. Então, a luminosidade difusa da lua iluminou seu carro, e Nicole conseguiu se orientar.

Ela bateu as pernas no volante do carro quando entrou correndo nele e deu a partida. Acionou o câmbio automático. O veículo se moveu para a frente aos trancos quando ela pisou fundo no acelerador. Manobrou para evitar o Buick de Casey, parado na frente dela, e quase bateu nele. Nesse movimento, seus faróis captaram um vislumbre de Casey quando ele apareceu perto do capô do Buick. Apenas um breve borrão de sua camiseta verde. Então, Nicole sentiu um baque quando o para-choque dianteiro o atingiu. Em seguida, houve um balanço nauseante quando a roda se deslocou para cima ao passar sobre o corpo caído de Casey, que cessou quando o carro recuperou a tração no cascalho. Nicole não conseguiu ver muita coisa em seu espelho retrovisor ao fazer uma curva fechada e acelerar de volta ao caminho escuro e longo que percorrera para chegar a esse lugar assombrado.

O SEDÃ CONTINUAVA PARADO NA ESCURIDÃO, ALÉM DA última casa. Depois que a garota atingiu o homem, o carro se moveu lentamente. O motorista baixou a janela quando parou seu carro ao lado do corpo se contorcendo no chão. Uma rápida avaliação lhe informou que o fêmur do homem estava quebrado, curvado como o ângulo de um taco de hóquei. Uma dádiva afortunada. Se ele precisasse perder tempo subjugando-o, talvez fosse impossível localizar a garota.

Ele saiu do carro e passou pelo homem, que gemia e pedia ajuda. Alcançou o Buick e tirou a chave do contato, por medida de segurança. De repente, o homem poderia ter um momento de lucidez e controlar a dor o suficiente para dar a partida no motor e sair em busca de ajuda.

— Por favor... — Casey implorou.

Impassível, ele alcançou o bolso da calça de Casey e tirou seu celular. Em seguida, voltou a embarcar no sedã e deixou cair o celular e a chave do carro do homem no assento do passageiro. As luzes traseiras do automóvel da garota ainda eram visíveis a distância, percorrendo o caminho sinuoso que levava para fora de Stellar Heights.

OFEGANTE, NICOLE DIRIGIA A TODA A VELOCIDADE, fugindo do condomínio abandonado. Sentia tanta adrenalina correr em suas veias que quase não conseguia controlar as mãos, que seguravam o volante. Sua mente estava confusa e incapaz de processar o que acabara de acontecer. Precisava de ajuda, e pensou nas pessoas a quem sabia que não poderia recorrer. Ligar para a polícia não era uma opção. Havia muitas razões para isso, mas, após considerar apenas duas — sua ajuda no sequestro de Megan e o atropelamento e fuga do local —, parou de procurar outras. Também não podia ligar para seus pais por motivos óbvios. Suas amigas, frágeis e histéricas, não teriam condições de lidar com nada dessa noite. Nicole sabia que precisava de alguém inteligente e equilibrado. Alguém que a enxergasse além de suas falhas. Ela precisava de Lívia.

Os pneus do carro cantaram quando ela saiu de Stellar Heights e se dirigiu de volta para a festa da praia. Por alguns instantes, observou o espelho retrovisor, mas sabia que não havia jeito de Casey segui-la. Pensamentos conflitantes de remorso e aversão passaram por sua cabeça.

Nicole começou a chorar quando o baque do carro atingindo Casey ecoou em sua mente, e sentiu o estômago revirar ao pensar em Megan acordando no porão mergulhado na escuridão. A imagem de Paula D'Amato se apossou de seus olhos e estava lá toda vez que Nicole piscava. Deus, havia quanto tempo ela estava desaparecida?!

Não existiam soluções boas para esses problemas, e reverter os acontecimentos dessa noite seria impossível. Ainda assim, ela tentaria. Eram necessários frenéticos vinte minutos em alta velocidade para chegar à estrada secundária que levaria de volta à festa da praia. Vinte minutos para assentar as ideias. Ela voltaria para o estacionamento e esperaria Lívia. E faria tudo o que Lívia lhe dissesse.

Quando Nicole se aproximou de uma placa de "Pare", pegou o celular e ligou para a irmã.

— Atenda, atenda, atenda! Por favor, Lívia, atenda ao telefone...

Quando Nicole passou pela placa de "Pare", todos os seus planos mudaram. Ela olhou para o espelho retrovisor e soube que nada mais seria igual. As luzes vermelhas e azuis de um carro da polícia encheram seus espelhos.

57

— TENHO DE VER POR MIM MESMA — MEGAN DISSE, PARADA nos fundos da casa. As tábuas de madeira que cobriam as janelas ainda brilhavam sob o feixe de luz da lanterna. — Venha comigo, Lívia. Venha comigo. Assim, poderei ter certeza.

Megan se dirigiu para a frente da casa. Lívia a seguiu, mais uma vez tropeçando no escuro sobre o terreno irregular e os pedaços de concreto. Na porta da frente, hesitou antes de acompanhar Megan pelo interior da construção escura. Ao entrar, vislumbrou o número 61 acima da porta. O interior era uma abóbada vazia com tetos altos e recintos também vazios, pouco visíveis sob a luz apressada da lanterna de Megan.

Quando Lívia a alcançou, Megan estava na porta do porão, e percebeu o feixe de luz da lanterna tremendo. Estendeu o braço e pôs a mão no braço de Megan, para acalmar seu tremor.

— Megan, pare e fale comigo. — Lívia a pegou pelos ombros, e o feixe de luminosidade apontou para os pés delas. — Você sabe quem te sequestrou. Diga.

Com a porta do porão aberta, a escada era um portal sem sombras para um mundo diferente.

— Na minha última sessão de terapia, fui mais longe do que nunca. Ele desceu a escada, e eu ouvi. Ouvi durante aquela sessão, mais perto do que já tinha ouvido antes. Eu ouvi, Lívia.

— Ouviu o que, Megan?

— Depois, durante meu sonho da outra noite, quando você estava no trem de passagem, quando você acenou para mim... eu ouvi de novo, pouco antes de acordar.

— Diga, Megan, o que você ouviu?

— Conheço muito bem esse som. Conheço esse som desde a infância.

Lívia esperou.

— Couro — Megan disse. — Ouvi o som do coldre de couro num cinto.

58

Agosto de 2016
A noite do sequestro

EM SEU CELULAR, NICOLE OUVIU A VOZ GRAVADA DE LÍVIA quando a ligação caiu na caixa postal da irmã. Ela desligou o aparelho e, ao mesmo tempo, as luzes piscantes encheram seu espelho retrovisor. Parte dela quis gritar porque sabia que não tinha como voltar atrás. Outra parte quis pisar no acelerador e fugir. Mas um lado de Nicole desejava exatamente o que estava acontecendo: ser encurralada, sem outra opção senão revelar à polícia o que acontecera essa noite.

Ela encostou o carro, que parou um pouco inclinado quando os pneus do lado do passageiro alcançaram o acostamento de cascalho. O policial se aproximou da janela de Nicole, que baixou o vidro.

— Você sabe que passou direto pela placa de "Pare", senhorita?

Nicole chorava.

— Eu não vi. Preciso de ajuda.

— O que houve?

— Eu acertei uma pessoa com meu carro. O meu namorado. E há uma garota que precisa de socorro. Duas garotas, talvez mais. Não sei.

— Fale mais devagar. Desligue o motor, por favor.

Nicole o obedeceu.

— Saía do veículo, sim? Diga-me o que está acontecendo.

Nicole saiu do automóvel, chorando histericamente agora. O policial passou o braço em torno dela e a levou para a viatura.

— Vamos, deixe isso comigo. — Ele pegou a chave do carro de Nicole, abriu a porta de trás da viatura e a ajudou a se sentar. — Espere aqui um minuto. Vamos descobrir o que há.

Ele estendeu a outra mão e pegou o celular dela com delicadeza.

— Você ligou para alguém esta noite?

— Minha irmã.

— Estou vendo — o policial afirmou, com a voz baixa e atenciosa. — Conseguiu falar com ela?

— Não.

— Deixou uma mensagem de voz ou de texto?

Nicole fez que não com a cabeça.

— Ligou para mais alguém?

— Não — Nicole respondeu. — Ninguém.

— Boa menina. Fique firme, ok? Eu já volto.

O policial ajudou Nicole a estender as pernas no assento traseiro e, em seguida, fechou a porta da viatura. Nicole observou quando ele deu uma volta ao redor de seu carro, com as luzes vermelhas e azuis iluminando a cena na frente dela. Ele apontou a lanterna para o assento traseiro e algo chamou sua atenção. Nicole quis gritar para o policial que eles tinham de se apressar, mas sua voz não saiu. Tudo que ela podia fazer era olhar. Então, observou-o tirar um lenço do bolso de trás, abri-lo com uma sacudida e usá-lo para destravar a porta de seu carro. Em seguida, viu-o se inclinar sobre o assento traseiro. Em segundos, o policial reapareceu, segurando algo. Só quando ele abriu a porta da viatura e se sentou no assento do motorista, Nicole identificou o objeto que ele pegara: o garfo de cabo longo do kit para churrasco.

— Comprei isso numa loja Goodwill — Nicole disse através da tela protetora que os separava, embora não tivesse certeza do motivo.

O policial apagou as luzes piscantes e pôs a viatura em movimento. Deu meia-volta e acelerou, pegando a estrada secundária.

— Temos de ir para West Bay — Nicole informou, inclinando-se na direção da tela.

Os olhares deles se encontraram no espelho retrovisor.

— Ah, eu sei aonde estamos indo. — Terry McDonald deu um sorriso enviesado. — Não se preocupe, amor.

59

— REPITA PARA MIM — LÍVIA PEDIU. — UM COLDRE DE COURO?
— Sim. Do cinto do meu pai. Ele desceu esses treze degraus... — Megan apontou a lanterna para o porão. — ...quase todos os dias durante duas semanas. E fez isso usando seu uniforme, seu cinto, seu coldre e sua arma. Conheço esse som, Lívia. Conheço-o desde criança. E depois que nós duas começamos isso juntas, depois que você me falou do que sabia, aos poucos tudo começou a fazer sentido para mim. As memórias trançadas em minha mente se desembaraçaram, e toda a loucura daquelas duas semanas desapareceram. Ele nunca me tocou, Lívia. Nunca me atacou, porque eu jamais deveria ter sido sequestrada. Foi Casey Delevan quem me raptou, da maneira como você descobriu que ele sequestrou Nancy Dee e Paula D'Amato. Ele me trouxe para cá, para meu pai, mas não fazia ideia de quem eu era. Quando meu pai me encontrou, sedada e adormecida, soube que seu problema era imediato e imenso. O homem que ele contratara para capturar garotas acabara sequestrando sua filha. Ao constatar isso, meu pai não podia me libertar, porque eu traria as autoridades para estas casas, para este condomínio abandonado. Muitas coisas aconteceram nestas casas com as outras garotas para que ele permitisse isso. E muitas coisas ainda estavam acontecendo, até recentemente, com Paula D'Amato. Portanto, ele não podia permitir que este lugar fosse descoberto. Assim, meu pai me manteve sedada por duas semanas. Colocava sedativos em minha comida e em minha limonada. Ele deixou que a busca arrefecesse. Ganhou tempo suficiente para a pressão diminuir. Então, quando acreditava estar seguro, pôs em minha

comida uma dose excessiva de cetamina, que quase me matou. Do mesmo jeito que ele matou Nancy Dee. Comigo em estado quase catatônico, meu pai enfiou o saco de algodão em minha cabeça e me transportou para o bunker. Lembro-me de partes do trajeto, que durou quase uma hora. O bunker, ele sabia, tornaria a história perfeita. Desviaria a atenção de onde ele realmente mantivera a mim e as outras garotas. Ele me levou para as profundezas da floresta e me deixou no bunker. Quando acordei, lúcida o suficiente para andar, encontrei a porta do bunker aberta. Apesar da confusão mental provocada pela sedação, eu corri pela minha vida. Não escapei, Lívia. Fiz o que ele sabia que eu faria. Encontrei meu caminho para casa.

Megan iluminou a escada com a lanterna.

— Preciso ver por mim mesma.

— Não devemos fazer isso sozinhas, Megan. Precisamos conseguir ajuda e resolver tudo. Ter certeza de tudo o que está me dizendo.

— Nunca tive mais certeza de algo em minha vida. Mas tenho de ver este lugar de novo. Preciso ver que ele existe em algum lugar além da minha mente.

Megan direcionou o feixe de luz para os treze degraus que sabia que estariam ali, e começou a descer para o porão escuro.

Não houve nada — nem em seus anos de vida escolar, nem em seu único ano de estágio, nem em seus quatro anos de residência, nem nos últimos três meses de curso de especialização — que pudesse ter preparado Lívia para o que ela viu quando alcançou o pé da escada.

Lívia tentou o interruptor de luz, mas não havia eletricidade. Assim, teve de acertar os degraus sob a orientação da lanterna. Quando Megan chegou ao último degrau e iluminou o porão, Lívia gritou ao ver o reflexo de dois olhos, como os de um gato num arbusto.

Os olhos pertenciam a uma garota esquelética, coberta com uma camiseta em farrapos, de um tamanho muito maior do que o número dela. Seu cabelo comprido era um emaranhado de tranças, e suas bochechas pareciam ter afundado como as dos idosos. A garota recuou em sua cama quando a luz a encontrou, pondo-se em posição fetal, com os joelhos junto ao peito e os braços passados em torno das canelas.

— Não me machuque! — a garota gritou.

Megan, em sua própria busca até esse momento, transformou-se de repente na mulher jovem e inexperiente que era, e fitou Lívia com os olhos arregalados e muito assustada. Lívia pegou a lanterna de Megan e tirou o foco da garota, percebendo que, como única fonte de luz, ela não tinha ideia de quem entrara no porão.

— Tudo bem — Lívia disse —, e sou médica. Estou aqui para ajudá-la.

— Ele está aqui? — a garota perguntou, em pânico. — Ele está com você?

— Não. — Lívia se aproximou devagar. — Apenas nós. Ninguém vai te machucar.

A garota começou a se balançar de um lado para o outro na cama, ainda segurando as pernas junto ao peito. Lívia não entendia o que estava acontecendo. Achou que a jovem talvez estivesse tendo uma convulsão. Mas assim que se aproximou, viu que ela sorria; quase ria.

— Por favor, me ajude. Por favor, tire-me daqui.

— Eu vou, querida, eu vou. — Lívia a abraçou. Passou a mão por seu cabelo seco e emaranhado, enquanto a garota chorava em seu ombro. Lívia permitiu que o abraço durasse apenas alguns segundos. — Temos de tirar você daqui. Precisamos correr, tudo bem?

A garota concordou.

— A corrente está presa na parede. Tentei arrancá-la, mas não consegui.

Lívia se dirigiu até a parede e se agachou onde a corrente estava presa. Agarrou-a e a puxou, mas a corrente permaneceu no lugar. Ela olhou para Megan, paralisada ao pé da escada.

— Megan, venha me ajudar!

Megan entrou em alerta e balançou a cabeça negativamente.

— Você não vai conseguir, Lívia. Não sem uma ferramenta ou um martelo.

Lívia dirigiu o feixe de luz ao redor do porão, e avistou uma mesa a um canto. Ela se dirigiu até lá, encontrou uma lata de tinta spray e viu pela primeira vez os dois xis pintados na parede, com o excesso de tinta escorrido em longas listras até o chão. Diante daquela visão, Lívia sentiu uma agitação estranha tomar posse dela, e teve de resistir ao desejo mórbido de examinar aquele lugar medonho. Então, abriu as gavetas em busca de algo com que pudesse soltar a corrente. As gavetas estavam vazias.

— Tudo bem. — Lívia se virou para a garota. — Querida, como você se chama?

— Elizabeth Jennings.

O nome era familiar. Nas últimas semanas, Lívia pesquisara o desaparecimento de outras garotas da região, e se lembrou vagamente de topar com a história dessa jovem. Também se lembrou do perfil dessa garota no fichário preto de Nate. Ela era de um estado vizinho.

— Muito bem, Elizabeth, preciso ir até o carro para...

— Não! Não me deixe!

— Elizabeth, tenho de pegar uma chave de roda para ver se conseguimos arrancar essa corrente. Não há outro jeito. Nós já voltamos, prometo.

A garota começou a tremer e chorar.

— Não estamos te abandonando. Nós voltaremos em um ou dois minutos, prometo.

— Não! — A garota se desesperou.

— Eu fico com ela — disse Megan.

Lívia respirou fundo. Sabia o quão duro seria para Megan permanecer ali por sua própria conta.

— Tem certeza?

— Vá. Mas deixe a lanterna.

Lívia obedeceu e subiu a escada. Do lado de fora, dirigiu-se para seu carro, que estava a duas casas de distância, estacionado no fim do caminho sinuoso que levava a nenhum lugar e a todos os lugares. Enquanto corria, pegou o celular no bolso e ligou.

— Emergência. Em que podemos ajudá-la? — a atendente perguntou.

— Meu nome é Lívia Cutty. Sou médica. — Ela tentava controlar a voz durante a corrida. — Estou num condomínio abandonado em West Emerson Bay. Em uma das casas, encontrei Elizabeth Jennings, uma garota desaparecida que acredito ser do Tennessee. Preciso de ajuda imediatamente.

— Você está num condomínio de Emerson Bay? É isso?

— Sim. Em West Bay. No condomínio Stellar Heights. Perto de Euclid e Mangroven. Encontrei uma garota desaparecida: Elizabeth Jennings.

Enquanto a atendente digitava num teclado, houve uma pequena pausa.

— Elizabeth Jennings está desaparecida há dois anos. Você se refere a ela?

— Sim. Preciso de uma ambulância imediatamente. E da polícia.

— Os policiais estão sendo enviados agora, senhora. Gostaria que eu ficasse na linha com você?

— Não. — Lívia desligou o celular, guardou-o no bolso e correu até o automóvel.

MEGAN FITOU A GAROTA SENTADA CALADA E IMÓVEL NA cama, e se pôs a andar pelo porão de um modo como nunca pôde em suas duas semanas de cativeiro. Não havia nada que a contivesse. Ela iluminou a parede pintada.

— No terceiro xis, ele me mataria — Elizabeth Jennings informou.

Megan percorreu a parede com o olhar. Desde sua sessão de terapia anormal, as coisas vinham ficando claras para ela. Ansiosa por descobrir a próxima peça do mistério, Megan nunca parou de reconstituir os fatos. Até então. Até ficar no porão com outra garota que seu pai sequestrou.

Uma sensação nauseante se apossou dela, e todos os fatos que acumulou em sua mente colidiram com a dor em seu coração. Nesse momento, ela iluminou o grande parafuso olhal no pé da parede e seguiu a corrente até o tornozelo da garota. Seu pai podia mesmo ser responsável por tal monstruosidade?

Megan se lembrou de Nancy Dee. Ela lera artigos que relatavam a busca desesperada de seus pais. A cova rasa onde seu corpo foi encontrado. E recentemente, tinha visto as fotos vazadas on-line que mostravam o cadáver de Paula D'Amato abandonado na floresta ao lado de um buraco vazio que a esperava. O homem que a criou podia ter feito essas coisas?

— Você vai segurar minha mão...

Megan desviou o olhar do tornozelo de Elizabeth, onde sua mente devaneava.

— ...até a médica voltar? — a garota perguntou.

— Claro. — Megan assentiu.

60

DESDE A TRAGÉDIA DO ANO ANTERIOR, QUANDO ELE, depois de descer aquela escada para adorar seu novo Amor, constatou horrorizado que se tratava de ninguém menos que sua filha, tudo degringolou. Ainda podia sentir a umidade daquela noite quente de verão ao se recordar. Acreditou durante um curto espaço de tempo, enquanto voltava para Stellar Heights, que conseguiria fazer as coisas funcionarem...

— OLHA, EU O ATROPELEI SEM QUERER — NICOLE AFIRMOU, do assento traseiro. — Também há uma garota. Precisamos ajudá-la.

Terry observou o garfo de cabo longo no assento do passageiro. Aquilo resolveria seu problema. Não sabia exatamente o que o esperava em Stellar Heights, ou o quanto seria difícil acabar com o homem que deixou deitado no chão. Descarregar seu revólver estava fora de questão. Exigiria preenchimento de formulários e explicações. Estrangulamento implicava o risco de contundir ou arranhar suas mãos se o homem ainda tivesse força para resistir. O garfo era mórbido, mas a noite avançava, e o tempo era seu maior inimigo. Terry quase não conseguia controlar seus desejos para ver a nova aquisição. Esperara pacientemente por ela, e o encontro dessa noite era um aborrecimento inoportuno. Mas agora, o possível desastre gerara uma oportunidade. Ele acabara de acomodar a outra garota no assento traseiro. Ela era perfeita. A noite estava acabando muito bem.

— Você sabe sobre a garota?

Terry parou de falar com a jovem do assento traseiro. Haveria tempo para discutir as regras mais tarde; ele tinha de se manter focado no momento. Assim, desacelerou a viatura quando se aproximou de Stellar Heights, esperou que um carro vindo em sentido contrário passasse e desaparecesse em seu espelho retrovisor, e, então, virou e entrou do condomínio mergulhado na escuridão. Encostou o veículo e saiu, fechando e trancando os altos portões de ferro fundido atrás de si. Quando recolocou o carro em movimento e prosseguiu ao longo do caminho escuro, a garota ficou desvairada.

— Por que você trancou os portões?!

Terry a ignorou, compartimentando os apelos dela. O Buick Regal surgia à medida que ele acelerava ao longo do caminho sinuoso.

— Ótimo — ele disse quando viu o homem ainda deitado na rua.

De uma longa lista em sua cabeça, o primeiro assunto a tratar era verificar sua nova aquisição. Ter certeza de que a garota estava segura. Tirou a chave da ignição e trancou as portas do carro. A garota no assento traseiro tentou a maçaneta, mas ele sabia que ela não iria a lugar algum. Ele se aproximou do homem caído no caminho, que ainda gemia, mas sem dúvida inconsciente por causa de sua perna quebrada. Terry passou por ele.

Terry entrou na casa número 67 e sentiu o familiar impulso sexual dentro de si. Sabia que não poderia agir movido por esses desejos essa noite. Era uma vergonha, mas essa noite exigia empenho e eficiência. Ele desceu rápido a escada e redirecionou a lanterna para a garota que esperava. No entanto, algo estava errado.

O cabelo e a tiara. A inclinação do pescoço e o ângulo do maxilar. As sardas e os cílios. Não era possível. De repente, seu desejo o deixou mal. Ela se mexeu na cama, e ele começou a caminhar em sua direção, mas se deteve. Ele não podia. Se ela o visse, não haveria jeito de consertar essa noite. Não haveria tempo suficiente em uma única noite para esconder seus anos de presença nas casas de Stellar Heights. Além disso, independente do quanto ele queria se aproximar de sua filha agora e ajudá-la, sabia não ser possível.

Do desejo à náusea, suas emoções finalmente se converteram em fúria. Ele se transformou num animal selvagem. Subiu a escada correndo e saiu da casa. Abriu a porta dianteira do carro, quase a arrancando, e agarrou o garfo de cabo longo. Não pensava em nada quando se agachou diante do homem caído na rua.

— Me ajude, por favor — o homem murmurou.

— Minha filha! — ele disse, enquanto espetava o garfo. Com os dentes cerrados e os olhos endemoninhados, repetiu seu movimento cinco vezes, em cada uma repetindo: — Minha filha!

Então, um ruído chamou sua atenção. Ele olhou ao redor. De repente, entrou em pânico, já que nunca havia nenhum som em Stellar Heights. A garota gritava no assento traseiro da viatura, olhando para ele pela janela. O xerife se ergueu e chutou a porta do carro para silenciá-la.

Em seguida, ele arrastou o corpo inanimado do rapaz para os fundos de uma das casas, onde não havia entulho e sim um barro macio. Resgatando uma pá na garagem de uma casa, começou a cavar um buraco. O uniforme foi ficando molhado de suor até que conseguisse uma sepultura grande o bastante. Então, chutou o rapaz para dentro do buraco e o cobriu de terra.

DESDE AQUELA NOITE, SUA VIDA SE TORNOU ALGO COMO o solavanco de uma montanha-russa subindo ao seu cume. Ele sabia que acabaria alcançando o topo, ficaria ali por um instante e, depois, desmoronaria. Não queria acreditar nisso, porém, e fez tudo o que pôde para se convencer do contrário. Ao longo de todo um ano, conseguiu impedir que o mundo descobrisse seus segredos. Após a soltura no abrigo e o regresso triunfante de sua filha, devia ter procurado não chamar a atenção. Terry tornara viável uma situação terrível, e o mundo comprou o que ele vendeu. A atenção da mídia foi maior do que o previsto, e, por um tempo, ele recuou. Mas então, como se o universo conspirasse contra ele, Stellar Heights foi condenado à demolição, ameaçando expor todos os segredos que ele escondera dentro daquelas casas. Terry se repreendia agora, considerando todos os erros que cometeu.

Em pânico, desenterrou o cadáver do rapaz e, sem pensar, livrou-se dele nas águas da baía. O trabalho foi apressado e irregular, sem detalhes ou clareza. Não demorou muito para que os pescadores fizessem sua descoberta. Mais tarde, o estresse causou seu estrago, quando ele puniu severamente seu Amor por ter tentado escapar pela janela. Esse erro o forçou a levá-la para a floresta, e, ali, sua mente lhe pregou uma peça. Seu sentimento por ela era tão grande que seu raciocínio confuso o fez deixá-la ali, para ser descoberta ao lado de seu lugar de descanso. E agora, a patologista de Raleigh apareceu e estava mais perto do que imaginava, oferecendo-lhe um perfil que o descrevia tão bem que ele mesmo poderia ser o autor. Não bastasse, essa mulher corrompera sua filha, enchendo-lhe a cabeça de coisas em que ela nunca deveria pensar.

Agora, ele era forçado a agir. Sua sobrevivência exigia isso.

Era quase uma da manhã quando Terry encostou a viatura no acostamento. Os faróis iluminavam a placa de Stellar Heights. Ele se torturava, reprisando o último ano em seu íntimo, refletindo sobre cada má decisão que tomara. Repreendeu-se por não ter controlado seus desejos. Passou horas imaginando cenários que lhe permitiriam evitar o que estava prestes a fazer. Centenas de maneiras de impedir a montanha-russa de chegar ao topo e cair em queda livre. As oportunidades eram muitas, mas todas demandavam clarividência. E exigiriam dele, por mais que detestasse o pensamento, terminar o único relacionamento que restava em Stellar Heights, o mais longo de todos — cujo vínculo, outrora, fora inquestionável. Mas, infelizmente, os acontecimentos do último ano fizeram com que eles se distanciassem. Com a demolição das casas programada pelo condado, sua sobrevivência estaria em perigo se o relacionamento deles continuasse. Ele podia confiar apenas nela com tal fardo. A especial. Aquela que significou o máximo para ele. Assim, essa noite ele veio para Stellar Heights para fazer sua última visita àquela que a mídia em breve chamaria de Elizabeth. Era um nome deplorável, que não combinava com ela nem um pouco.

Em seguida, antes que as equipes de demolição aparecessem, as casas precisariam ser esterilizadas. Apesar de sua iminente destruição, ele não podia correr o risco da descoberta de provas que na certa levariam até ele. Coisas demais aconteceram entre aquelas paredes para esperar que sua demolição apagasse tudo. O mundo sabia daquelas que chamaram de Nancy e Paula. Ele asseguraria que o mundo não soubesse mais nada. E se ele planejasse com bastante cuidado, aquela que talvez chamassem de Elizabeth jamais seria descoberta. Em um momento ou outro, quatro casas tinham abrigado garotas. Ele se concentraria nelas, removendo todas as evidências da presença das jovens. Depois, com espaço para respirar, voltaria a cuidar de sua filha, ajudando-a a encontrar o caminho de volta para a paz que ela estava tão perto de alcançar.

O plano, sistemático e concentrado, ocuparia muito dos próximos dias. O tempo era tanto seu inimigo como seu redentor. Terry precisava se apressar para apagar seu passado. Demorar muito traria perigo e exposição. No entanto, se ele conseguisse dar os primeiros passos com sucesso — eliminando a última garota que residia em Stellar Heights, descartando adequadamente seus restos mortais e, depois, deixando imaculadas as casas antes da demolição —, o tempo se tornaria seu aliado. Ele poderia se concentrar em sua filha e ajudar em sua cura. Dias e semanas marcariam o passado. Até mesmo meses e anos. Terry se afastaria cada vez mais de sua história. Stellar Heights desapareceria e levaria consigo todos os segredos dele. Seus Amores deixariam saudade, mas com o tempo a dor desapareceria. Ele ficaria a salvo. Sua filha se recuperaria. O mistério das garotas desaparecidas se desvaneceria. Seu coração se emendaria. Talvez conseguisse consertar as coisas em casa e encontrar um jeito de ser feliz de novo. Ele teria de controlar a médica. Teria de aplacá-la. Ele acharia um jeito.

O radiocomunicador chiou, arrancando Terry de suas fantasias.

— Temos um pedido de ajuda no condomínio Stellar Heights, em West Bay. Solicito unidades e ambulância.

E assim como surgiu, a voz do radiocomunicador desapareceu.

61

COM A AJUDA DA LUZ INTERNA DO PORTA-MALAS, LÍVIA tirou a pesada chave de roda de metal preto e correu de volta para a casa, deixando o porta-malas aberto. Enquanto corria, tentava se concentrar na casa a distância, com a imagem escura e trêmula em sua visão em túnel. Subiu a escada da frente, atravessou a porta aberta e desceu a escada para o porão. Megan, ao lado de Elizabeth Jennings, segurava sua mão.

Lívia agachou-se, enfiou a extremidade da chave de roda no olhal do parafuso e inclinou-se para trás, puxando com toda a força. Após dez segundos de gemidos, verificou seu progresso e percebeu sob o brilho da luz da lanterna que o parafuso não se movera nem um centímetro sequer. Ao reposicionar a chave de roda, levantou-se, pôs o pé sobre a ferramenta e, então, transferiu seu peso para ela. Como nada aconteceu, tentou saltar para aumentar a força, mas isso fez com que a ferramenta escapasse, e Lívia levasse um tombo, com a chave de roda chocalhando no piso de concreto.

Foi a vez de Megan tentar, por um ou dois minutos, antes que Elizabeth começasse a chorar.

Lívia virou-se para ela, dizendo:

— Já chamei a polícia. A ajuda está a caminho. Eles conseguirão soltá-la. — Fitou Megan, que batia a chave de roda contra o parafuso. — Enquanto isso, vamos esperar — Lívia usou o tom de voz mais tranquilo de que foi capaz. — Todas nós. Não iremos a lugar algum sem você. Deixe-me ver como você está.

Lívia dedicou algum tempo a examinar Elizabeth Jennings. Fez um exame superficial e constatou que a garota estava desnutrida, abaixo do peso normal e com sinais de lesão nos tornozelos e nos pulsos devido ao método de sujeição. Lívia passou as mãos com delicadeza pelo corpo da jovem, procurando ossos quebrados ou sinais de infecção.

— Você achou a outra garota? — Elizabeth perguntou.

Lívia interrompeu o exame e olhou para Elizabeth. Megan parou de manusear a ferramenta e também se voltou para a jovem.

— Que outra garota? — Lívia quis saber.

— A outra que está aqui. Às vezes, nós conversamos — Elizabeth apontou para o teto.

Lívia ergueu o olhar e seguiu o feixe de luz da lanterna que Megan direcionou lentamente para cima, detendo-o num respiradouro.

— Podemos nos ouvir — Elizabeth afirmou. — Ela me salvou. Ele não me machucou mais desde que ela chegou. Quando temos certeza de que é seguro, sussurramos através do respiradouro. Mas não a escuto há algum tempo. Desde que ele veio da última vez.

Lívia sentiu a respiração acelerar.

— Essa outra garota está no andar de cima?

— Em algum lugar — Elizabeth respondeu. — Aonde quer que o respiradouro chegue. Seu nome é Nicole.

62

LÍVIA SUBIU A ESCADA DE DOIS EM DOIS DEGRAUS, COM O feixe de luz da lanterna pulando erraticamente.

— Nicole! — ela gritou ao chegar ao topo da escada do porão. Esperou uma resposta, mas em vão. — Nicole!

Percorreu o andar térreo, apontando a lanterna para cada recinto vazio, sem encontrar sinal de vida em nenhum deles. Perto da entrada da frente, ergueu os olhos para a escada. Lívia subiu e chamou o nome da irmã quando chegou ao alto:

— Nicole!

Nada.

Lívia orientou-se, imaginando o respiradouro acima da cama de Elizabeth e inferindo aonde poderia chegar. Apontou a lanterna para o corredor e correu para a porta aberta do quarto. Sem fôlego, alcançou a entrada e iluminou o recinto. Ficou de coração partido quando viu a cama com lençóis amarrotados, um armário e um espelho. Havia um grilhão no chão, com o fecho de couro aberto.

— Nicole?! Onde você está?!

Lívia passou mais um minuto examinando inutilmente os outros quartos vazios no andar superior. Então, correu de volta para o porão.

— Ela está aqui? — Megan quis saber.

— Não. Quero que você pense, Elizabeth. Quando foi a última vez que falou com Nicole?

— Nós não falamos. Nós sussurramos.

— Quando foi a última vez?

— Não sei direito. Alguns dias atrás.

Lívia não tinha certeza do que queria ouvir. "Um ano atrás" seria mais fácil. "Alguns dias atrás" significava que acabara de perder sua irmã. "Alguns dias" queria dizer que, se ela tivesse trabalhado mais duro ou mais rápido, poderia ter subido a escada e encontrado Nicole deitada na cama, assim como encontrou Elizabeth Jennings.

Freando bruscamente, um carro parou do lado de fora.

— A polícia chegou? — Elizabeth arregalou os olhos.

— Sim — Lívia disse, mas sua voz denotava esperança e alívio forçados.

O barulho do lado de fora não era o que ela esperava. Lívia ansiava por ouvir sirenes distantes, que ficavam mais ruidosas pouco a pouco e culminavam em luzes vermelhas e azuis iluminando em lampejos a casa. Queria ouvir a sirene de uma ambulância quebrando o silêncio da noite. Em vez disso, ouviu um único carro sem sirenes nem luzes. Os gritos ou os clamores dos policiais estavam ausentes. Não havia paramédicos empurrando macas e trazendo equipamentos até o porão. Nenhum radiocomunicador chiando. Tudo o que Lívia escutou foram alguns passos percorrendo o andar térreo, que pararam no topo da escada do porão. Em seguida, o feixe de luz de uma lanterna iluminou os degraus, precedendo novos passos.

Acima do som dos passos que se aproximavam, Lívia percebeu que Elizabeth começava a hiperventilar. Ela recuou para sua posição defensiva, com os joelhos dobrados junto ao peito e os braços passados em torno das pernas. Megan também estava entrando em pânico. Lívia empurrou Megan para trás de si e se postou na frente da cama, como se pudesse proteger as duas do que estava por vir.

O feixe de luz brilhou intensamente em seus olhos quando ele surgiu no pé da escada. A lanterna era tão potente que iluminou todo o espaço e cegou as três garotas, como se elas estivessem olhando para o sol. Lívia deixou cair sua própria lanterna, que bateu no chão e ficou apontando para um canto do porão.

— Megan, o que está acontecendo, querida? — ele perguntou, com a voz firme.

— Ah, meu Deus! — Megan disse ao ouvir a voz do pai.
— Onde está Nicole? — Lívia exigiu saber.
— Megan, gostaria que você saísse e me esperasse no carro.
— Onde está minha irmã?! — Lívia gritou.
— Não sei o que ela lhe disse, Megan. Mas estou aqui agora. Eu cuidarei de tudo. Outros policiais estão a caminho. Saia e espere por eles na minha viatura.

Megan começou a se mover. Lívia agarrou-lhe o braço.
— Imediatamente, Megan! Saia. Assim, poderei controlar esta situação.

Megan se soltou de Lívia e começou a se afastar dela.
— Boa menina. Espere lá fora.

Tremendo, Megan caminhou em direção à luz da lanterna, incapaz de ver seu pai atrás do intenso brilho. Ao passar ao lado dele, em vez de se virar para subir a escada do porão, estendeu a mão para pegar sua arma. A alça do coldre ficou presa e Megan tentou soltá-la.

Lívia se viu livre da luz da lanterna, mas ainda continuava ofuscada. No entanto, não pensou duas vezes. A adrenalina inundou seu sistema circulatório, e Lívia correu na direção de Terry. Seus corpos se chocaram no centro do porão. O dele era muito mais pesado do que o dela, e isso a fez se lembrar de seus treinos de boxe com Randy.

Lívia viu Megan cair nos degraus da escada, e foi agarrada por Terry e jogada no chão. Então, ela investiu contra os pés de Terry e abraçou seus tornozelos com força, derrubando-o. Ele deixou a lanterna escapar da mão, e ela foi parar junto à parede, desperdiçando muito de sua luminosidade.

Terry usou a sola do sapato contra o rosto de Lívia e a empurrou para trás. Rapidamente, os dois ficaram de pé. Então, Lívia desferiu um chute lateral que atingiu as costelas dele, deixando-o sem ar e fora de ação. Ela transferiu seu peso para o pé esquerdo e desferiu outro chute lateral.

Seus chutes são letais, mas perdem a eficácia se você recorrer a eles com muita frequência.

Assim, Lívia ergueu o joelho direito e deu uma potente joelhada que atingiu em cheio o nariz dele. Terry desabou no solo.

Indecisa, Lívia ficou paralisada. Ela queria agarrar Megan e subir a escada, mas não tinha coragem de abandonar Elizabeth na cama. Ouviu um silvo, e o cheiro ácido de amônia penetrou suas narinas ainda antes de seus olhos registrarem a dor. Procurou se proteger, trazendo as mãos para a frente enquanto o spray de pimenta cobria seu rosto. A sensação de ardência foi imediata e intensa, fazendo-a retroceder.

Terry a agarrou pelo cabelo, e Lívia soltou um grito bárbaro quando ele a arremessou pelo ar. Ela pousou na mesa perto da parede e caiu no canto do porão. Seus olhos deixaram escapar lágrimas ardentes, e ela ofegou quando o agente irritante penetrou seu organismo. Contra protestos, ergueu as pálpebras. A lanterna que ela deixara cair ainda estava no mesmo lugar, apontando para o local ao lado dela e iluminando seu quadril, o concreto e a coisa que sentiu quando adernou a mesa. Era uma lata de tinta spray. Num lampejo, Lívia se lembrou dos dois símbolos estranhos pintados na parede. Num movimento singular, enfiou a mão no bolso e tirou o isqueiro Bic que Kent Chapple lhe dera quando jurou parar de fumar durante sua visita a sua casa, na outra noite. E assim, quando Terry McDonald a alcançou, ela pressionou a válvula do aerossol da lata e borrifou tinta através da chama. Uma imensa bola de fogo irrompeu, como se o próprio tubo estivesse cheio de fogo. A labareda atingiu Terry McDonald no rosto, incendiando seu cabelo. Imediatamente, ele recuou, afastando-se da chama, mas era muito tarde. Primeiro, seu cabelo e, depois, sua camisa se incendiaram. As labaredas de um laranja intenso iluminaram todo o recinto. As três garotas o observaram tropeçar e girar. Os gritos dele eram terríveis e nauseantes.

Terry McDonald cambaleou pelo porão, berrando, gemendo e dando tapas no rosto, na cabeça e no peito. Megan correu até o pai, puxando o cobertor da cama e jogando-o sobre o torso e cabeça em chamas. Ele desabou no chão, e ela abafou o fogo.

Semiconsciente, ele ficou ofegando no canto mais distante. O cheiro de carne queimada misturado com amônia era pior do que qualquer coisa com que Lívia deparara alguma vez no necrotério. Lívia ergueu a pesada lanterna que caíra no canto e propiciou toda a luz necessária para ver Megan olhando para seu incapacitado pai, com o rosto e o peito queimados, escuros e oleosos.

Lívia se esforçava para manter abertos seus olhos ardentes. Enquanto isso, Megan tirou do coldre a arma do pai. Por um instante,

Lívia, encostada no canto, ergueu a mão e tentou dizer não. Mas, antes que conseguisse, Megan aprontou a arma para disparar. Em seguida, ela a ofereceu a Lívia, dizendo:

— Pegue. Soltei a trava de segurança. Atire se ele se mexer.

Megan voltou para o pai, tirou o rádio de seu ombro, girou os botões e os ajustou. Segredos do ofício, Lívia pensou, que Megan aprendeu observando o pai ao longo dos anos. Megan pressionou o botão na lateral do bocal e o pôs perto da boca. Ela sabia a maneira mais rápida de atrair a polícia para uma ocorrência.

— Policial ferido em Stellar Heights.

63

A PRIMEIRA VIATURA DEMOROU SEIS MINUTOS PARA CHE-
gar. Mas logo depois de inspecionar a cena, a cidade fantasma de Stellar Heights ficou cheia de vida, com luzes piscantes vermelhas e azuis, dezenas de faróis, ambulância e caminhões de bombeiros. Uma hora depois, os detetives chegaram com refletores potentes, que iluminaram o condomínio abandonado como se fosse meio-dia. Os helicópteros das emissoras de rádio e tevê logo pairavam por cima das cabeças depois que a notícia se espalhou.

Elizabeth Jennings foi colocada em uma ambulância e levada para um hospital em Emerson Bay. Terry McDonald foi transportado de helicóptero para Raleigh, para ser tratado pela unidade de queimados da Universidade Duke. Megan foi conduzida, sob a supervisão do doutor Mattingly, para uma clínica de tratamento particular não revelada para a imprensa. Lívia, após ser tratada por paramédicos que lavaram seus olhos com solução salina, ficou em Stellar Heights, recusando a sugestão de realizar uma tomografia e ficar em observação.

Todas as seis casas foram investigadas. Três não tinham sido usadas. As outras revelaram sinais de vida em certo momento do tempo. Todas possuíam características semelhantes, com janelas cobertas por tábuas e condições de vida muito insalubres nos porões. A mobília era igual em todos os espaços, incluindo uma cama, uma cômoda e uma pequena mesa, onde se chegou à conclusão de que as refeições eram servidas. Em todos os porões, uma das paredes estava pichada com dois xis.

À polícia e aos detetives, Lívia transmitiu a afirmação de Elizabeth Jennings de que ela estivera em contato, através do sistema de ventilação, com uma garota chamada Nicole. Ela tinha certeza de que se tratava de sua irmã, desaparecida havia mais de um ano. Lívia mostrou aos detetives o quarto do primeiro andar, onde condições de vida semelhantes foram encontradas: cama, cômoda e grilhão. Uma fita amarela foi colocada na entrada do quarto, com os detetives à espera da unidade de cena do crime.

A procura por Nicole Cutty prosseguiu.

SÓ DEPOIS DE UMA SEMANA TERRY MCDONALD FOI CAPAZ de responder às perguntas dos detetives. Mumificado em pesadas ataduras brancas, apenas a boca e os olhos eram visíveis durante o interrogatório. Os detetives precisaram de três dias no hospital para reconstituir os últimos três anos. Descobriram que o pai de Megan McDonald queria falar. Estava ansioso, de fato, para livrar sua alma do pecado. Ele confirmou todos os fatos que Lívia trouxe à atenção dos detetives sobre Nancy Dee e Paula D'Amato. Elizabeth Jennings estava inserida no quebra-cabeça e ligada com aquilo que Megan começava a divulgar.

O único elo perdido a que chegaram ao final do terceiro dia era o paradeiro de Nicole Cutty. Sob tremenda pressão, Terry McDonald contou que, com a aguardada demolição de Stellar Heights, trabalhou febrilmente para encontrar um novo "lar" para as garotas que restaram: Elizabeth e Nicole. No entanto, com a pressão aumentando e sua filha doente começando a ter pesadelos, ele teve certeza de que sua memória o trairia. Assim, em vez de transferir seus dois "amores" restantes para outro lugar, ele se desfez delas. Primeiro, Nicole. Elizabeth Jennings seria a próxima.

Por duas semanas, a força policial do condado de Montgomery, usando escavadeiras emprestadas, revirou a floresta onde Terry McDonald havia enterrado o corpo de Nicole, mas não encontrou nada. Pressionado a revelar detalhes e a localização correta, ele, entre lágrimas, disse aos detetives que tinha certeza do local. Confessou que, em sua afobação, enterrou o corpo de Nicole sem a proteção de um saco mortuário. Suspeitava que talvez os animais tivessem levado seus restos mortais.

Quando Lívia recebeu essa notícia, ouviu, impassível, os detetives e os assistentes sociais explicando sua teoria. Após um momento, Lívia se alheou. Tudo em que conseguia se concentrar era no fato de que o corpo de Nicole não estava mais esperando para ser descoberto. Não havia mais a chance de os restos mortais de sua irmã chegarem ao seu necrotério, onde lhe pediriam que descobrisse as respostas contidas nele.

Naquela noite, Lívia dormiu sob o ventilador de teto vermelho de seu quarto de infância, encontrando em seu sono tanto a paz quanto a angústia relativas à perda dessa oportunidade.

64

OS *JABS* DE LÍVIA ERAM LIGEIROS, ATINGINDO O PROTETOR de cabeça de Randy com um estalo assobiante. Ele se protegia muito bem, impedindo qualquer dano. Tudo o que ela conseguia era mantê-lo a distância. Então, Lívia transferiu o peso para a perna esquerda e se preparou para erguer a perna direita e atingir o torso dele. No entanto, ela notou que o braço dele se ergueu em antecipação. Assim, Lívia girou rápido para a direita e usou o cotovelo para atingi-lo direto na têmpora. Ele desabou na lona do ringue.

— Nossa! — Lívia exclamou. — Você está bem?!

Mas Randy estava rindo deitado na lona e segurando a cabeça.

— Achei que você fosse usar de novo aquele seu chute lateral.

Lívia se agachou.

— Onde eu te peguei?

— Bem onde você estava querendo.

— Deixe-me dar uma olhada.

— Não, obrigado. — Randy se sentou, afastando as mãos dela. — Você trabalha com mortos. Não quero ser seu paciente.

— Tudo bem. — Lívia ergueu os braços em sinal de rendição. — O que está doendo?

— Meu orgulho. Fora isso, estou bem.

Lívia ofereceu a mão e ajudou Randy a ficar de pé. Os dois saíram do ringue sob o riso abafado dos espectadores.

— Sim, sim, sim — Randy disse ao grupo. — Desopilaram?

Isso provocou mais algumas risadas até o grupo voltar aos seus treinamentos. Randy sentou-se no banco, e Lívia lhe entregou uma garrafa de água.

— Como está lidando com a fama, doutora? Continuo vendo você no noticiário.

— Sou apenas o tapa-buraco. A mídia quer outra pessoa.

— Acho que você é muito modesta. Espero que saiba que é uma heroína.

— Não seja dramático, Randy. A cotovelada deve ter tirado um parafuso do lugar.

Randy retirou o protetor de cabeça.

— Não esperava que você admitisse isso, mas andei ouvindo que você falou por aí sobre como procura respostas para dar às famílias. E você salvou a garota que encontrou naquela casa. Além disso, respondeu à maior pergunta que a família dela poderia fazer.

— Talvez.

Lívia sentou-se ao lado dele. O corpo parrudo de Randy parecia apequenar o de Lívia mais quando eles se sentavam lado a lado do que quando treinavam no ringue.

— Sabe de uma coisa, Randy? Você estava comigo na casa em Stellar Heights.

— Até parece! Vi fotos daquele lugar, no noticiário. Seria mais fácil você achar este negro aqui num comício da Ku Klux Klan do que naquele porão.

Lívia sorriu e apontou para seu coração.

— Você estava aqui. E aqui em cima. — Ela deu um tapinha na têmpora. — Eu poderia ter morrido se não soubesse as coisas que você me ensinou.

— Bem, você acabou de fazer um homem de quase cento e quarenta quilos cair de bunda no chão. Não tenho mais nada para te ensinar.

Lívia se ergueu.

— Você me ensinou muito mais do que como lutar. — Ela beijou Randy no topo da cabeça. — Obrigada.

Lívia se virou para ir ao vestiário.

— Ei! — Randy a chamou. — Espero que tudo corra bem nesse fim de semana.

— Valeu! — Lívia piscou para ele.

*

OFICIALMENTE, O FUNERAL DE NICOLE OCORREU QUINZE meses após seu desaparecimento. Foi uma cerimônia silenciosa acompanhada por familiares e amigos. Jéssica Tanner e Rachel Ryan passaram o dia com os Cutty. Lívia sentiu um nó na garganta quando o doutor Colt e sua mulher entraram na igreja. Foi um serviço religioso curto, que atendeu ao único propósito de pôr um ponto final, com a atmosfera saturada de sofrimento e alívio.

A igreja estava quase vazia quando Lívia viu o senhor de idade atravessar a porta lateral e se aproximar do caixão fechado. Ele passou a mão sobre o mogno e curvou a cabeça em oração. Lívia precisou de um momento para identificá-lo. Ela se aproximou e ficou ao lado dele, olhando para o caixão de Nicole. Então, ele a observou por um tempo.

— Sinto muito por sua irmã — o homem disse.

— Obrigada. — Lívia lhe estendeu a mão. — Senhor Steinman, certo?

Ele confirmou com um gesto de cabeça e apertou a mão de Lívia.

— Não quero me intrometer em um assunto tão particular, mas tenho uma mensagem de uma amiga sua. Ela lamenta muito não estar aqui. Ela queria vir, mas com as câmeras da tevê do lado de fora...

— Ah! — Lívia exclamou. — Claro. Eu entendo.

— Ela me pediu para te dizer o seguinte. — O senhor Steinman tirou uma folha de papel do bolso para se certificar de que tinha a mensagem correta: "Obrigada por ter vindo quando eu te liguei. E por ser uma boa amiga."

O senhor Steinman entregou o papel a Lívia, com as palavras escritas à mão. Lívia pegou o papel, enxugou as lágrimas e respirou fundo.

— Ela está bem?

— Chegando lá. Tem me ajudado com minha mulher, que está doente. Ofereceu-me ajuda desde que a conheci, e eu finalmente aceitei. Ela é uma grande cuidadora. E faça chuva ou faça sol, vou levá-la para a faculdade de medicina.

— Por favor, diga-lhe que estou orgulhosa dela?

O senhor Steinman assentiu.

— E mal posso esperar para revê-la. — Lívia estava emocionada.

— Quando ela estiver pronta.

*

LÍVIA VOLTOU PARA RALEIGH NA NOITE DE DOMINGO. NÃO sabia se tornaria a conversar com Megan, embora a mensagem do senhor Steinman tivesse lhe dado alguma esperança. O que seria de Megan após sua provação, Lívia não conseguia imaginar. A mídia, desvairada, dedicara uma atenção secundária a Elizabeth Jennings, pois todo o país queria saber de Megan McDonald. Desejava obter detalhes sobre a noite em que ela enfrentou o pai em Stellar Heights. Mas Megan, dessa vez, se escondeu. Ela não era encontrada em nenhum lugar, e Lívia não tinha a intenção de revelar o paradeiro de sua amiga.

As equipes de tevê acamparam diante da casa dos McDonald, correndo sempre que a porta da garagem se abria e um carro entrava ou saía pelo acesso de veículos. Com os microfones presos em longas varas e as câmeras apontadas para as janelas do carro, os repórteres gritavam perguntas para os ocupantes. Nos primeiros dias, a mãe e a tia de Megan, assim como ela, partiram para lugares não revelados. No entanto, uma equipe de tevê se postou diante da casa dos McDonald, por via das dúvidas. As demais equipes se espalharam, resguardando-se, algumas acampando diante das casas dos tios de Megan e outras diante da residência de seus avós. Ainda não havia uma foto de Megan desde a prisão de seu pai, e assim as redes de tevê foram forçadas a veicular fotos da época do lançamento do livro e de antes do sequestro. Por tudo isso, a mídia ficava cada vez mais impaciente. Todos os meios de comunicação queriam uma imagem da segunda versão da heroína do país. Dante Campbell prometeu a seus telespectadores que seriam os primeiros a ver Megan. Ela era, afinal, uma amiga do programa.

Em sua ausência, o público faminto devorava o livro de Megan. Após a descoberta em Stellar Heights, *Desaparecida* alcançou o primeiro lugar nas listas de livros mais vendidos. Megan McDonald deixou de ser apenas a garota que voltou para casa, e se tornou aquela que levou seu raptor à justiça. Ela era a garota que triunfara. De fato, era tudo o que a audiência queria.

65

14 de maio de 2018
Seis meses após Stellar Heights

NA MANHÃ DE SEGUNDA-FEIRA, LÍVIA ATRAVESSOU A porta da frente do IML e pegou o elevador para o terceiro andar. Na semana anterior, ela, diante da mesa de autópsia, trabalhara em seu caso de número 232. Restavam ainda dois meses de seu curso de especialização — ela alcançaria facilmente o número mágico de duzentas e cinquenta autópsias prometido pelo curso. O tempo de que ela precisava para realizar uma autópsia caíra para cinquenta minutos, e todos erros e receios dos primeiros meses do curso quase haviam sido esquecidos. Após dez meses de curso, Lívia se considerava uma médica-legista.

Por mais confortável que sua posição como aluna veterana tivesse se tornado, a apreensão pela semana seguinte tomou conta dela. Lívia deveria realizar sua última semana de acompanhamento com Kent Chapple, que se separara recentemente da mulher. Kent aparecera na casa de Lívia na semana anterior, bêbado como da última vez. Durante uma incômoda purgação de emoções, ele confessara seus sentimentos por ela. Kent gostava de Lívia *mais do que como amiga*, ele dissera — usando uma frase que Lívia não ouvia desde o tempo do colégio —, e a convidara para um jantar a dois. Pega de surpresa, Lívia recusou a oferta, com todo o jeito, sob o pretexto de que colegas de trabalho não deviam se envolver romanticamente. Ela sugeriu que conversassem quando ele estivesse menos emotivo e conseguisse falar sem enrolar tanto a língua. Dez dias se passaram desde aquela noite, e a conversa ainda tinha de acontecer. O relacionamento dos dois, antes fácil e animado, se tornara estranho. Uma semana juntos no furgão do necrotério seria com certeza aquilo a que Jen Tilly se referiria como uma bela confusão.

Contudo, a ansiedade em relação à semana seguinte nunca se instalou. Não houve tempo. Quando as portas do elevador se abriram, Kent estava no corredor.

— Precisamos conversar — ele disse.

Lívia concordou.

— Ouça, Kent, naquela noite...

— Não é sobre isso. Recebemos uma ligação. Mulher branca descoberta numa cova rasa em Emerson Forest. — Kent entrou no elevador e entregou o blusão com a inscrição IML. — Você precisa de mais alguma coisa antes de irmos?

Lívia fez que não.

— Que idade?

— Final da adolescência. Perto dos vinte anos.

As portas do elevador se abriram no andar térreo, e eles se dirigiram às pressas ao furgão do necrotério, onde Sanj Rashi esperava ao volante. Assim que Lívia acabou de fechar a porta corrediça, Sanj arrancou do estacionamento dos fundos.

Eles permaneceram calados durante os noventa minutos de viagem até Emerson Bay. O silêncio só foi interrompido pela voz grave de Sanj, quando, por meio do radiocomunicador, ele transmitiu sua localização aos policiais que isolaram a área. Quando pegaram a Rodovia 57, Lívia avistou as viaturas estacionadas em ângulos estranhos ao longo do acostamento com as sirenes piscando. Sanj encostou o furgão no epicentro da atividade e, junto com Kent, vestiu luvas de látex.

As portas da frente se abriram, e os dois peritos desembarcaram. Lívia permaneceu imóvel no assento traseiro, percorrendo com o olhar tudo ao seu redor: o chiado dos radiocomunicadores da polícia, a voz dos policiais, a porta de trás do furgão se abrindo quando Kent tirou a maca, e o som de Sanj arrumando o saco com tudo que poderiam precisar para investigar a cena quando se aventurassem na floresta.

— Você está bem? — Kent perguntou.

Lívia piscou, só então notando que ele tinha aberto a porta lateral. Ela concordou e saiu do veículo.

— Bom dia, cavalheiros — um policial cumprimentou. Em seguida, assentiu com a cabeça para Lívia. — Doutora Cutty...

Lívia ergueu o queixo e tentou sorrir.

— Meus rapazes levarão a maca. É uma boa caminhada. Cerca de oitocentos metros... por cima de algumas coisas densas.

Sanj pegou o saco de lona da maca e o colocou no ombro. Ele e Kent seguiram o policial pela floresta. Lívia se posicionou logo atrás, pisando em troncos caídos e segurando os galhos para os policiais que a acompanhavam passarem.

O terreno coberto de musgo emitia uma camada de névoa à medida que eles avançavam para o interior da mata. Um fraco cheiro de outono tinha sido capturado e preservado durante o inverno, e agora se infiltrava pelo solo da floresta. O sol se achava num ângulo pronunciado a partir do leste e brilhava intermitentemente através dos troncos das árvores, formando longas sombras que se insinuavam através da vegetação.

Após uma caminhada de quinze minutos, Lívia viu os policiais a distância parados ao redor de uma área demarcada por fita amarela de cena do crime. Ao se aproximar, percebeu um lençol branco sobre o corpo.

Sanj e Kent se reuniram com os policiais e tiveram uma discussão rápida que Lívia não escutou. Seu foco estava sobre o lençol branco como neve, que não tinha lugar naquela floresta escura. Pouco depois, Kent olhou para ela, com as sobrancelhas erguidas, fazendo ar de espanto.

Lívia concordou.

— Estou bem.

Ela entrou no quadrado cercado com a fita da cor do sol. Kent agachou-se na névoa e segurou a borda do lençol. Olhou uma última vez para Lívia, que respirou fundo e, em seguida, deixou o ar escapar silenciosamente. Lívia balançou a cabeça afirmativamente.

— Deixe-me vê-la novamente. — Em seguida puxou o tecido que cobria o rosto do cadáver.

TAMBÉM DE CHARLIE DONLEA:

ALGUNS LUGARES PARECEM BELOS DEMAIS PARA SEREM TOCADOS PELO HORROR...

Summit Lake, uma pequena cidade entre montanhas, é esse tipo de lugar, bucólico e com encantadoras casas dispostas à beira de um longo trecho de água intocada.

Duas semanas atrás, a estudante de direito Becca Eckersley foi brutalmente assassinada em uma dessas casas. Filha de um poderoso advogado, Becca estava no auge de sua vida. Era trabalhadora, realizada na vida pessoal e tinha um futuro promissor. Para grande parte dos colegas, era a pessoa mais gentil que conheciam.

Agora, enquanto os habitantes, chocados, reúnem-se para compartilhar suas suspeitas, a polícia não possui nenhuma pista relevante.

Atraída instintivamente pela notícia, a repórter Kelsey Castle vai até a cidade para investigar o caso.

... E LOGO SE ESTABELECE UMA CONEXÃO ÍNTIMA QUANDO UM VIVO CAMINHA NAS MESMAS PEGADAS DOS MORTOS...

A selvageria do crime e os esforços para manter o caso em silêncio sugerem mais que um ataque aleatório cometido por um estranho. Quanto mais se aprofunda nos detalhes e pistas, apesar dos avisos de perigo, mais Kelsey se sente ligada à garota morta.

E enquanto descobre sobre as amizades de Becca, sua vida amorosa e os segredos que ela guardava, a repórter fica cada vez mais convencida de que a verdade sobre o que aconteceu com Becca pode ser a chave para superar as marcas sombrias de seu próprio passado...

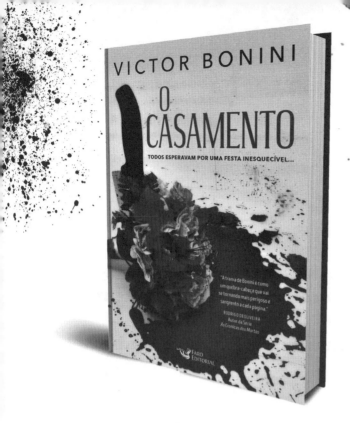

PARA OS NOIVOS É O DIA MAIS IMPORTANTE DE SUAS VIDAS

Meses atrás, os amigos diriam que o namoro de Plínio e Diana tinha prazo de validade. Eles se conheceram de um jeito bizarro, pensam completamente diferente e nenhuma das famílias aprova o relacionamento. Mas eles resistiram a tudo. E agora vão se casar.

PARA O DETETIVE É A MELHOR CHANCE DE PEGAR UM CRIMINOSO

O mais *íntegro* dos convidados esconde um segredo devastador. Mas alguém sabe e está disposto a espremê-lo com chantagens. É então que o detetive Conrado Bardelli se hospeda no hotel-fazenda onde ocorrerá o casamento. Ele precisa descobrir o lobo entre as ovelhas. E rápido. Pois, a cada nova ameaça, o chantagista eleva o tom e falta pouco para a bomba explodir.

O CASAL ESTÁ PRONTO PARA O SIM. OS PADRINHOS ESTÃO POSICIONADOS. A NOIVA SE PREPARA PARA CAMINHAR PELO TAPETE VERMELHO. ATÉ QUE ALGUÉM DIZ: NÃO SAIA DO CARRO!

Enquanto a plateia espera ansiosa em frente ao altar, algo brutal acontece na antessala. Só quando veem as paredes lavadas com sangue é que os convidados se rendem ao desespero. Começa uma confusão para interromper a marcha nupcial e chamar a polícia. Ninguém sabe o que fazer. E Bardelli, que lidava com um caso de extorsão, descobre que se meteu em algo muito pior. Agora, ele é o único capaz de encontrar respostas. O problema é que as mortes não param de acontecer...

ASSINE NOSSA NEWSLETTER E RECEBA
INFORMAÇÕES DE TODOS OS LANÇAMENTOS

www.faroeditorial.com.br

ESTA OBRA FOI IMPRESSA
EM OUTUBRO DE 2021